인체의 구조와 기능에서 본

병태생리 3

대 사 질 환
내 분 비 질 환
혈액·조혈기질환
신장·비뇨기질환

visual map

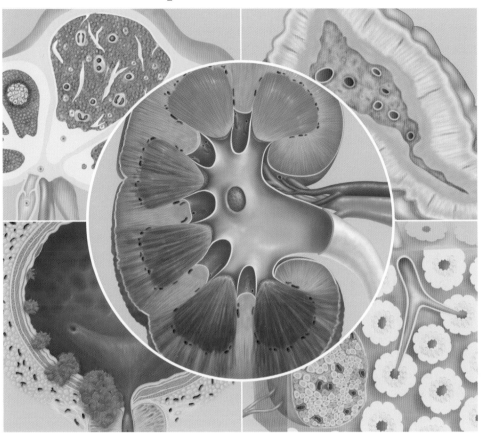

편집

佐藤千史
도쿄의과치과대학대학원 보건위생학연구과 교수·건강정보분석학

井上智子
도쿄의과치과대학대학원 보건위생학연구과 교수·첨단침습완화케어간호학

군자출판사

주의

본서에 기재되어 있는 치료법이나 환자케어에 관해서 출판시점의 최신 정보에 근거하여, 정확을 기하도록, 저자, 편집자 및 출판사는 각각 최선의 노력을 기울였습니다. 그러나 의학, 의료의 진보로 기재된 내용이 모든 점에서 정확하고 완전하다고 보증할 수는 없습니다.

따라서 활용시에는 항상 최신 데이터에 입각하여, 본서에 기재된 내용이 정확한지, 독자 스스로 세심한 주의를 기울일 것을 요청드립니다. 본서 기재의 치료법·의약품이 그 후의 의학연구 및 의료의 진보에 따라서 본서 발행 후에 변경된 경우, 그 치료법·의약품에 의한 불의의 사고에 관해서, 저자, 편집자 및 출판사는 그 책임을 지지 않습니다.

주식회사 의학서원

본서에 기술된 사회보험, 법규, 약제 등은 일본의 경우이므로 국내와 일치하지 않을 수도 있음을 참고하시기 바랍니다.

군자출판사

인체의 구조와 기능에서 본
병태생리 3 대사질환, 내분비질환 / 혈액·조혈기질환, 신장·비뇨기질환

첫째판 1쇄 인쇄 2014년 1월 5일
첫째판 1쇄 발행 2014년 1월 10일
첫째판 2쇄 발행 2015년 4월 27일

지 은 이 佐藤千史 · 井上智子
발 행 인 장주연
출 판 · 기 획 한수인
편집디자인 심현정
표지디자인 전선아
발 행 처 군자출판사
등록 제4-139호(1991.6.24)
본사 (110-717) 서울시 종로구 인의동 112-1 동원회관 BD 6층
전화 (02)762-9194/9195 팩스 (02)764-0209
홈페이지 | www.koonja.co.kr

人体の構造と機能からみた 病態生理ビジュアルマップ [3]
代謝疾患, 内分泌疾患, 血液・造血器疾患, 腎・泌尿器疾患
ISBN 978-4-260-00978-2 編集：佐藤 千史・井上 智子

published by IGAKU-SHOIN LTD., TOKYO Copyright© 2011

ISBN 978-89-6278-823-5
ISBN 978-89-6278-820-4 (세트)
정가 25,000원 / 125,000원 (세트)

서두에

여러분이 개개의 "병"에 관하여 어떤 이미지를 가지고 있는지 떠올려 보자. 예를 들어 폐암의 경우, 기도에 종양이 생기고 그것이 기침이나 호흡곤란으로 진행되는데, 이것은 비교적 이미지를 그리기 쉬운 편이다. 그렇다면 간경변, 파종성혈관내응고, 신증후군, 류마티스 관절염 등의 경우는 어떨까?

본서는 병태생리를 필두로 하여, 주요 질환의 병태·진단·치료·환자의 케어포인트를 주로 간호사·간호학생·코메디컬 스태프 대상으로 해설한 것이다.

동일한 취지의 서적이 이미 몇 가지 시중에 나와 있지만, 본서는 특히 '병태의 이미지를 전달하는 것', '병태와 증상·진단·치료·환자케어의 지식이 연결되는 것'에 역점을 두고 있다.

'병태의 이미지'에 관해서는 병태의 원인, 병변, 증상, 경과까지의 흐름을 한 눈에 알 수 있도록, 가시적인 일러스트를 사용하여 이미지화를 시도하고 있다. 그리고 그 이미지가 증상·진단·치료·환자케어의 이해에 직결되도록 구성하고 있다. 각 분야에서 두각을 나타내는 전문가들이 최신내용을 반영해서 집필해 주신 점도 본서의 큰 장점일 것이다.

병태생리란, 사람의 체내에서 어떤 변화가 일어나면서 건강이 손상되는지에 관한 "story"를 설명한 것이다. 이 스토리를 이해할 수 있으면, '왜 이 증상이 나타나는가', '왜 이 검사치를 주시해야 하는가', '왜 이 약을 적용하는가'에 대한 진단·치료의 의미, 인과관계를 이해할 수 있게 된다.

본서가 여러분의 일상의 학습, 임상현장에서의 관찰이나 정보수집, 케어 포인트나 치료를 이해하는 데에 도움이 된다면 크게 기쁠 것이다.

마지막으로, 본서의 간행취지에 찬성해 주시고, 각각 바쁘신 중에도 본서의 집필에 시간을 할애하여 편집자들의 의도를 상회하는 내용을 제공해 주신 집필진 선생님들께 진심으로 감사를 드리는 바이다.

2010년 12월

편집자를 대표하여 佐藤千史

편집·집필자 일람

편집

佐藤　千史　　도쿄의과치과대학대학원 보건위생학연구과교수·건강정보분석학
井上　智子　　도쿄의과치과대학대학원 보건위생학연구과교수·첨단침습완화케어간호학

집필

의학해설

秋澤　忠男　　쇼와(昭和)대학의학부교수·신장내과학
新井　文子　　도쿄의과치과대학대학원 의치학 종합연구과강사·혈액내과학
泉山　　肇　　도쿄의과치과대학의학부 부속병원 의료복지지원센터 강사
柿添　　豊　　구마모토(雄本)대학대학원 생명과학연구부·신장내과학
影山　幸雄　　사이타마(埼玉)현 암센터 비뇨기과부장
川上　　理　　사이타마(埼玉)의과대학 종합의료센터 준교수·비뇨기과
北原　聰史　　(재)도쿄 보건의료공사 타마(多摩)남부지역병원 비뇨기과부장
木原　和德　　도쿄의과치과대학대학원 의치학 종합연구과교수·비뇨기과학
黑木　亞紀　　쇼와(昭和)대학의학부강사·신장내과학
古賀　文隆　　도쿄의과치과대학대학원 의치학 종합연구과조교·비뇨기과학
小山　高敏　　도쿄의과치과대학대학원 보건위생학 연구과준교수·첨단혈액검사학
齊藤　一隆　　도쿄의과치과대학대학원 의치학 종합연구과조교·비뇨기과학
櫻田　麻耶　　도쿄도립 타마(多摩)종합의료센터·내과
佐々木　成　　도쿄의과치과대학대학원 의치학 종합연구과교수·신장내과학
佐藤　文繪　　전 도쿄의과치과대학의학부 부속병원 신장내과
七里　眞義　　기타사토(北里)대학의학부교수·내분비대사·신장내과학
富田　公夫　　구마모토(雄本)대학대학원 생명과학연구부교수·신장내과학
中野　　妙　　도쿄의과치과대학대학원 의치학 종합연구과원생·분자내분비내과학
平田結喜緒　　도쿄의과치과대학대학원 의치학 종합연구과교수·분자내분비내과학
福田　哲也　　도쿄의과치과대학대학원 의치학 종합연구과조교·혈액내과학
三木　　徹　　독립행정법인 국립인쇄국 도쿄병원내과부장
宮崎　　滋　　도쿄강신병원부원장·내과부장
若林　麻衣　　도쿄치과의과대학대학원 의치학 종합연구과·신장내과학

환자케어해설

有田　淸子　　덴리(天理)의료대학 설립준비실
泉　　貴子　　일본적십자간호대학 간호학부 간호학과조교·성인간호학
磯見　智惠　　후쿠이(福井)대학 의학부 간호학과강사·임상간호학
內堀　眞弓　　도쿄의과치과대학 대학원 보건위생학 연구과특임조교·재택케어간호학
岡　美智代　　군마(群馬)대학 의학부 보건학과교수·임상간호학
恩幣　宏美　　군마(群馬)대학 의학부 보건학과강사·성인간호학
片岡　　純　　아이치(愛知)현 간호대학교수·성인만성기간호학
齊藤しのぶ　　치바(千葉)대학대학원 간호학 연구과강사·기초간호학 교육연구분야
酒井　明子　　후쿠이(福井)대학 의학부 간호학과교수·임상간호학
高島　尙美　　도쿄자혜회 의과대학 의학부 간호학과교수·성인간호학
高橋さつき　　군마(群馬)현 현민건강과학대학 간호학부 간호학과
高橋奈津子　　세이로카(聖路加)간호대학 대학원 박사후기과정
福田　祐子　　교린(杏林)대학 보건학부 간호학과강사·성인간호학
那須佳津美　　히로시마대학대학원 보건학연구과조교·간호개발과학
間部　知子　　도쿄 rehabilitation병원
山勢　博彰　　야마쿠치(山口)대학대학원 의학계 연구과교수·임상간호학

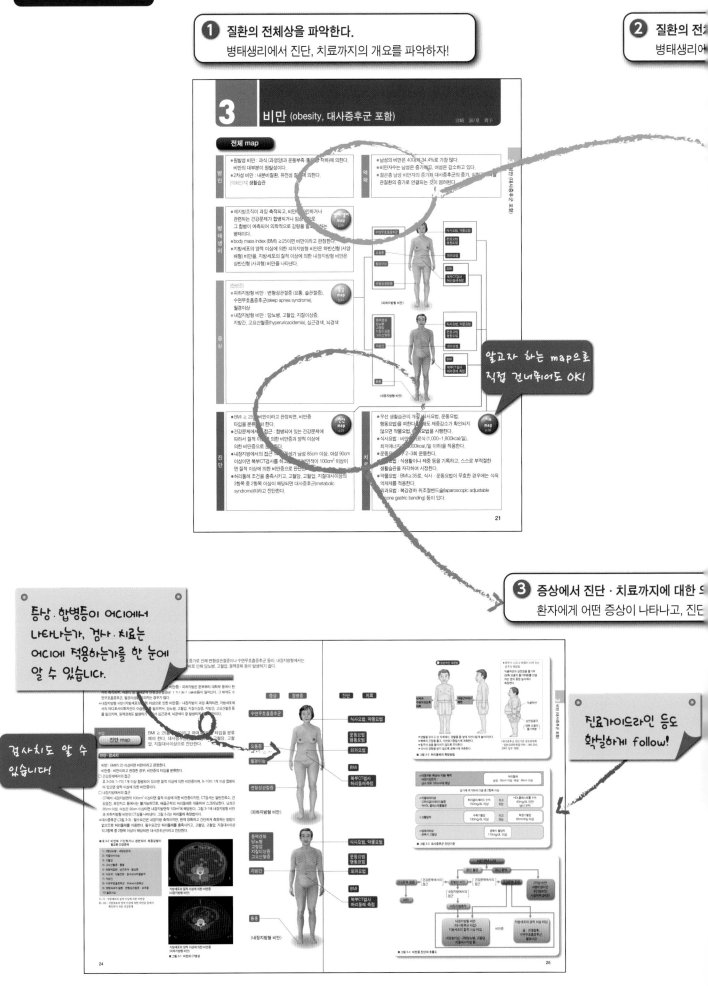

① 질환의 전체상을 파악한다.
병태생리에서 진단, 치료까지의 개요를 파악하자!

② 질환의 전체
병태생리어

③ 증상에서 진단 · 치료까지에 대한 의
환자에게 어떤 증상이 나타나고, 진단

알고자 하는 map으로 직접 건너뛰어도 OK!

특낭 · 합병증이 어디에서 나타나는가, 검사 · 치료는 어디에 적용하는가를 한 눈에 알 수 있습니다.

진료가이드라인 등도 확실하게 follow!

검사치도 알 수 있습니다!

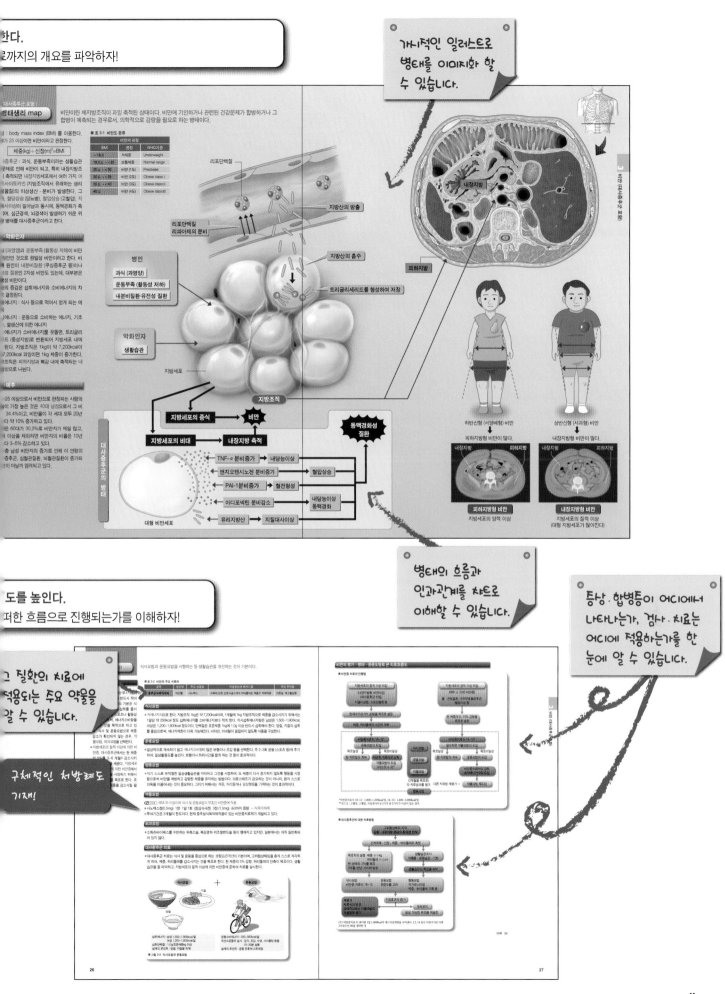

4 환자의 케어 포인트를 파악한다.
병태생리, 진단·치료의 흐름과 관련지어 이해하자!

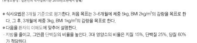

스테이지에 따른 케어 포인트가 응축되어 있습니다.

여러 곳에 오널을 마련하여 이해를 돕고 있습니다

평가·병태·중증도에 따른 케어

【도입기】 지금까지의 생활사, 라이프스타일을 확인하여 비만의 요인을 찾아낸다. 비만은 여러 요인이 관련되어 있는 경우가 많으므로, 다양한 각도에서 정보를 수집하는 것이 중요하다. 정보를 수집하면서 환자의 비만에 대한 지식, 이해도를 확인한다. 자주적으로 식사요법 및 운동요법을 실행하는 데는 환자가 목적이나 필요성을 자각하고, '자신이 이렇게 되고 싶다'라는 의사가 중요하기 때문에 동기가 부여되어 효과적으로 될 수 있다. 따라서 가족을 포함하여 교육적인 개입을 중점을 두고 요법의 목적이나 필요성의 이해를 촉구하는 것이 필요하다. 그러나 지식을 이해해도 행동으로 옮기기는 쉽지 않다. 식사요법, 운동요법의 구체적인 내용을 생각할 때에는 가능한 환자의 지금까지의 라이프스타일에 따라서 실현 가능한 계획을 세우도록 명심한다. 계획을 세울 때에는 환자·가족 모두의 목표의식을 통일시켜 생각하는 것도 필요하다.

【실행기】 섭취에너지양의 감소, 소비에너지양의 증가에 수반하여 공복감이나 기아감이 예상되므로, 완화방법 등의 대응책, 가족 등의 정신적 지지체계를 미리 생각하여 두어야 한다. 식사요법, 운동요법을 실시하고 있을 때에는 효과나 성과를 확인하고, 의욕을 유지할 수 있도록 지도해 간다. 실시 중에 문제가 발생하면 포기하지 않도록 즉시 상담하도록 전달하고, 정신적 지지를 포함하여 지지해 간다.

【유지기】 퇴원 후나 비만이 개선된 후에도 다시 비만이 되지 않도록, 정기진찰을 통해 동기를 계속하여 부여한다. 또 환자모임 등의 사회자원을 소개하고, 의욕이 유지되도록 지지한다.

케어의 포인트

신뢰관계의 형성
● 비만자의 경우 자기혐오감이 있어서 부정적 감정을 가지기 쉽다. 또 체중이나 식생활을 확인할 때 프라이버시에 관련된 정보가 필요해지므로, 환자가 안심하고 얘기할 수 있는 환경을 조성하는 것이 필요하다.
● 면담시는 가능한 환자가 중심이 되게 얘기하도록 하고, 환자의 생각을 중심으로 정보를 수집한다.
● 공감적인 태도로 대하고, 지식의 제공, 장래 계획의 입안 등을 함께 할 것을 전달하여, 환자가 안도감을 가지도록 지도한다.

치료요법(의기)의 지지
● 지방이 축적되는 원인에 관해서는 여러 요인을 관련지어서 사정한다.
● 환자 본인이 평등하지 않다고 생각하고 있는 경우가 있으므로, 신체상을 수정하여 동기를 촉구한다.
● 식사의 내용, 식사를 하는 시간 등, 다음과 같은 식사에 관한 정보를 상세히 수집한다.
● 1회섭취량이 많다, 빨리 먹는다, 간식 및 외식이 잦다, 직장모임·회식이 잦다, 저녁 식사시간이 늦다, 남은 음식을 먹어 버린다, 정신적인 스트레스로 인해 충동적으로 과식한다, 혼자 식사한다, 다른 행동을 하면서 식사를 한다, 등.
● 환자 본인이 '자신이 어떻게 되고 싶은지, 생각을 확인한다.
● 과거, 현재의 생활행동에서 할 수 있는 것에 주목하여 늘려가는 방법을 생각한다.
● '왜 할 수 없는가'라고 부정적으로 생각하기보다 '어떻게 하면 할 수 있는가', 라고 긍정적으로 생각한다.
● 하루의 행동패턴, 직무내용을 상세하게 정보 수집한다.
● 일상생활행동에 운동을 도입해 갈 수 있도록 어느 타이밍에 운동을 도입할 것인가를 생각한다.
● 비만에 관한 지식, 치료의 필요성 등을 올바르게 이해하지 않으면, 동기부여가 불충분하여 잘못된 행동을 하게 될 가능성이 있으므로, 지식, 이해도를 파악한다.
● 환자가 주체적으로 임하지 않으면, 효과를 기대할 수 없으므로 의욕수준을 파악한다.

치료계획의 입안에 대한 지지
● 생활에 따른 실천 가능한 계획을 세운다.
● 계획은 환자·가족과 함께 세운다. 그렇게 함으로써 목표를 공유하고 환자·가족이 일제히 되어 의욕적으로 임할 수 있다.
● 성취감을 통해 의욕을 높일 수 있도록, 단계적으로 목표를 설정한다.
● 스스로 자기관리의식을 높이거나 생활행동의 경향을 인식할 수 있도록, 행동·식사·운동을 기록하는 일기 기록을 제안한다.
● 준비가 필요한 것, 시간이 걸리는 것 노력을 요하는 것은 오래 계속하기 어려우므로, 일상생활 속에서 가볍게 할 수 있는 것부터 시작한다.
● 영양사가 제공한 식사의 구체적인 어드바이스에 입각하여, 가족도 되어 영양지도를 한다.
● 모임 등의 조정이 어려운 경우 등, 각 케이스에서 구체적인 대처법을 계획한다.
● 공복시의 대응, 안정방법 등, 식사제한으로 인한 스트레스를 경감시키는 방법을 미리 생각하여 둔다.

그림 3-6 자기관리의식을 높인다
자기관리 의식수준을 높이는 데는 행동·식사·운동을 기록하는 일기가 효과적이다.

식사요법의 지지
● 식사요법의 어려운 점은 포만감을 얻을 수 없다, 칼로리계산이 어렵다, 영양균형이 기운다, 환경적으로 외식이 많아져서 칼로리가 초과되어 버린다 등이다. 환자의 문제점을 파악하고 그에 맞추어 계획을 세워야 한다.
● 지시에너지양의 설정 : 비만증 치료식으로는 1,000~1,800kcal/일의 범위에서 200kcal의 차이를 둔 5단계로 나누어져 있다. 또 600kcal/일의 초저에너지식인데, 이 경우는 반드시 입원하여 한다. 이 지시에너지양은 환자의 연령, 성별, BMI수치, 활동량을 참고로 통합적으로 생각한다. 다음의 계산식을 참고로 하여 구체적인 수치를 산출한다.
하루의 섭취에너지양 (지시에너지양)=이상체중 × 기초대사기준치 × 신체활동수준
· 이상적 체중(kg)=신장(m)² × 22, 기초대사기준치 (표 3-3 참조), 신체활동수준 (표 3-4 참조)

■ 표 3-3 기초대사기준치(kcal/kg 체중/일)

연령(세)	남성	여성
1~2	61.0	59.7
3~5	54.8	52.2
6~7	44.3	41.9
8~9	40.8	38.3
10~11	37.4	34.8
12~14	31.0	29.6
15~17	27.0	25.3
18~29	24.0	22.1
30~49	22.3	21.7
50~69	21.5	20.7
70 이상	21.5	20.7

(후생노동성 : 일본인의 식사섭취기준 2010년도판에서 발췌)

■ 표 3-4 신체활동수준

	낮다 (Ⅰ)	보통 (Ⅱ)	높다 (Ⅲ)
신체활동수준	1.50 (1.40~1.60)	1.75 (1.60~1.90)	2.00 (1.90~2.20)
일상생활의 내용	생활의 대부분이 좌위이며 형태이고 정적인 활동이 중심인 경우	좌위중심의 작업이지만 직장 내에서의 이동이나 서서 하는 작업·접객 등, 또는 통근·쇼핑·가사, 가벼운 스포츠 등을 포함하는 경우	이동이나 서 있는 일이 많은 일에 종사하고 있는 사람, 또는 스포츠 등 활발한 운동습관을 가지고 있는 경우

(후생노동성 : 일본인의 식사섭취기준 2010년도판에서 발췌)

● 식사요법은 3개월 기준으로 평가한다. 처음 목표는 3~6개월에 체중 5kg, BMI 2kg/m²의 감량을 목표로 한다. 그 후, 3개월에 체중 3kg, BMI 1kg/m²의 감량을 목표로 한다.
● 다음을 환자의 이해도에 맞추어 설명한다.
· 지방을 줄이고, 그만큼 단백질의 섭취를 높인다. 3대 영양소의 비율은 지질 15%, 단백질 25%, 당질 60%가 적당하다.
· 단 과자, 지방, 고기의 지방 덩어리 등의 섭취를 억제하고, 표준체중, 생활활동강도에 따른 섭취에너지를 고수한다.
· 설명할 때 영양소의 이름만으로는 이미지를 떠올리기 어려우므로, 구체적인 식품명이나 메뉴로 예를 나타낸다.
· 저칼로리로 섭취하기 위해서 튀김, 볶음 등의 기름을 사용하는 조리법에서 찌고, 끓이는 조리법으로 변경한다.
· 조미료는 드레싱, 마요네즈는 지질이 함유된 고칼로리식품으로, 식초나 레몬즙, 간장 등의 저칼로리식품을 사용한다.
· 밤 늦은 시간(내가 되면 대사량이 저하되고, 식후의 활동량도 적으므로 감량을 기대할 수 없다. 따라서 가능한 일찍 (20시까지) 저녁식사를 한다.
· 저작횟수를 늘려서 식사시간을 오래하여 포만감을 얻는다.

운동요법의 지지
● 섭취칼로리를 제한해도 소비칼로리가 그를 상회하지 않으면 감량으로 연결되지 않음을 설명한다.
● 비용이나 시간이 필요하면 실행이 더 어려워지므로 일상생활에서 응용할 수 있는 방법을 생각한다. 내릴 역의 한 정거장 전에 내려서 걷기, 엘리베이터가 아니라 계단을 사용하기 등이 그 예이다.
● 적절한 운동을 오히려 식욕을 증진시키므로, 그보다는 생활에 맞추어 계속할 수 있는 운동을 생각한다.

환자·가족의 심리·사회적 문제에 대한 지지
● 라이프스타일을 개선하려면 시간이 걸린다는 점을 설명하고, 의욕이 감퇴되지 않도록 주의한다.
● 정신적인 스트레스 때문에 부적절한 식행동을 하는 경우가 많은 경우, 정신적인 스트레스의 완화에도 주의한다.
● 환자 혼자서는 어려운 경우도 있으므로, 가족의 지지가 계속될 수 있도록 가족도 케어한다.
● 고민이나 감변에 대한 정보를 공유할 수 있는 환자모임 등을 소개한다.

퇴원지도·영양지도
● 정기적으로 진찰을 받아 동기를 계속 부여한다.
● 일기를 계속 쓰게 하여, 자기관리능력을 높일 수 있도록 지지한다.

(毛 眞子)

튀기거나 볶는 조리법에서 찌고, 끓이는 조리법으로

지질이 많이 함유된 드레싱, 마요네즈에서 식초나 레몬즙, 간장으로

그림 3-7 조리설계의 예시

28　　29

병태생리map에 관하여

일러스트 중에서 병인, 악화인자, 병변, 증상 등에 관하여, 그 관련성을 화살표로 나타내고 있다. 원칙적으로 「병변」은 하늘색 또는 보라색 (2차적 병변 또는 장애 결과) 박스로,「증상」은 황녹색 박스로 색깔별로 나누고 있다. 붉은색 박스는 특히 중요한 병변·장애를 나타낸다.

[기재례]

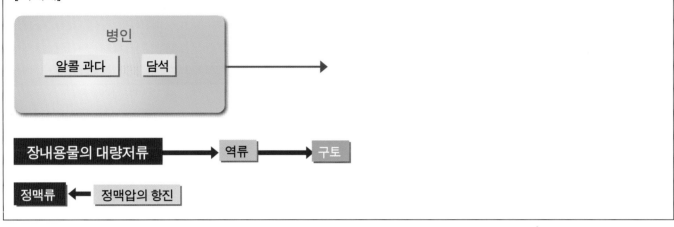

약물요법에 관하여

각 질환의 처방례를 제시하고 있다. 처방례는 원칙적으로, 약제명 (상품명), 제형, 규격단위, 투여량, 용법을 기재하고, 마지막에 화살표로 분류명을 나타내고 있다. 투여량은 1일량이며, 용법의 「分○」는 1일량을 ○회로 나누어 투여(복용)한다는 의미이다.

[기재례]

지스로맥스정 (250mg) 2정 分1 3일간 ←마크롤라이드계 항균제

또 투여량에 관하여 1회투여량으로 표시하고 있는 경우도 있다. 그 경우는 1일 몇 회 투여하는가를 함께 기재하고 있다.

[기재례]

지스로맥스정 (250mg) 1회 2정 1일 1회 3일간 ←마크롤라이드계 항균제

인체의 구조와 기능에서 본

병 태 생 리 | 3
visual map

대 사 질 환
내 분 비 질 환
혈액·조혈기질환
신장·비뇨기질환

C O N T E N T S

1 당뇨병 (diabetes mellitus)

田中　明／內堀眞弓

전체 map

병인

- 1형 : 인슐린을 생성 · 분비하는 췌장B세포의 파괴 · 소실로 인한 인슐린의 절대적 결핍을 의미한다.
- 2형 : 인슐린 분비저하에 인슐린저항성이 더해진 인슐린의 상대적 부족을 의미한다.

[악화인자] 과식, 운동부족, 비만

역학

- 당뇨병 환자수는 890만명 (예비군을 포함하면 2210만명)으로, 점차 증가할 것으로 예상된다 (2007년 국민건강 · 영양조사).
- 1형은 1~3%, 2형은 95~97%를 차지한다.

[예후] 당뇨병 환자의 평균여명은 남성 9.6년, 여성 13.0년으로 단축된다.

병태생리

- 인슐린작용의 부족으로 만성적 혈당치의 상승과 대사이상이 일어나는 질환으로서, 유전인자에 환경인자가 더해져 발생한다.
- 당뇨병은 1형당뇨병 (인슐린의존상태)과 2형당뇨병 (대부분은 인슐린비의존상태)으로 구분된다.
- 당대사이상의 상태에 따라서 정상형에서 경계형, 당뇨병형으로 연속적으로 진행된다.

병태생리 map p.2

증상

- 고혈당 등의 대사이상에 의한 증상 (구갈, 다음, 다뇨, 피로도 증가, 체중감소)이 전형적이다.
- 합병증이 있는 경우 : 시력저하, 보행시 하지통, 발한이상, 변비, 설사, 족궤양 · 괴저 등

[합병증]

- 급성합병증 : 당뇨병성혼수 (당뇨병성케톤산증, 고삼투압 고혈당증후군), 피부 · 요로감염증
- 만성합병증 : 3대 합병증 (당뇨병성망막증, 당뇨병성신증, 당뇨병성신경증) 외에, 관동맥경화증, 뇌혈관장애, 족궤양 · 괴저, 고혈압, 만성감염증 등

증상 map p.4

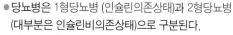

증상　합병증　　　　진단　치료

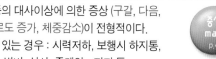

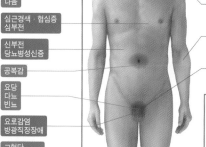

- 의식장애 (당뇨병성혼수) 뇌경색
- 당뇨병성망막증 백내장
- 안면신경마비
- 구갈 다음
- 심근경색 · 협심증 심부전
- 신부전 당뇨병성신증
- 공복감
- 요당 다뇨 빈뇨
- 요로감염 방광직장장애
- 고혈당 피로도 증가 체중감소 탈수
- 당뇨병성케톤산증 요독증 피부감염 빈혈 골장애 고혈압 동맥경화 자율신경장애
- 당뇨병성신경증 (저림, 냉감, 지각 이상)

- 안저검사
- 이른 아침 공복시 혈당치, 75g 경구포도당 부하시험, 수시혈당치, HbA1c의 측정
- 요검사

- 운동요법
- 식사요법
- 경구혈당강하요법
- 인슐린요법
- 인슐린 이외의 주사약 (GLP-1 수용체작동제)

진단

- 당뇨병형 판정 : ① 이른 아침 공복시 혈당치 126mg/dL 이상, ② 75g 경구포도당부하시험 (OGTT) 2시간치 200mg/dL 이상, ③ 수시혈당치 200mg/dL 이상, ④HbA1c (JDS치)가 6.1% 이상 [HbA1c (국제표준치)가 6.5% 이상] 중에서 하나라도 확인한 경우
- 정상형 판정 : 이른 아침 공복시 혈당치 110mg/dL 미만이고 75g OGTT 2시간혈당치 140mg/dL 미만인 경우
- 경계형 판정 : 당뇨병형에도 정상형에도 속하지 않는 경우
- 당뇨병의 진단 : ①~③의 어느 하나와 ④가 확인된 경우, 당뇨병형에서 다른 날에 한 검사에서 ①~④가 재확인된 경우 (단, ④의 HbA1c만 반복검사에 의한 진단은 불가). 혈당치가 당뇨병형을 나타내고 ①~③), 당뇨병의 전형적 증상 또는 확실한 당뇨병성망막증(diabetic retinopathy)이 확인된 경우

진단 map p.5

치료

- 당뇨병 치료의 목표는 당뇨병을 양호한 상태로 관리하는 데에 있다.
- 생활지도 : 식사요법과 운동요법은 1형, 2형에 상관없이 당뇨병 치료의 기본이다.
- 경구혈당강하제요법 : 경구혈당강하제 (설포닐요소제, 속효형 인슐린분비촉진제, α -글루코시다아제저해제, 비구아나이드제, 티아졸리딘제, DPP-4저해제)는 소량으로 투여를 시작하여, HbA1c치를 보면서 증량한다.
- 인슐린요법 : 인슐린의존상태, 당뇨병성혼수(diabetic coma), 중증 간 · 신장애합병시 등에 반드시 적용된다.
- 인슐린 이외의 주사약 : GLP-1 수용체작동제가 있으며 인슐린비 의존상태 (2형당뇨병)에 적용된다.

치료 map p.6

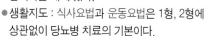

병태생리 map

당뇨병은 췌장에서 분비되는 인슐린의 작용이 부족하기 때문에, 만성적 혈당치의 상승과 특이한 대사 이상이 일어나는 질환이다.

- 혈당상승의 원인은 여러 가지이며, 당뇨병은 혈당의 상승을 특징으로 하는 증후군이라고 할 수 있다.
- 당뇨병은 검사에서 전혀 이상이 나타나지 않는 상태 (그림 1-1의 ⓒ)에서 경계형이라고 할 수 있는 상태(그림 1-1 ⓑ), 당뇨병이라고 진단하는 상태 (그림 1-1 ⓐ)까지, 연속적인 여러 가지 중증도가 있으며, 또 그 중증도는 변화를 거듭한다. 자연계에는 경계역과 당뇨병역의 명확한 경계가 존재하지 않으며, 그 경계는 사람이 결정하는 것이다. 치료에 따라서 ⓐ의 상태는 ⓑ나 ⓒ의 상태가 되며, 치료를 게을리하면 ⓑ나 ⓒ의 상태가 ⓐ의 상태로 변화한다.
- 당뇨병의 형
- 당뇨병에는 1형당뇨병과 2형당뇨병 (표 1-1)이 있다.
- 인슐린은 췌장 랑게르한스섬의 B (β) 세포에서 합성되어 혈중으로 분비된다. B세포의 파괴로 이 과정에 장애가 생겨서 (그림의 병인①), 절대적인 인슐린 작용부족을 일으키는 것이 1형당뇨병이다.
- 일정수준의 인슐린 분비저하에 인슐린저항성이 추가되어, 상대적인 인슐린 작용부족을 일으키는 것이 2형당뇨병이다.
- 췌장에서 혈중으로 분비된 인슐린은 간, 근육, 지방조직 등의 세포표면에 존재하는 인슐린수용체에 결합하고, 그 자극이 세포내에 전달되어 여러 가지 대사조절작용이 발생한다. 그중 하나가 혈중 포도당 (glucose)을 세포 내에 넣는 작용을 하며, 그 결과 혈당치가 저하된다.
- 세포내로 들어간 포도당은 산화되어 물과 이산화탄소로 바뀌고, 그 때 생기는 에너지에 의해서 여러 가지 활동이 가능해진다. 그러나 인슐린에 대한 항체 (그림의 병인②), 인슐린수용체의 이상이나 감소 (그림의 병인③), 수용체에 결합한 후의 세포내자극 전달시스템의 이상 (그림의 병인④) 등이 생기면 세포내로의 포도당의 흡수가 억제되어, 혈당치가 상승한다. 즉, 인슐린저항성 (인슐린 작용저하)이 초래되어, 2형당뇨병이 발생한다.
- 당뇨병의 병태
- 당뇨병의 병태는 인슐린의존상태와 인슐린비의존상태로 분류된다 (표 1-2).
- 1형당뇨병의 대부분은 인슐린의존상태, 2형당뇨병의 대부분은 인슐린비의존상태이다.

병인·악화인자

- 당뇨병의 병인에 따라서, ①1형당뇨병, ②2형당뇨병, ③원인인 유전자이상이 확실한 당뇨병 및 췌장질환 (췌장염, 췌장암), 혈당을 상승시키는 호르몬의 증가를 일으키는 내분비질환 (갑상선기능항진증, 쿠싱증후군, 갈색세포종 등), 간경변 등의 2차성 당뇨병, ④임신성당뇨병(gestational diabetes)으로 나뉜다. 임신은 혈당치의 상승을 일으키기 쉬워서 당뇨병의 원인 중 하나이다.

- 1형당뇨병과 2형당뇨병은 서로 이행되지는 않는다.

역학·예후

- 발병율이 증가하고 있다. 2007년에 실시된 후생성 2007년 국민건강·영양조사에 의하면, 당뇨병이 매우 의심스러운 사람은 약 890만명, 당뇨병의 가능성을 부정할 수 없는 사람을 합하면 약 2210만명이었다. 또 2010년에는 당뇨병이 매우 의심스러운 사람은 1080만명에 이른다고 추정되었다.
- 당뇨병의 대부분은 2형당뇨병으로 전체의 95~97%를 차지하며, 1형당뇨병은 1~3%에 불과하다.
- 일본당뇨병학회의 「당뇨병사인에 관한 위원회」 보고 (2007)에 의하면, 당뇨병환자의 사인의 1위는 악성신생물의 34.1%, 그 외 감염증 (폐렴 등) 14.3%, 허혈성심질환 10.2%, 뇌혈관장애 9.8%, 당뇨병성 신장증 6.8%였다. 일반 일본인의 사인과 비교하여 허혈성 심질환, 감염증, 신질환의 빈도가 높았다. 또 당뇨병 환자의 평균사망시 연령은 남성 68.0세, 여성 71.6세로, 동시기 일본인 일반의 평균수명에 비해서, 각각 9.6세, 13.0세 단축되었다.

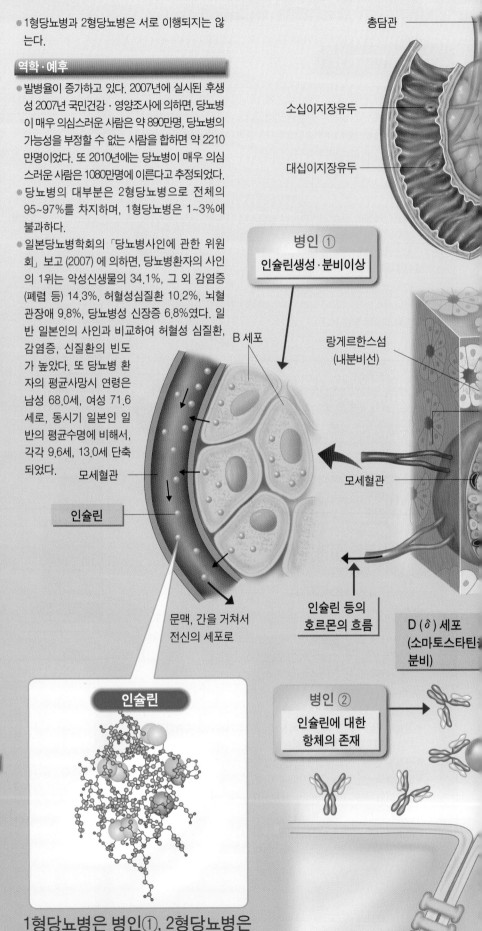

총담관

소십이지장유두

대십이지장유두

병인 ①
인슐린생성·분비이상

B 세포

랑게르한스섬
(내분비선)

모세혈관

인슐린 등의
호르몬의 흐름

D (δ) 세포
(소마토스타틴 분비)

모세혈관

인슐린

문맥, 간을 거쳐서
전신의 세포로

인슐린

병인 ②
인슐린에 대한
항체의 존재

1형당뇨병은 병인①, 2형당뇨병은 병인②~④에 의한 당뇨병이다.

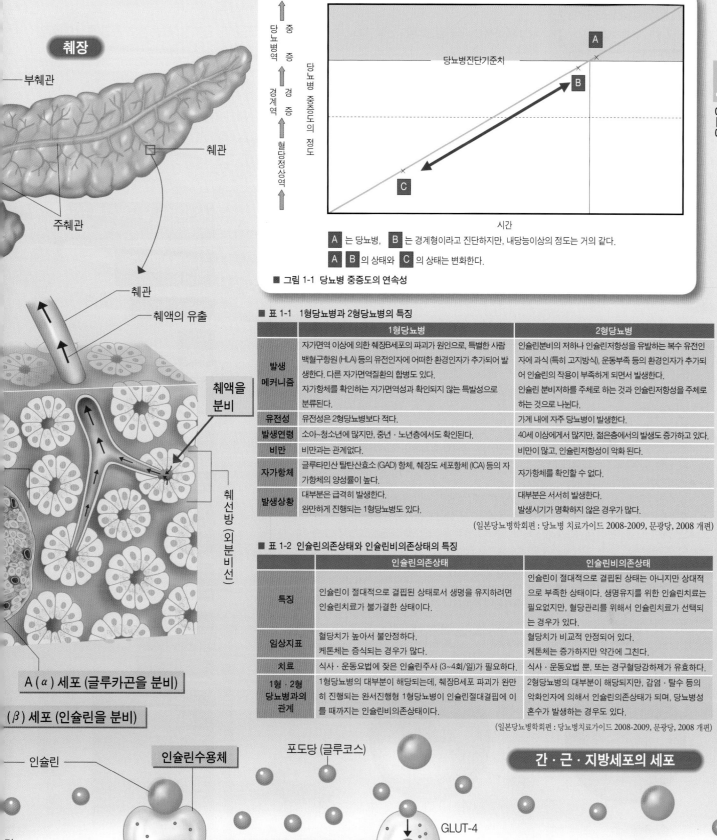

췌장

- 부췌관
- 췌관
- 주췌관
- 췌관
- 췌액의 유출
- 췌액을 분비
- 췌선방 (외분비선)

A (α) 세포 (글루카곤을 분비)

(β) 세포 (인슐린을 분비)

A 는 당뇨병, B 는 경계형이라고 진단하지만, 내당능이상의 정도는 거의 같다.
A B 의 상태와 C 의 상태는 변화한다.

■ 그림 1-1 당뇨병 중증도의 연속성

■ 표 1-1 1형당뇨병과 2형당뇨병의 특징

	1형당뇨병	2형당뇨병
발생 메커니즘	자가면역 이상에 의한 췌장B세포의 파괴가 원인으로, 특별한 사람 백혈구항원 (HLA) 등의 유전인자에 어떠한 환경인자가 추가되어 발생한다. 다른 자가면역질환의 합병도 있다. 자가항체를 확인하는 자가면역성과 확인되지 않는 특발성으로 분류된다.	인슐린분비의 저하나 인슐린저항성을 유발하는 복수 유전인자에 과식 (특히 고지방식), 운동부족 등의 환경인자가 추가되어 인슐린의 작용이 부족하게 되면서 발생한다. 인슐린 분비저하를 주체로 하는 것과 인슐린저항성을 주체로 하는 것으로 나뉜다.
유전성	유전성은 2형당뇨병보다 적다.	가계 내에 자주 당뇨병이 발생한다.
발생연령	소아~청소년에 많지만, 중년·노년층에서도 확인된다.	40세 이상에게서 많지만, 젊은층에서의 발생도 증가하고 있다.
비만	비만과는 관계없다.	비만이 많고, 인슐린저항성이 악화 된다.
자가항체	글루타민산 탈탄산효소 (GAD) 항체, 췌장도 세포항체 (ICA) 등의 자가항체의 양성률이 높다.	자가항체를 확인할 수 없다.
발생상황	대부분은 급격히 발생한다. 완만하게 진행되는 1형당뇨병도 있다.	대부분은 서서히 발생한다. 발생시기가 명확하지 않은 경우가 많다.

(일본당뇨병학회편 : 당뇨병 치료가이드 2008-2009, 문광당, 2008 개편)

■ 표 1-2 인슐린의존상태와 인슐린비의존상태의 특징

	인슐린의존상태	인슐린비의존상태
특징	인슐린이 절대적으로 결핍된 상태로서 생명을 유지하려면 인슐린치료가 불가결한 상태이다.	인슐린이 절대적으로 결핍된 상태는 아니지만 상대적으로 부족한 상태이다. 생명유지를 위한 인슐린치료는 필요없지만, 혈당관리를 위해서 인슐린치료가 선택되는 경우가 있다.
임상지표	혈당치가 높아서 불안정하다. 케톤체는 증식되는 경우가 많다.	혈당치가 비교적 안정되어 있다. 케톤체는 증가하지만 약간에 그친다.
치료	식사·운동요법에 잦은 인슐린주사 (3~4회/일)가 필요하다.	식사·운동요법 뿐, 또는 경구혈당강하제가 유효하다.
1형·2형 당뇨병과의 관계	1형당뇨병의 대부분이 해당되는데, 췌장B세포 파괴가 완만히 진행되는 완서진행형 1형당뇨병이 인슐린절대결핍에 이를 때까지는 인슐린비의존상태이다.	2형당뇨병의 대부분이 해당되지만, 감염·탈수 등의 악화인자에 의해서 인슐린의존상태가 되며, 당뇨병성 혼수가 발생하는 경우도 있다.

(일본당뇨병학회편 : 당뇨병치료가이드 2008-2009, 문광당, 2008 개편)

간·근·지방세포의 세포

- 인슐린
- 인슐린수용체
- 포도당 (글루코스)
- GLUT-4
- 세포질기질
- 에너지
- 미토콘드리아
- 해당과정에 의한 글루코스 분해
- 미토콘드리아 내에서의 에너지 합성
- 막

병인 ③ 인슐린수용체의 이상·감소

병인 ④ 세포내 자극전달시스템의 이상

증상 map

당뇨병에서는 고혈당, 요당, 구갈, 다뇨, 빈뇨, 다음, 피로도 증가, 공복감, 체중감소 등의 증상이 확인된다.

증상

- 당뇨병에서는 인슐린작용의 저하로 세포 내에서 포도당을 흡수할 수 없게되어 포도당이 혈중에 축적된다(고혈당). 혈당치를 낮추기 위하여 포도당을 요로 배설하게 된다(요당).
- 다량의 포도당을 요중으로 배설하려면 다량의 수분을 필요로 하기에 요량의 증가(다뇨), 잦은 배뇨(빈뇨)가 일어난다. 그리고 다량의 요가 배설된 결과, 탈수상태가 된다. 탈수상태가 되면, 현저한 구갈감이 생겨서 다량의 수분을 섭취하게 된다(다음).
- 인슐린작용의 저하로 세포 내로의 포도당 흡수가 억제된다. 세포내는 에너지원인 포도당이 부족하여 기아상태가 되므로, 현저한 공복감이 발생한다. 또 포도당의 산화로 발생하는 에너지가 생성되지 않아서, 에너지 부족상태가 된다(피로도 증가).
- 포도당을 이용할 수 없으므로, 대신 체지방이 산화되어 에너지원이 된다. 그 결과, 급격히 체지방이 감소된다(체중감소). 지방이 산화되어 케톤체가 되면서 혈중 케톤체가 상승한다. 케톤체는 산성이므로, 혈액이 산성이 되고, 고혈당, 탈수가 추가되면 당뇨병성케톤산증(diabetic ketoacidosis)이 되어, 의식장애 (당뇨병성혼수)를 일으키기도 한다.

합병증

〈급성합병증〉
- 급격한 고도의 인슐린 작용부족은 혈당치의 현저한 상승과 탈수, 케톤산증(ketoacidosis)을 유발하고 당뇨병성혼수를 일으킨다.
- 면역능이 저하되어, 피부감염, 요로감염이 반복된다.

〈만성합병증〉
- 망막증(retinosis), 신증(nephrosis), 신경증(neurosis)은 모세혈관의 장애를 수반하는 점에서 세소혈관증(microangiopathy)이라고 한다. 이것은 당뇨병에서의 특이한 합병증이며, 당뇨병의 3대 합병증이라고 한다. 한편, 동맥경화증은 대혈관에서의 장애를 수반하는 점에서 대혈관증(macroangiopathy)이라고 한다.
- 눈의 합병증 (망막증, 백내장)
- 망막증은 망막 (안저)에 장애가 생기는 합병증으로, 실명의 원인이 된다. 망막증은 망막이 광범위한 출혈을 수반하는 중증이 아니면, 시력저하 등의 자각증상이 출현하지 않는다.
- 망막에는 모세혈관이 망상으로 분포하여, 망막에 영양이나 산소를 공급하고 있다. 고혈당이 지속되면, 모세혈관상, 출혈, 모세혈관에 혈전이 생겨서 망막에 장애를 일으킨다. 망막의 장애를 수복하기 위해서 신생혈관이 증식되지만, 이 혈관은 파괴되기 쉬우므로 출혈의 원인이 된다. 출혈이 초자체로 확대되고, 그 응고 덩어리가 망막을 끌어내리면서 망막박리가 발생하고 결국 실명에 이른다.
- 백내장(cataract)에서는 수정체에 당이 축적되어 투명성이 저하되면서 시력장애가 발생한다.

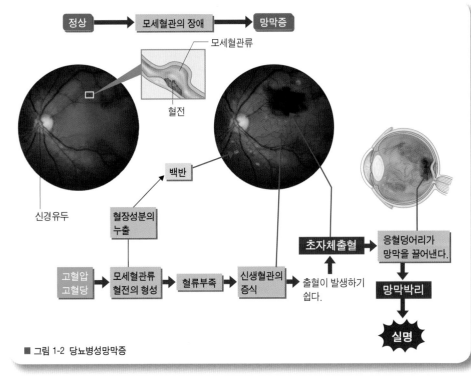

■ 그림 1-2 당뇨병성망막증

증상　　합병증

의식장애 (당뇨병성혼수)
뇌경색

당뇨병성망막증
백내장

안면신경마비

구갈
다음

심근경색 · 협심증
심부전

신부전
당뇨병성신증

공복감

요당
다뇨
빈뇨

요로감염
방광직장장애

고혈당
피로도 증가
체중감소
탈수

당뇨병성케톤산증
요독증
피부감염
빈혈
골장애
고혈압
동맥경화
자율신경장애

당뇨병성신경증
(저림, 냉감,
지각 이상)

- 당뇨병성신증
- 당뇨병성신증의 초기에는 소량의 알부민뇨가 배설되는데, 이것을 미량 알부민뇨라고 한다. 미량 알부민뇨는 30mg/g·Cr 미만이 정상이지만, 300mg/g·Cr 이상이 되면 시험지법에 의한 단백뇨검사에서도 양성으로 나타난다.
- 대량의 단백뇨가 배설되면, 저단백혈증, 부종이 생겨서 신증후군상태가 된다.
- 신사구체의 여과기능이 저하되면 체내에 노폐물이 축적 (혈중 크레아티닌, 요소질소, 칼륨, 산성물질이 증가)되고, 요독증, 신부전 상태가 되기에 인공투석이 필요해진다. 현재, 당뇨병성신증은 투석치료 시작 원인 중 1위를 차지한다.
- 요독증(uremia), 신부전상태에서는 신장에서 분비되는 에리스로포이에틴 (적혈구 생성에 필요한 호르몬)의 감소로 인해 신장성빈혈이 초래된다.
- 신장에서의 비타민D 활성화장애는 장관에서의 칼슘흡수를 감소시켜서, 저칼슘혈증(hypocalcemia)을 유발한다. 저칼슘혈증은 2차성 부갑상선기능항진증을 일으키며, 골흡수 (골에서 혈중으로의 칼슘분출)를 촉진하여 골장애 (신성 골이영양장애)를 일으킨다.
- 신증에서는 고혈압, 심부전이 일어난다.
- 당뇨병성신경증
- 말초신경장애에서는 하지의 마비, 냉감, 이상지각 (발이 아프고 욱신욱신거림 등)이 나타나고, 진행되면 지각저하가 확인된다. 지각이 저하되면, 화상, 구두에 쓸리어 생긴 상처, 외상 등으로도 통증을 느끼지 못해 치료가 늦어져서 피부궤양이나 괴저의 원인이 된다. 또 심근경색에서도 흉통을 자각하지 못하여 치료가 늦어지기도 한다 (무통성심근경색).
- 뇌신경의 단마비(monoplegia)가 일어난다. 안면신경마비에서는 안면의 표정근이 마비된다. 활차신경, 동안신경, 외전신경마비에서는 안구운동에 장애가 생긴다. 뇌신경마비는 경증의 당뇨병에서도 생기는 수가 있으며, 3~6개월이 경과하면 회복된다.
- 자율신경의 장애를 일으킨다. 위나 장의 운동, 소화액분비에 장애가 생겨서 식욕부진, 변비, 설사가 일어난다. 방광이나 직장에 요나 변이 대량으로 축적되어도 요의나 변의를 느낄 수 없게 된다 (방광직장장애). 또 기립시 혈압저하를 억제하는 혈관수축반응에 장애가 발생하여 기립성저혈압(orthostatic hypotension)이 일어난다.
- 동맥경화증 (대혈관장애)
- 동맥경화증으로서, 심근경색, 협심증, 뇌경색, 하지동맥경화증 등이 일어난다. 당뇨병 환자는 비당뇨병 환자에 비해서 심근경색 발병위험이 2~3배 높다.
- 동맥경화증의 위험인자에는 당뇨병 외에도 내장지방형비만 (대사증후군), 고혈압, 지질이상증, 흡연 등이 있다. 당뇨병은 경증의 경계형에서도 동맥경화의 위험인자가 된다.
- 하지동맥경화증에서는 간헐성파행(intermittent claudication)이 확인된다.

진단   치료

안저검사

이른 아침 공복시 혈당치, 75g 경구포도당 부하시험, 수시혈당치, HbA1c의 측정

요검사

운동요법

식사요법

경구혈당강하요법

인슐린요법

인슐린 이외의 주사약 (GLP-1 수용체작동제)

당뇨병 진단 map

진단기준에 근거하여 당뇨병형과 당뇨병을 확진한다.

진단·검사치

- 「당뇨병형」과 「당뇨병」의 진단은 표 1-3을 참조.
- 75g 경구포도당부하시험으로 판정한다.
- 「정상형」은 이른 아침 공복시 혈당치 110mg/dL 미만이고 75g 경구 포도당 부하시험의 2시간후 혈당치 140mg/dL 미만, 「당뇨병형」은 공복시 혈당치 126mg/dL 이상 또는 2시간혈당치 200mg/dL 이상인 경우이다.
- 「당뇨병형」에도 「정상형」에도 속하지 않는 경우는 「경계형」이라고 판정한다.

발의 병변

손의 피부병변

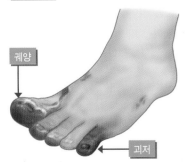

궤양

괴저

■ 그림 1-3 당뇨병에 의한 피부장애

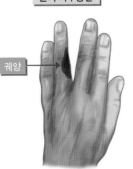

궤양

■ 표 1-3 당뇨병형 및 당뇨병의 진단기준

「당뇨병형」의 판정기준
① 이른 아침 공복시 혈당치 126mg/dL 이상
② 75g 경구 포도당 부하시험에서 2시간치 200mg/dL 이상
③ 수시혈당치 200mg/dL 이상
④ HbA1c (JDS치) 6.1% 이상 [HbA1c (국제기준치)] 6.5% 이상
①~④ 중 어느 하나라도 확인되면 「당뇨병형」이라고 진단한다.

「당뇨병」의 진단
1. ①~③ 중의 어느 하나와 ④를 확인한 경우
2. 다른 날에 한 검사에서, ①~④가 재확인된 경우
3. ①~③의 당뇨병형에서, 다음의 1)~2)인 경우
　1) 구갈, 다음, 다뇨, 체중감소 등 당뇨병의 전형적인 증상이 있는 경우
　2) 당뇨병성 망막증이 확실히 확인되는 경우

현재 당뇨병 치료에서는 당뇨병을 치료하는 것이 아니라 당뇨병을 양호한 상태로 관리하는 것이 목표이다.

치료방침

● 당뇨병 치료의 목표는 당뇨병의 합병증을 예방하고, 진행을 억제함으로써, 일반인과 동일한 생활을 영위하게 하는 것이다.

● 당뇨병학회에서 혈당관리의 지표를 발표하였다(표 1-4). HbA1c치는 안정된 혈당관리상태의 평가를 가능케 하여, 당뇨병검사 중에서 특히 중시된다. 세소혈관증의 억제는 「우수」 또는 「양호」를 목표로 한다. 그러나 연령, 합병증의 중증도에 따라서 목표치의 조정을 고려해야 한다. 중증 합병증례에서의 급속한 혈당관리는 오히려 합병증을 진행시킬 위험이 있다.

● 대혈관증은 경계형 단계에서도 이미 위험하므로, 적어도 「우수」를 목표로 해야 한다. 또 동맥경화의 위험인자인 비만, 고혈압, 지질이상의 동시치료가 필요하다.

■ 표 1-4 당뇨병관리의 지표와 평가

지표		우수	양호	가능		불가능
				불충분	불량	
HbA1c치 (%)	JDS치	5.8 미만	5.8~6.5 미만	6.5~7.0 미만	7.0~8.0 미만	8.0 이상
	국제표준치	6.2 미만	6.2~6.9 미만	6.9~7.4 미만	7.4~8.4 미만	8.4 이상
공복시 혈당치 (mg/dL)		80~110 미만	110~130 미만	130~160 미만		160 이상
식후 2시간혈당치 (mg/dL)		80~140 미만	140~180 미만	180~220 미만		220 이상

내장지방축적	허리둘레	남성 85cm, 여성 90cm 미만
혈압	수축기혈압 130mmHg	확장기혈압 80mmHg 미만
혈청지질	LDL 콜레스테롤	120mg/dL 미만 (관동맥질환합병병에서는 100mg/dL 미만)
	트리글리세리드	150mg/dL 미만 (이른 아침 공복시)
	HDL 콜레스테롤	40mg/dL 이상

(일본당뇨병학회편 : 당뇨병치료가이드 2010, 문광당, 2010 개편)

■ 표 1-5 식품교환표

분류	식품의 종류	1단위(80kcal)당 영양소의 평균함유량			1,680kcal (21단위)의 예
		탄수화물	단백질	지질	
	주로 탄수화물을 함유한 식품 (Ⅰ군)				
표1	곡물, 감자, 탄수화물이 많은 야채와 견과류, 콩류 (대두 제외)	18g (90%)	2g (10%)	-	11단위
표2	과일	20g (100%)			1단위
	주로 단백질을 많이 함유한 식품 (Ⅱ군)				
표3	어패, 고기, 계란, 치즈, 대두와 그 제품	-	9g (64%)	5g (36%)	5단위
표4	우유와 유제품 (치즈 제외)	6g (40%)	4g (27%)	5g (33%)	1.5단위
	주로 지질을 함유한 식품 (Ⅲ군)				
표5	유지, 지질을 많이 함유한 식품	-	-	9g (100%)	1단위
	주로 비타민, 미네랄을 함유한 식품 (Ⅳ군)				
표6	야채 (탄수화물이 많은 야채 제외), 해초, 버섯, 곤약은 칼로리 없음	13g (68%)	5g (26%)	1g (5%)	1단위
조미료	된장, 사탕, 미림 등				0.5단위

(일본당뇨병학회편 : 당뇨병식사요법을 위한 식품교환표 제6판, 문광당, 2002 개편)

식사치료

● 식사요법의 기본은 적정에너지 섭취와 영양이 균형 잡힌 식품구성이다.
● 적정한 에너지섭취
· 성별, 연령, 비만도, 신체활동량, 혈당치, 합병증의 유무 등을 고려하여 하루의 에너지섭취량을 결정한다. 이것을 지시에너지량이라고 한다. 실제로는 표준체중 (kg) × 신체활동별 에너지량을 계산한다.
· 표준체중은 이상적인 BMI는 22이며, BMI가 22가 되는 체중 [22×(신장m)²]을 계산한다.
· 신체활동별 에너지량은 가벼운 작업 (사무직, 주부 등)인 경우는 25~30kcal, 보통 작업 (서있는 작업이 많은 직업)인 경우는 30~35kcal, 힘든 작업 (힘쓰는 작업이 많은 직업)인 경우는 35kcal 이상이다.
· 또 식품의 함유에너지는 80kcal의 배수인 경우가 많으므로, 지시에너지량은 80kcal의 배수로 하며, 80kcal를 1단위로서 단위수로 나타내기도 한다.

Px 처방례 비만이 아닌, 신장 1.6m인 주부 (가벼운 작업) 인 경우

● 표준체중은 22×1.6×1.6=56.32kg. 1일 지시에너지량은 56.32 (표준체중)×30kcal (경한 작업의 에너지량)=1,689kcal가 되는데, 80kcal에 가장 가까운 배수인 1,680kcal (21단위)로 한다.
● 영양이 균형 잡힌 식품구성
· 지시에너지 중에서 탄수화물, 단백질, 지방의 에너지균형을 이루고, 적량의 비타민, 미네랄을 섭취한다.
· 보통 지시에너지의 50~60%를 탄수화물, 15~20%를 단백질, 20~25%를 지방에서 섭취한다.
● 식품교환표
· 실제로는 당뇨병 식사요법을 위한 식품교환표 (표 1-5) 를 사용한다. 식품교환표는 모든 식품을 영양성분별로 4군 6표로 분류하고, 80kcal (1단위) 의 양을 나타내고 있다. 그러므로, 같은 표에 속하면 같은 단위로 식품을 교환해도 영양의 균형이 무너지지 않는다.

운동요법

● 운동은 인슐린저항성을 개선하고, 혈당치나 혈청지질치를 개선한다. 적당한 운동이란, 운동시 맥박이 100~120/분

■ 표 1-6 주요 당뇨병 경구혈당강하제

분류			일반명	상품명	1일량 (mg)	특징	주요 부작용
인슐린분비촉진제	설포닐요산제	제1세대	톨부타미드	Rastinon	250~1,500	● 췌장 β 세포에서 인슐린분비를 촉진시킨다. ● SU제 (제2 · 3세대) 는 HbA1c 6.5% 정도 이상의 공복시 고혈당에 적용한다. ● 제1세대 SU제는 작용이 약하다. 약효가 지속성이라는 이유로 현재 사용빈도가 낮다. ● 제2세대는 강력한 혈당저하작용이 있다. ● 제3세대는 인슐린분비촉진작용이 제2세대보다 약하지만, 인슐린저항성 개선작용도 있다.	저혈당 이외의 부작용이 드물어서 안전성이 높은 약제이다. 간 · 신기능장애에 더불어서, 고령자에게서는 지연성저혈당을 주의한다. 제2세대는 식사요법이 제대로 실행되지 않는 경우, 비만을 유발하기 쉽다. 저혈당에 주의해야 한다.
			아세토헥사미드	Dimelin	250~500		
			클로르프로파미드	Abemide	150~500		
			글리클로피라미드	Deamelin-S	250~500		
			글리부졸	Gludiase	150~500		
		제2세대	글리벤클라미드	유글루콘 다오닐	0.625~5.0		
			글리클라짓	Glimicron Glimicron HA	10~120		
		제3세대	글리메피리드	아마릴	0.5~6		
	속효형 인슐린분비촉진제		나테글리니드	Starsis 파스틱	90~270	● 췌장B세포에서 인슐린분비를 촉진시킨다. 흡수가 빠르고, 신속한 작용을 나타내며, 작용시간이 짧다. ● 적응대상은 식후 고혈당례로, 매번 식사 직전에 복용해야 한다. 작용이 불충분하면, α-글루코시다제저해제를 병용한다.	간 · 신장애례는 저혈당에 주의한다.
			미티글리니드칼슘수화물	글루패스트	15~30		
	DPP-4저해제		시타글립틴인산염수화물	자누비아 Glactive	25~100	● 혈당의존적으로 인슐린분비를 촉진시키고, 글루카곤분비를 억제한다. ● 혈당강하작용은 혈당의존성이므로, 단독투여로는 저혈당의 가능성이 적다. ● 식전투여, 식후투여 모두 가능하다.	● SU제와의 병용에서는 저혈당에 주의하고, SU제를 감량하면서 병용해야 한다. ● 시타글립틴인산염수화물 : 투석례를 포함한 중증 신기능장애례는 금기이다. ● 빌다글립틴 : 중증 간기능장애례는 금기이다. ● 알로글립틴안식향산염 : 신기능장애례에서는 투여량을 감량해야 한다.
			빌다글립틴	Equa	50~100		
			알로글립틴안식향산염	Nesina	25		
인슐린저항성개선제	비구아나이드제		메토홀민염산염	Glycoran Melbin Medet	250~750	● 근·지방세포에서 인슐린작용의 증강, 간에서의 당신생 및 포도당방출의 억제, 식욕억제, 장관에서의 포도당흡수억제작용이 있다. ● 경증[HbA1c 6.5% (JDS치)정도 미만]의 인슐린저항성이 있는 비만례가 적응대상이다.	유산산증 있지만, 드물게 나타난다. 요오드조영제 사용시에는 휴약한다.
			브홀민염산염	Dibetos, Dibetos S	50~150		
	티아졸리딘제		피오글리타존염산염	액토스	7.5~30	● 인슐린작용을 증강시킨다. ● 경증[HbA1c 6.5% (JDS치)정도 미만]의 인슐린저항성이 있는 비만례가 적응대상이다.	빈혈, 부종이 있거나 심부전례는 사용이 금기시된다. 또 체중이 증가하기 쉬우므로, 식사 · 운동요법을 철저히 한다.
포도당흡수억제제	α-글루코시다제저해제		아칼보스	글루코바이	150~300	● 탄수화물을 분해하는 효소이다. ● α-글루코시다아제를 억제하고, 장관에 의한 포도당흡수를 억제한다. 따라서 1형당뇨병에서도 유효하다. ● 작용시간이 짧고, 식후고혈당례가 적응대상이다. 매번 식사 직전에 복용한다. ● 단독으로는 저혈당발작이 일어나지 않지만, SU제와 병용하면 저혈당발작을 일으키고, 이에는 자당이 아니라 포도당섭취로 대처한다.	복부팽만, 고장음, 방귀가 높은 빈도로 나타난다. 계속 투여하면 익숙해지는 경우가 많지만, 복부수술례, 변비경향의 고령자에게는 투여를 삼간다. 또 중증 간기능장애가 있다면 개시 6개월간은 간기능검사를 자주 시행해야 한다.
			보글리보스	베이슨	0.6~0.9		
			미글리톨	Seibule	150~225		
	배합제		피오글리타존염산염/ 메토홀민염산염	Metact배합정	15/500, 30/500	● 피오글리타존과 메토홀민의 배합제이다.	● 단독복용시의 부작용

(일본당뇨병학회편 : 당뇨병치료가이드 2010, 문광당, 2010 개편)

Key word

● 인슐린저항성 (insulin resistance)
조직에서 인슐린작용의 발현이 충분히 이루어지지 않는 상태를 말한다. 인슐린 분비가 충분함에도 불구하고 인슐린이 충분히 효과를 발휘할 수 없는 상태를 「인슐린저항성이 있다」고 표현한다.

으로, 「약간 힘들다」 (Vo₂max 60%)고 느낄 정도로서, 보행이라면 매일 1회 15~40분을 1일 2회 하는 것이 바람직하다. 보행처럼, 언제 어디에서나 혼자서 할 수 있는 운동이 좋다. 식후고혈당의 억제, 저혈당발작을 예방하기 위하여 식후 운동이 좋다.

● 운동의 금기 또는 제한이 필요한 경우
① 혈당관리가 현저히 나쁜 경우
② 망막병증이 진행되어, 안저출혈이 반복되고 있는 경우
③ 신장, 심장, 폐기능에 장애가 있는 경우
④ 고도의 고혈압인 경우

경구혈당강하제요법 (표 1-6)

● 인슐린분비촉진제에는 설포닐요소(SU)제와 속효형 인슐린분비촉진제, DPP-4저해제, 인슐린저항성개선제에는 비구아나이드제와 티아졸리딘제, 포도당흡수억제제에는 α-글루코시다아제저해제가 있다.
● 인슐린분비촉진제는 1형당뇨병에는 효과가 없다.
● 투여량은 소량으로 시작하여 혈당치, HbA1c치를 보면서 증량하는 것이 원칙이다.
● 비구아나이드제, 티아졸리딘제, α-글루코시다아제저해제 DPP-4저해제는 단독으로는 저혈당발작을 일으키지 않는다.
● 제2·제3세대 SU제는 HbA1c 6.5% (JDS치) 정도 이상의 공복시 고혈당례, 인슐린저항성개선제 및 비구아나이드

카트리지제

펜형 주입기

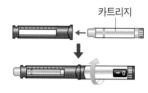

카트리지

① 펜형 주입기에 카트리지제를 장착한다.

니들케이스

② 주사바늘을 장착한다.

주입단위수

③ 다이알을 돌려서 단위수에 맞춘다.

주입버튼

④ 주입한다.

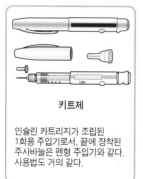

키트제

인슐린 카트리지가 조립된 1회용 주입기로서, 끝에 장착된 주사바늘은 펜형 주입기와 같다. 사용법도 거의 같다.

■ **그림 1-4 카트리지제(cartridge)와 키트(kit)제**

제는 HbA1c 6.5% 정도 (JDS치) 이하인 경증례에, 속효형 인슐린분비촉진제 및 α-글루코시다아제저해제는 식후 고혈당례에 적용한다. DPP-4저해제는 공복시 및 식후혈당을 낮춘다.

Px 처방례 경증 [HbA1c 6.5% (JDS치) 정도 이하] 인 공복시 고혈당례. 1), 2), 3)을 이용한다. 그래도 불충분한 경우는 3)~5)를 병용한다.

1) Glycoran정(250mg) 1정 分1 (식후) ←비구아나이드제

※이후 1개월마다 3정 分3 (매 식후) 까지 증량

2) 액토스정(15mg) 1정 分1 (식후) 티아졸리딘제

※이후, 30mg 1정 分1 (식후) 까지 증량. 부종이 있는 경우에는 15mg 0.5정 分1 (조식후) 에 감량

3) 자누비아정(50mg) 1정 分1 (조식시) ←DPP-4저해제

4) Glycoran정(250mg) 3정 分3 ←비구아나이드제

5) 액토스정(30mg) 1정 分1 ←티아졸리딘제

Px 처방례 경증 [HbA1c 6.5% (JDS치) 정도 이하]인 식후고혈당례. 1) 또는 2)를 이용한다. 불충분한 경우는 3)과 4)를 병용한다.

1) 베이슨정(0.2mg) 3정 分3 (매식 직전) ← α-글루코시다아제저해제

※이후, 베이슨정(0.3mg) 3정 分3 (매식 직전) 까지 증량

2) Starsis정(30mg) 3정 分3 (매식 직전) ←속효형 인슐린분비촉진제

※이후, Starsis정(90mg) 3정 分3 (매식 직전) ←속효형 인슐린분비촉진제

Px 처방례 중증 [HbA1c 6.5% (JDS치) 정도 이상] 의 공복시고혈당례. 1)로 불충분한 경우는 2), 3), 4)를 병용한다. 그래도 불충분하면 4)~7)의 3자병용을 시작한다.

1) 아마릴정(0.5mg) 1정 分1 (조식후) ←설포닐요소제

※이후, 1~3개월마다 아마릴정 (3mg) 2정 分2 (조·석식후) 까지 증량

2) Glycoran정(250mg) 1정 分1 (조식후) ←비구아나이드제

※이후 3정까지 증량

3) 액토스정(15mg) 1정 分1 (조식후) ←티아졸리딘제

※이후, 30mg 1정까지 증량

4) 자누비아정(50mg) 1정 分1 (조식시) ←DPP-4저해제

5) 아마릴 (3mg) 2정 分2 (조·석식후) ←설포닐요소제

6) Glycoran정(250mg) 3정 分3 ←비구아나이드제

7) 액토스정(30mg) 1정 分1 ←티아졸리딘제

※4)~6)의 3자병용으로 불충분하면 인슐린치료를 도입한다.

Px 처방례 HbA1c 6.5% (JDS치) 정도 이상인 공복시 고혈당례에 설포닐요소제 투여후 식후고혈당이 확인되는 경우, 1)과 2)를 병용한다.

1) 아마릴정(3mg) 2정 分2 (조·석식후) ←설포닐요소제

2) 베이슨정(0.2mg) 3정 分3 (매식 직전) ← α-글루코시다아제저해제

인슐린요법

● 인슐린요법의 적응

· 인슐린요법의 절대적 적응대상은 ①인슐린의존상태, ②당뇨병성혼수, ③중증 간·신장애례, ④중증 감염증, 외상례, ⑤중등도 이상의 외과수술시, ⑥당뇨병임부, ⑦고칼로리수액시의 혈당관리이다.

· 상대적 적응은 ①인슐린비의존상태에서도 공복시 혈당 250mg/dL, 수시혈당치 350mg/dL 이상의 고도의 고혈당을 확인하는 경우, ②경구혈당강하제로는 혈당을 관리할 수 없는 경우, ③마른형으로서 영양상태가 불량한 증례, ④스테로이드제치료시 고혈당이다.

● 인슐린제의 종류 (표 1-7)

· 초속효형, 속효형, 중간형, 지효형 및 중간형과 초속효형 또는 중간형과 속효형의 혼합형이 있으며, 각각, 인슐린 바이알제, 인슐린 카트리지제(펜형 인슐린주입기에 장착하여 사용), 키트제(인슐린제, 펜형 주입기 일체형 1회용 타입 : 제제가 이미 주입기에 장착되어 있는 타입)가 있다. 사용하기 편리하기 때문에 키트제제가 가장 널리 사용되고 있다.

· 현재 사용하고 있는 인슐린제는 인슐린 아날로그제 및 사람인슐린제로, 농도는 100단위/mL이다.

● 1형당뇨병에서는 초속효형 또는 속효형은 매식전 3회, 지효형 또는 중간형은 취침전 또는 조식전 및 취침전을 추가하는 「1일 4~5회」가 원칙이다. 또 자가혈당을 측정하여, 매식전의 투여량을 미세하게 조정하면 효과적이다. 양호한 혈당관리를 위해서, 자가혈당측정과 자주 인슐린주사를 하는 방법을 강화인슐린요법이라고 한다. 그러나 환자의 연령, 병태, 관리능력, 생활메커니즘에 맞추어 치료법을 선택한다.

● 2형당뇨병에서 인슐린분비가 어느 정도 유지되고 있는 경우에는 다양한 인슐린요법이 가능하고, 속효형 또는 초속효형의 매식전 3회 등이 행해진다.

■ 표 1-7 주요 인슐린제

	일반명	상품명			발현시간 최대작용시간 지속시간
		키트제	카트리지제	바이알제	
초속효형	인슐린리스프로주사액	휴마로그주 미리오펜	휴마로그주 카트*	휴마로그주100단위/mL	15분 미만 30분~1.5시간 3~5시간
	인슐린아스파트주사액	노보래피드주 플렉스펜	노보래피드주펜필†	노보래피드주100단위/mL	10~20분 1~3시간 3~5시간
	인슐린글루리진	노보라피드주 이노렛	애피드라주카트	애피드라주100단위/mL	15분 미만 30분~1.5시간 3~5시간
속효성	사람인슐린주사액	애피드라주 솔로스타	휴물린 R주카트*	휴물린R주100단위/mL	30분~1시간 1~3시간 5~7시간
	중성인슐린주사액	노보린R주 플렉스펜 이노렛R주	펜필R주, 펜필N주	노보린R주100단위/mL	30분 1~3시간 약8시간
중간형	사람이소펜인슐린수성현탁주사액	휴물린N주키트	휴물린 N주카트*	휴물린N주100단위/mL	1~3시간 8~10시간 18~24시간
		노보렛N주 플렉스펜 이노렛N주	펜필R주, 펜필N주	노보린N주100단위/mL	약1.5시간 4~12시간 약 24시간
	중간형인슐린리스프로주사액	휴마로그N주미리오펜	휴물린N주카트*	-	30분~1시간 2~6시간 18~24시간
지효성	인슐린디터미	레버미어주플렉스펜	레버미어주펜필	-	약 1시간 3~14시간 약 24시간
	인슐린글라진	레버미어주이노렛	란투스주카트** 란투스주옵티클릭	란투스주100단위/mL	1~2시간 확실한 피크 없음 약 24시간
혼합형	인슐린리스프로혼합제	란투스주솔로스타 휴마로그믹스25주미리오펜	휴마로그믹스25주카트 휴마로그믹스50주카트	- -	초속효성/중간형 혼합
	2상성프로타민결절성 인슐린 아날로그수성현탁주사액	휴마로그믹스50주미리오펜	노보래피드30믹스주펜필†	-	
	사람2상성이소펜인슐린 수성현탁주사액	휴물린 3/7주키트 노보린30R주플렉스펜 노보린40R주플렉스펜 노보린50R주플렉스펜 이노렛30R주 이노렛40R주 이노렛50R주	휴물린 3/7주카트* 펜필R주, 펜필N주	휴물린3/7주 100단위/mL 노보린30R주100단위/mL	속효형/중간형혼합

키트제 : 제제·주입기 일체형 1회용형
카트리지제 : 카트리지제를 펜형 주입기에 장착하고 사용한다.
바이알제 : 인슐린전용 시린지로 사용한다.
펜형 주입기 : *휴마펜라그쥬라 또는 휴마펜라그제라HD, †노보펜300 또는 노보펜300데미, 노보펜4, **이타이고를 사용한다.

(일본당뇨병학회편 : 당뇨병치료가이드2010, 문광당, 2010 개편)

Px 처방례 1형당뇨병인 경우, 1)과 2), 또는 3)과 4)를 사용한다.

1) 휴마로그주 미리오펜 4단위 1일3회 (매식전) ←초속효형 인슐린제
2) 란투스주솔로스타 4단위 1일1회 (취침전) ←지효형 인슐린제

※자가혈당을 측정하는데, 매식전에 혈당치를 보고 란투스주 솔로스타를 증감하고, 매 식후에 혈당치를 보고 휴마로그주 미리오펜 투여량을 증감한다.

3)휴물린R주 키트 4단위 1일3회 (매식전) ←속효형 인슐린제
4) 휴물린N주 키트 4단위 1일1회 취침전 ←중간형 인슐린제

※자가혈당을 측정하는데, 점심·저녁식사 전, 취침전의 혈당치를 보면서 각각 아침·점심·저녁식사 전의 휴물린R주 키트투여량을 증감한다. 아침식사 전의 혈당치를 보면서 취침 전의 휴물린N주 키트의 투여량을 증감한다.

Px 처방례 2형당뇨병인 경우, 1) 또는 2)를 사용한다.

1) 휴말로그주 미리오펜 4단위 1일3회 (매식전) ←초속효형 인슐린제
2) 휴말린R주 키트 4단위 1일3회 (매식전) ←속효형 인슐린제

※자가혈당을 측정하여, 각각의 식전 혈당치를 보면서 투여량을 증감한다.

Px 처방례) 고령 등의 조건에 의해 1일 2회 밖에 맞을 수 없는 경우, 1) 또는 2)를 사용한다.

1) 휴말로그믹스25주 미리오펜 8단위 分2 (조·석식전) ←혼합형 인슐린제
2) 휴말린 3/7주 키트 8단위 分2 (조·석식전) ←혼합형 인슐린제

※조식 전의 혈당치를 보며 석식 전의 투여량을, 석식 전의 혈당치를 보며 조식 전의 투여량을 증감한다.

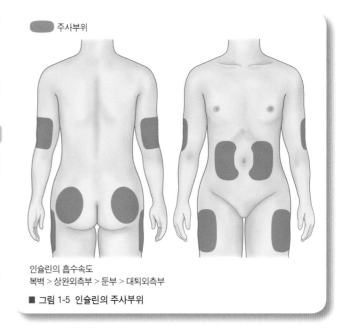

인슐린의 흡수속도
복벽 > 상완외측부 > 둔부 > 대퇴외측부

■ 그림 1-5 인슐린의 주사부위

인슐린 이외의 주사제

● 하부소화관에서 분비되는 GLP-1은 혈당치가 높을 때만 췌장B세포에서의 인슐린분비를 촉진시킨다. 또 글루카곤분비억제, 위내용물배설억제, 식욕억제 작용도 한다. GLP-1수용체작동제는 췌장B세포의 GLP-1수용체에 결합하여, GLP-1작용을 발휘한다.
● 고혈당시에만 작용하므로 단독으로는 저혈당을 일으키지 않는다.
● 1일 1회 주사하여, 공복시 및 식후 혈당치를 낮춘다.
● 인슐린비의존상태가 적응대상이며, 인슐린의존상태인 환자에게는 효과가 없다.
● SU제로는 양호한 관리가 불가능한 증례에도 병용할 수 있다. 병용할 경우, 저혈당에 주의한다.
● 부작용으로 설사, 변비, 구토 등 소화관장애가 확인된다.

■ 표 1-8 인슐린 이외의 주사제

분류	일반명	상품명	작용시간	1통의 함유량	1일 사용량
GLP-1수용체작동제	리라글루티드	빅토자 피하주	24시간 이상	18mg	0.9mg

당뇨병의 병태·중증도별로 본 치료흐름도

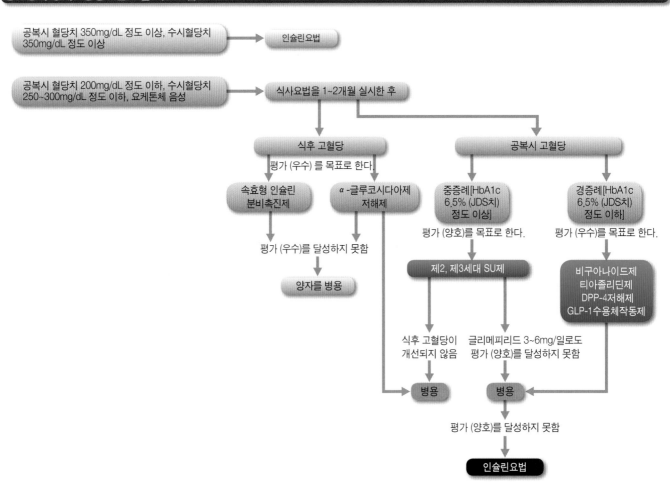

(田中 明)

환자케어

증상발생시에는 자기관리 행동실시에 대한 동기가 부여되지 않은 경우가 있기 때문에 가능한 자기관리 방법을 검토해야 한다. 관리불량시에는 악화요인을 분석하고 자가관리방법을 재평가하도록 돕는다.

병기·병태·중증도에 따른 케어

【증상발생시】 경도의 혈당치 상승에서는 자각증상이 거의 없어서, 병을 인지하지 못하는 경우가 많다. 그 때문에 일상생활에서의 행동변화가 필요한 자기관리 행동실시에 대한 동기가 부여되지 않아서 문제가 지속되는 경우가 있다. 당뇨병관리를 위한 식사요법·운동요법을 기초로 한 요양생활을 실시하면서 환자·가족의 당뇨병이나 치료에 대한 인식 및 스트레스를 파악하고, 환자·가족과 함께 가능한 자기관리방법을 검토해 가야 한다.

【관리불량시】 당뇨병관리의 악화로, 입퇴원을 반복하는 경우가 있다. 이와 같은 환자는 신체적 변화와 더불어, 자기관리의 실패에 대한 자기효력감의 저하, 지금까지의 치료를 중심으로 한 생활에서의 피로 등 여러 부정적인 정신상태를 겪게 된다. 관리악화의 요인을 밝히고, 개선책을 환자·가족과 함께 생각하며 자기관리방법의 재평가를 지지한다. 또 혈당관리를 목적으로 인슐린치료를 시작하는 경우에는 주사에 대한 지도뿐 아니라, 인슐린주사에 대한 생각을 배려하는 지지가 중요하다.

【고도의 관리불량기】 당뇨병관리가 현저하게 불량한 경우, 혈당치의 현저한 상승, 케톤산증, 탈수 등이 일어나서, 당뇨병성혼수가 되는 수가 있다. 의식수준, 탈수상태의 관찰, 수액의 관리, 검사의 지지 등이 필요하다.

【합병증 발생시】 장기간 지속되는 대사장애와 혈관장애로 인해 혈관을 중심으로 만성합병증이 발생하면 생명예후나 사람들의 QOL에 크게 영향을 미친게 된다. 합병증 예방에 대한 지지와 더불어, 합병증과 관련된 일상생활의 지지, 악화방지의 지지, 정신적인 지지를 제공한다.

케어의 포인트

- 환자·가족이 당뇨병, 치료에 대한 생각이나 수용수준, 의문이나 불안을 표현하기 쉬운 환경을 조성한다.
- 환자·가족의 호소에 이해와 공감을 나타내고, 환자·가족의 생각이나 기분을 충분히 이끌어낸다.
- 새로운 정보를 얻고 동일한 질환을 앓는 환자들과 관계를 형성하기 위하여 당뇨병교실에 참가할 것을 권유하고 환자모임을 소개한다.
- 지금까지의 생활상의 문제를 명확히 하고, 환자가 주체가 되어 목표를 세울 수 있도록 지지한다.
- 영양사 등의 스태프와 협조하면서, 팀으로 정보를 공유하고, 개개의 생활배경과 신체상태에 따른 구체적인 실시방법을 검토한다.
- 라이프스타일에 맞춘 요양생활을 영위하기 위해서 필요시에는 의사에게 조정을 의뢰한다.
- 피부, 발, 구강을 조심스럽게 관찰하여 이상의 조기발견, 조기치료에 힘쓴다.
- 환자의 증상에 맞추어 ADL을 지지한다.
- 의식장애의 가능성을 충분히 배려하고, 안전한 환경을 조성한다.
- 저혈당시에는 신속하고 정확하게 대응한다.

퇴원지도·요양지도

- 환자 개개인의 라이프스타일이나 견해에 맞추어, 당뇨병에 관하여 쉬운 말로 알기 쉽게 설명한다.
- 환자가 해야할 일을 명확하게 한 후에, 식사요법, 운동요법에 관하여 알기 쉽게 설명한다.
- 가족의 적극적인 참가의 중요성을 설명하고, 식사를 담당하는 가족도 포함하여 식사요법에 관하여 설명한다.
- 환자·가족을 포함한 주위사람들에게 라이프스타일에 맞춘 저혈당예방과 대처방법을 설명한다.
- 환자의 이해 수준에 맞추어, 인슐린주사에 대해 설명하고, 실시·관리방법의 습득을 권유한다.
- 당뇨병에 의해 감염에 취약해지므로 일상생활의 주의점을 포함하여 설명한다.
- Sick day의 대응에 관하여 구두로 뿐만 아니라, 포인트를 정리한 서면 등을 사용하여 구체적으로 알기 쉽게 설명한다.
- 경과관찰, 합병증의 조기발견·조기치료를 위한 정기진찰의 필요성을 설명한다.

(川瀬祥子)

Key word

● Sick day

감기 등의 감염증이나 외상, 치과질환 등으로 인해 발열이나 설사·구토, 식욕부진 상태가 되어, 혈당관리가 어려운 상태. 케톤산증, 당뇨병성혼수, 저혈당 등을 일으키는 원인이 된다.

Memo

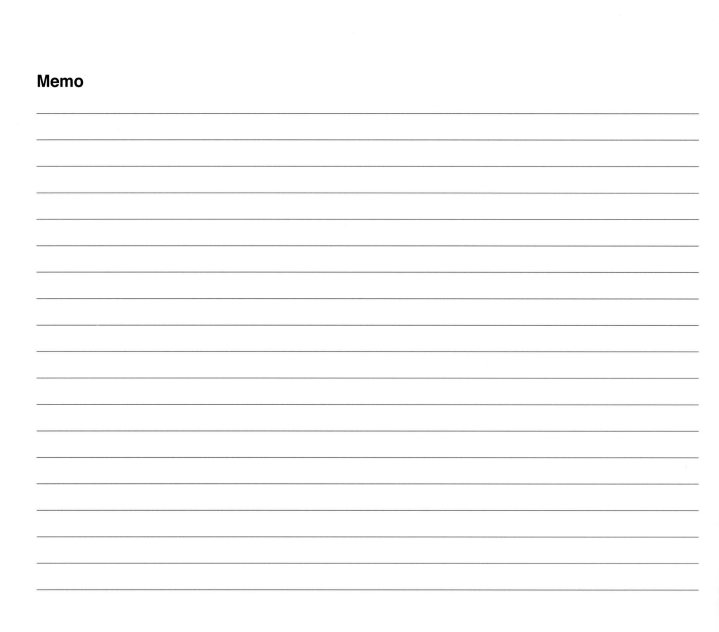

2 지질이상증 (고지혈증; hyperlipidemia)

福田祐子 / 下門顯太郎

전체 map

병인
- 다양한 유전소인, 식습관의 서구화, 운동부족을 원인으로 하는 지질·에너지대사이상에 의해 발생한다.
- 체질·유전자이상에 의한 원발성과 다른 기초질환에 의해서 생기는 속발성으로 나뉜다.
[악화인자] 비만, 당뇨병, 과도한 음주, 식사

역학
- 생활습관에 기초한 지질이상증은 40세 이상 성인 중 30% 이상에서 볼 수 있다.
- LDL콜레스테롤치가 180mg/dL 이상에서는 100mg/dL 미만에 비해서 관동맥질환의 위험이 3.8배 높다.
[예후] 지질관리에 따라서 달라진다.

병태생리
- 지질의 대사이상으로, 혈액속의 LDL콜레스테롤이 상승 (고LDL콜레스테롤혈증), 또는 트리글리세리드가 상승 (고트리글리세리드혈증), 또는 HDL콜레스테롤이 저하 (저HDL콜레스테롤혈증) 된 병태
- 동맥경화 진행·췌장염 (고트리글리세리드혈증)
- 증가한 리포단백질의 종류에 따라서 I, IIa, IIb, III, IV, V형 6가지로 분류된다.

병태생리 map p.14

증상
- 고콜레스테롤혈증(hypercholesterolemia) 그 자체에 기인하는 증상은 없다.
- 가족성고콜레스테로혈증(familial hypercholesterolemia)에서는 안검·관절신측의 황색종(xanthoma), 아킬레스건비후, 각막륜이 확인된다.
- 지질이상증에서는 동맥경화가 발생하기 쉬우므로, 동맥경화에 의한 장기허혈증상에 주의한다.
[합병증]
- 전신의 동맥경화 (특히 관동맥질환, 뇌경색)

증상 map p.16

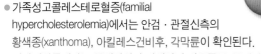
증상 ┃ 합병증 ┃ 진단 ┃ 치료

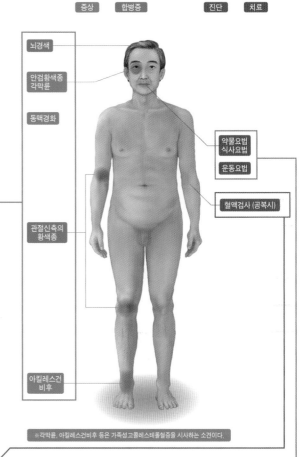

- 뇌경색
- 안검황색종 / 각막륜
- 동맥경화
- 약물요법 / 식사요법
- 운동요법
- 혈액검사 (공복시)
- 관절신측의 황색종
- 아킬레스건 비후

※각막륜, 아킬레스건비후 등은 가족성고콜레스테롤혈증을 시사하는 소견이다.

진단
- 혈액검사 (공복시 채혈) : 고LDL콜레스테로혈증 (LDL콜레스테롤 ≥140mg/dL), 고트리글리세리드혈증 (트리글리세리드 ≥150mg/dL), 저HDL콜레스테롤혈증 (HDL콜레스테롤 <40mg/dL)
- 지질이상증이라고 진단되면, 리포단백질 분획을 이용하여 지질이상증 타입 (I~V형) 을 결정하고, 원발성인지 속발성인지 감별진단한다.
- 고콜레스테롤혈증 평가에는 LDL콜레스테롤치를 이용한다.

진단 map p.16

치료
- 관동맥질환의 유무에 따라서 치료법을 선택한다.
- 관동맥질환이 없는 경우 (1차예방) : 생활습관을 개선한 후, 약물치료의 적용을 고려한다.
- 관동맥질환이 있는 경우 (2차예방) : 생활습관의 개선＋약물치료를 시행한다.
- 생활습관의 개선 : 식사요법, 운동요법을 실시한다.
- 약물요법 : 환자의 병태에 따라서, HMG-CoA환원효소저해제, 음이온교환수지, 소장콜레스테롤트랜스포터저해제 (NPC1L1 저해제), EPA, 피브레이트(fibrate)제제에서 선택한다.
- LDL어페레시스(apheresis) : 동형접합 가족성고콜레스테롤혈증에 적용한다.

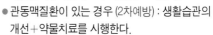
치료 map p.17

병태생리 map

지질이상증이란 생체의 지질대사이상에 의해서 혈액 속의 LDL콜레스테롤, 트리글리세리드의 수치가 상승하거나 HDL콜레스테롤이 저하되는 병태이다. 동맥경화, 특히 관동맥경화를 촉진시킨다.

● 콜레스테롤(cholesterol)은 세포막의 필수 구성성분임과 동시에, 부신피질호르몬이나 성호르몬의 원료이다. 생체 내에서 매일 500~1,000mg의 콜레스테롤이 합성되고, 300mg 정도가 식사로 공급된다. 거의 일정한 양의 콜레스테롤이 주로 분변을 통해 소실되므로, 생체의 콜레스테롤 균형이 비교적 일정하게 유지된다.

● 트리글리세리드(triglyceride)는 식사 중의 트리글리세리드가 분해 · 흡수 · 재합성됨과 동시에 당을 원료로 생체 내에서 합성된다. 간에서 합성된 트리글리세리드는 VLDL (초저밀도리포단백질)에 흡수 · 방출되어, 혈액 속에서 일단 분해되었다가, 일부는 에너지원으로 이용되고 나머지는 말초의 지방조직 내에서 재합성되어 저장된다.

● 장관에서 흡수된 지질은 카일로미크론(chylomicron)을 형성한다. 카일로미크론의 트리글리세리드는 혈류 속에서 분해되어, 카일로미크론 렘넌트(chylomicron remnants)가 되어 간으로 흡수된다.

● 간은 생체에 필요한 콜레스테롤의 주요한 합성 · 저장 장소이다. 신체의 각 부분이 필요로 하는 콜레스테롤을 VLDL입자로 방출한다. VLDL은 혈류 속에서 트리글리세리드를 상실하고, 콜레스테롤이 풍부한 LDL (저밀도리포단백질)이 된다.

● LDL은 말초조직에서 LDL수용체를 통해서 흡수되어, 콜레스테롤을 공급한다. 여분의 LDL은 간에서 회수된다.

● 말초조직의 여분 콜레스테롤은 HDL (고밀도리포단백질)에 의해서 세포에서 빼내어진다. HDL의

콜레스테롤은 혈류 중에서 LDL로 인도되어, 간의 LDL수용체를 통해서 간으로 되돌아간다.

● 간이나 말초조직의 LDL수용체가 선천적으로 결손되거나, 대사의 영향으로 후천적으로 감소되면, 혈액 속의 LDL은 갈 곳을 잃게 되면서 고LDL콜레스테롤혈증을 초래하게 된다. 비만을 초래하는 에너지 과잉상태에서는 트리글리세리드가 풍부한 VLDL의 생산방출이 증가되어, 고트리글리세리드혈증이 유발된다.

병인 · 악화인자

● 선천성 대사이상 : LDL수용체 결손, 콜레스테롤 에스테르 전송 단백질결핍증 등.

● 비만, 당뇨병 : 고트리글리세리드혈증, 저HDL콜레스테롤혈증.

● 과도한 음주 : 고트리글리세리드혈증, 고HDL콜레스테롤혈증.

● 식사 : 콜레스테롤의 함유량이 높은 음식섭취로 인해서 고콜레스테롤혈증이 악화되고, 탄수화물의 과잉섭취로 고트리글리세리드혈증을 일으킨다.

역학 · 예후

● 유전자좌가 다른 대립유전자로 이루어지는 이형접합 가족성고콜레스테롤혈증의 빈도는 500명에 1명, 같은 대립유전자로 이루어지는 동형접합은 100만명에 1명이다.

● 생활습관에 기초한 지질이상증은 40세 이상 성인 중 30% 이상에서 볼 수 있다. LDL콜레스테롤치가 180mg/dL 이상에서는 100mg/dL 미만에 비해서 관동맥질환의 위험이 3.8배 높다.

■ 표 2-1 리포단백질의 종류

리포단백질	비중	입자지름	트리글리세리드	콜레스테롤	역할
카일로미크론	< 0.96		85%	7%	장관에서 간으로의 트리글리세리드 및 콜레스테롤의 수송
VLDL	0.96~1.006		55%	19%	간에서 말초로 트리글리세리드 및 콜레스테롤의 수송
IDL	1.006~1.019		24%	46%	위와 동일
LDL	1.019~1.063		10%	45%	간에서 말초로의 콜레스테롤의 수송. 과잉콜레스테롤을 HDL에서 흡수하여 간으로 재수송
HDL	1.063~1.21		5%	24%	말초조직에서 여분의 콜레스테롤을 빼내어 LDL로 수송

Key word

● 콜레스테롤에스테르 (cholesteryl ester)
콜레스테롤과 지방산이 에스테르결합한 화합물. 세포 내에서의 콜레스테롤 저장체, 또는 혈액속의 콜레스테롤의 운반형태로서 생성된다.

● 트리글리세리드 (triglyceride)
음식 속의 지방 대부분을 차지하는 중성지방. 당질의 여분 중 일부는 트리글리세리드로 교환되어 지방조직으로 저장된다.

● 리포단백질 (lipoprotein)
지질은 그 상태로는 혈액에 용해될 수 없기 때문에 단백질 · 인지질과 복합하여 미셀(micelle)로 변환되어 혈액 내에 존재한다. 이 미셀을 리포단백질이라고 부른다.

● 카일로미크론렘넌트 (chylomicron remnants)
트리글리세리드가 분해된 카일로미크론. 렘넌트는 「잔여물」이라는 의미이다.

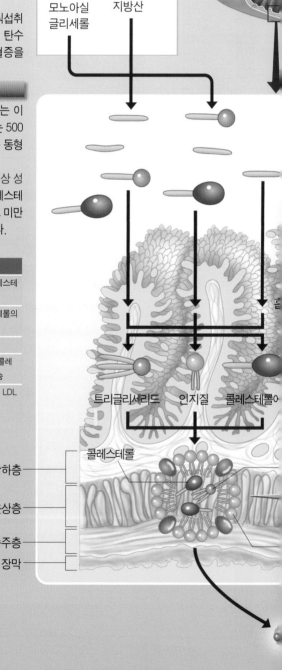

소장

트리글리세리드

위액
체액

모노아실
글리세롤

지방산

트리글리세리드   인지질   콜레스테롤

콜레스테롤

점막하층

평활근의 윤상층

평활근의 종주층

장막

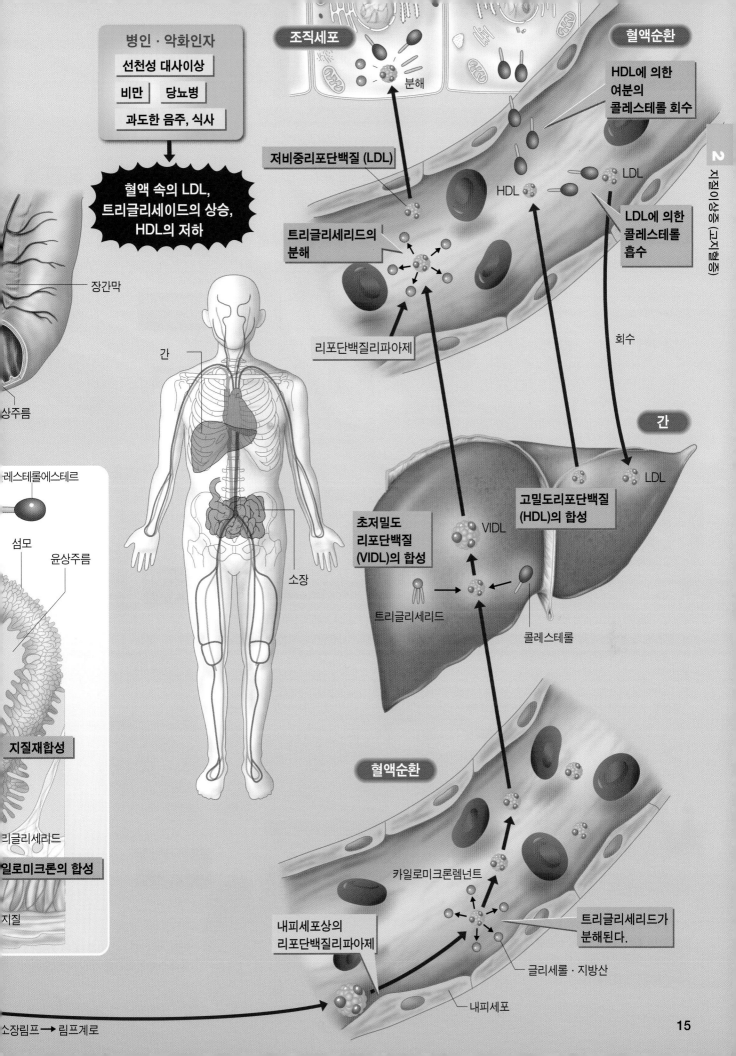

병인 · 악화인자
선천성 대사이상
비만   당뇨병
과도한 음주, 식사

혈액 속의 LDL,
트리글리세이드의 상승,
HDL의 저하

조직세포
분해

혈액순환

HDL에 의한
여분의
콜레스테롤 회수

저비중리포단백질 (LDL)

HDL   LDL

트리글리세리드의
분해

LDL에 의한
콜레스테롤
흡수

리포단백질리파아제

회수

장간막

상주름

간

소장

간

VIDL

초저밀도
리포단백질
(VIDL)의 합성

고밀도리포단백질
(HDL)의 합성

LDL

트리글리세리드

콜레스테롤

레스테롤에스테르

섬모

윤상주름

지질재합성

일로미크론의 합성

지질

혈액순환

카일로미크론렘넌트

내피세포상의
리포단백질리파아제

트리글리세리드가
분해된다.

글리세롤 · 지방산

리글리세리드

내피세포

지질이상증 (고지혈증)
증상 map

고콜레스테롤혈증 그 자체에 기인하는 증상은 없다.

증상

- 가족성고콜레스테롤혈증 환자에게는 안검이나 관절신측의 황색종, 아킬레스건의 비후화, 각막륜이 나타난다.
- 지질이상증 환자에게는 동맥경화가 발생·진행되기 쉬우므로, 동맥경화로 인한 장기허혈증상에 주의한다 (「본 시리즈의 1권 14. 고혈압증·동맥경화증」 참조).

합병증

- 전신의 동맥경화, 특히 관동맥질환, 뇌경색.

안검황색종

황색종은 안검 외에도 아킬레스건, 팔꿈치, 무릎, 둔부 등에 생기기 쉽다.

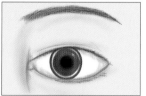

각막륜

눈의 언저리에 흰 원이 생긴다.

■ 그림 2-1 가족성고콜레스테롤증의 증상

지질이상증 (고지혈증)
진단 map

공복시 혈액검사에 따라서 3가지 지질이상 타입을 결정하고, LDL콜레스테롤치로 지질이상증을 평가한다.

진단·검사치

- 공복시 혈액검사에 따라서 지질이상 타입을 결정함과 동시에 지질이상의 원인, 악화인자를 판정한다.
- 지질이상증이나 동맥경화성 질환이 집적되어 있지 않은지 가족력을 상세하게 청취하고, 다른 관동맥 위험요소나 동맥경화의 진전상황을 검사한다.
- 검사치
- 지질이상증 평가에는 총콜레스테롤이 아니라 LDL콜레스테롤을 사용한다. LDL콜레스테롤은 직접 측정할 수 있지만, Friedwald의 계산식으로도 구할 수 있다.

LDL콜레스테롤(mg/dL)=총콜레스테롤-HDL콜레스테롤트리글리세리드/5

또 LDL콜레스테롤이 정상 140mg/dL 미만인지, 치료목표치는 1차예방인지 2차예방인지, 또 다른 위험인자가 몇 가지 있는가에 따라서 변화한다.

■ 표 2-2 지질이상증 (고지혈증) 의 표현형 분류

분류	I	IIa	IIb	III	IV	V
리포단백질의 증가	카일로미크론	LDL	LDL VLDL	IDL 렘넌트	VLDL	카일로미크론 VLDL
콜레스테롤	→ 또는↑	↑~↑↑↑	↑~↑↑	↑↑	→ 또는↑	↑
트리글리세리드	↑↑↑	→	↑↑	↑↑	↑↑	↑↑↑

■ 표 2-3 지질이상증의 진단기준 (공복시 채혈)

고LDL 콜레스테롤혈증	LDL콜레스테롤	≥140mg/dL
저HDL 콜레스테롤혈증	HDL콜레스테롤	<40mg/dL
고트리글리세리드혈증	트리글리세리드	≥150mg/dL

이 진단기준은 약물요법의 적용기준을 표기하고 있는 것은 아니다. 약물요법의 적용에 관해서는 다른 위험인자도 감안하여 결정해야 한다.

(일본동맥경화학회편 : 동맥경화성질환 예방가이드라인 2007년판, 일본동맥경화학회, 2007)

증상   합병증

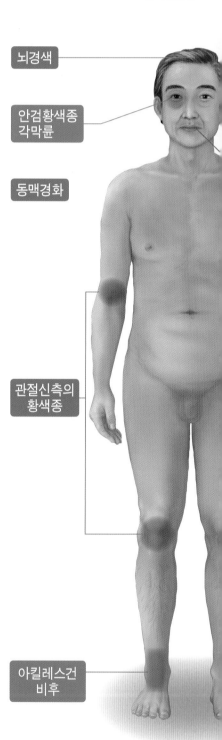

- 뇌경색
- 안검황색종 각막륜
- 동맥경화
- 관절신측의 황색종
- 아킬레스건 비후

※각막륜, 아킬레스건비후 등은 가족성 고콜레스테롤혈증을 시사하는 소견이다.

16

치료 map

생활습관을 개선하고 약물요법을 실시하면서 관동맥질환의 유무에 따라서 치료법을 선택한다.

치료방침

- 관동맥 위험인자의 수와 더불어 이미 관동맥질환이 발생하고 있는지 여부에 따라서 목표 LDL콜레스테롤치를 결정하도록 권장하고 있다.
- 이미 관동맥질환이 발생한 환자의 재발예방 (2차예방) 시에는 약물요법과 생활습관개선을 동시에 개선하는데, 1차예방시에는 3~6개월의 생활습관개선을 지도하고, 그래도 혈청지질이 목표치에 도달하지 않는 경우는 약물요법을 시행한다.

진단	치료

약물요법
식사요법

운동요법

혈액검사 (공복시)

■ 표 2-4 지질이상증의 주요 치료제

분류	일반명	주요 상품명	약효발현의 메커니즘	주요 부작용
HMG-CoA환원효소저해제	프라바스타틴나트륨	메바로친	콜레스테롤합성저해작용	횡문근융해증
	아톨바스타틴칼슘수화물	리피톨		
	로스바스타틴칼슘	크레스토		
음이온교환수지	콜레스티미드	Cholebine	콜레스테롤흡수저해작용	변비, 복부팽만
NPC1L1저해제	에제티미브	Zetia	콜레스테롤의 흡수를 선택적으로 저해	과민증, 횡문근융해증
EPA	이코사펜타산에틸	Epadel	혈청트리글리세리드 저하	과민증, 출혈경향
PPARα작동제	베자피브레이트	Bezatol SR	혈청트리글리세리드 저하	횡문근융해증, 간기능장애
	페노피브레이트	Lipanthyl		

■ 표 2-5 위험별 지질관리 목표치

치료방침의 원칙	분류		지질관리 목표치(mg/dL)		
		LDL-C 이외의 주요위험인자*	LDL-C	HDL-C	TG
1차예방 우선 생활습관을 개선한 후에 약물치료의 적용을 고려한다.	I (저위험군)	0	<160	≥40	<150
	II (중위험군)	1~2	<140		
	III (고위험군)	3 이상	<120		
2차예방 생활습관의 개선과 함께 약물치료를 고려한다.	관동맥질환의 기왕력		<100		

지질관리 시행과 동시에 다른 위험인자 (흡연, 고혈압이나 당뇨병 치료 등) 를 시정해야 한다.
　* LDL-C치 이외의 주요 위험인자
　　연령 (남성≧45세, 여성≧55세), 당뇨병(내당능이상을 포함), 흡연, 관동맥질환의 가족력, 저HDL-C혈증 (< 40mg/dL)
　　· 당뇨병, 뇌경색, 폐색성동맥경화증의 합병은 분류 III 으로 한다.
(일본동맥경화학회편 : 동맥경화성질환 예방가이드라인 2007년판, 일본동맥경화학회, 2007)

생활지도

- 모든 지질이상증에 관동맥질환 위험인자를 줄이기 위한 방법 (운동, 금연, 고혈압이나 당뇨병치료 등) 을 지도한다.
- 고LDL콜레스테롤혈증에는 계란이나 고기의 섭취제한을 지도하고, 고트리글리세리드혈증 · 저HDL콜레스테롤혈증에는 칼로리제한이나 운동 등에 의한 감량을 지도한다. 운동, 금연은 HDL을 상승시킨다.

약물요법

Px 처방례 고LDL 콜레스테롤혈증
1) 메바로친정(10mg) 1정 分1 (석식후) ←HMG-CoA환원효소저해제
※효과가 없으면 좀 더 강력한 스타틴을 사용하거나 흡수저해제와 병용한다.
2) 리피톨정(10mg) 또는 크레스토정(5mg) 1정 分1 ←HMG-CoA환원효소저해제
3) Zetia정(10mg) 1정 分1 ←NPC1L1저해제

Px 처방례 고트리글리세리드혈증
- Bezatol SR정 (200mg) 2정 分2 (조 · 석식후) ←PPARα작동제
※LDL 콜레스테롤, 트리글리세리드 양자가 높은 경우에는 스타틴과 피브레이트를 병용하는데, 병용으로 횡문근융해증의 증가가 염려되므로 주의를 요한다. 스타틴 대신에 에제티미브 (Zetia)를 사용하면 이와 같은 문제가 없다. 허혈성 심질환을 치료한 후의 재발예방에는 이코사펜튼산에틸 (Epadel)을 병용한다.
- LDL 어페레시스
- 동형접합 가족성고콜레스테롤혈증 환자에게는 약물요법이나 생활지도는 효과가 없고 정기적인 혈액어페레시스로 LDL의 제거를 도모해야 한다.

Key word

- 혈액어페레시스 (혈액정화요법)
혈액을 체외로 유도하여 정화처리 (투석이나 흡착 등) 를 한 후에 체내로 되돌리는 치료법이다. 가족성고콜레스테롤혈증에는 LDL흡착 내지는 2중막여과법이 행해진다.

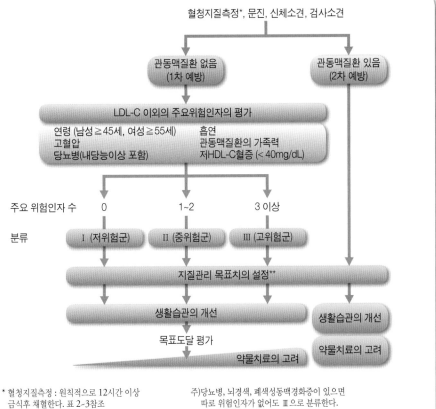

혈청지질측정*, 문진, 신체소견, 검사소견

관동맥질환 없음
(1차 예방)

관동맥질환 있음
(2차 예방)

LDL-C 이외의 주요위험인자의 평가

연령 (남성 ≧45세, 여성 ≧55세)
고혈압
당뇨병(내당능이상 포함)

흡연
관동맥질환의 가족력
저HDL-C혈증 (< 40mg/dL)

주요 위험인자 수   0   1~2   3 이상

분류   I (저위험군)   II (중위험군)   III (고위험군)

지질관리 목표치의 설정**

생활습관의 개선

생활습관의 개선

목표도달 평가

약물치료의 고려

약물치료의 고려

* 혈청지질측정 : 원칙적으로 12시간 이상
  금식후 채혈한다. 표 2-3참조
**지질관리 목표치 : 표 2-5 참조

주)당뇨병, 뇌경색, 폐색성동맥경화증이 있으면
   따로 위험인자가 없어도 III으로 분류한다.

(일본동맥경화학회편 : 동맥경화성질환 예방가이드라인 2007년판, 일본동맥경화학회, 2007)

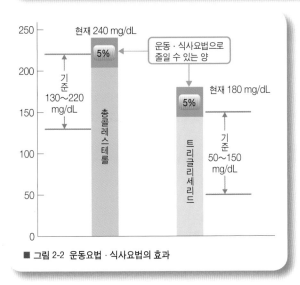

현재 240 mg/dL

5%

운동 · 식사요법으로
줄일 수 있는 양

기준
130~220
mg/dL

총콜레스테롤

현재 180 mg/dL

5%

트리글리세리드

기준
50~150
mg/dL

■ 그림 2-2 운동요법 · 식사요법의 효과

(下門顯太郎)

지질이상증 (고지혈증)

환자케어

동맥경화를 발생·진행시키지 않는 생활요법 및 약물요법에 대한 지지가 중요하다. 또한 라이프스타일의 개선이나 계속적인 진찰에 대한 지지 등도 필요하다.

병기·병태·중증도에 따른 케어

원발성과 속발성을 감별하고, 후자라면 원질환의 치료, 간호를 우선시한다. 개별적 환자의 위험, 생활상황을 평가하고, 동맥경화를 발생 또는 진행시키지 않도록 혈청지질을 개선하기 위한 적절한 생활요법 (식사요법, 운동요법을 중심으로 한 생활행동의 개선), 약물요법에 대한 지지가 필요하다.

케어의 포인트

라이프스타일의 개선
● 지금까지의 생활행동을 배경으로 개선점을 나타내어 환자가 납득할 수 있도록 지도한다.
● 행동변화로 연결되도록 교육적 지도를 실시한다.
● 질환이나 합병증의 단계를 고려하여, 건강행동이 어떤 경과를 거쳐서 실행되고 있는가를 변화단계모델에 참고하면서, 건강행동의 단계를 사정하여 케어의 지침사항을 고려한다.

지질이상증 이외의 동맥경화성 질환 위험인자의 관리
● 생활행동 패턴을 적절하게 변화시킬 때 합병증을 일으키지 않도록 하기 위해서, 질환에 관한 지식과 이해도, 행동패턴을 확인하고, 지질이상증에 의한 관동맥질환 위험에 관하여 설명하며, 증상·징후를 자각하면 바로 의료자에게 보고하거나 진찰을 받을 수 있도록 지도한다.

계속적인 진찰에 대한 지지
● 자각증상이 없어도 계속해서 진찰받고 건강관리를 해야 할 필요성을 설명한다.
● 보건의료전문직에 보고해야 하는 징후와 증상을 이해할 수 있도록 지도한다.

환자·가족의 심리·사회적 문제에 대한 지지 .
● 질환에 관하여 환자·가족에게 알기 쉽게 설명하고, 생활행동의 변경·조정에 관한 불안을 해소하도록 지지한다.

■ 그림 2-4 식사요법은 지속가능한 계획으로 고려한다

식사요법의 포인트

● 지질이상증의 식사요법에 공통적인 것은 에너지제한과 균형식으로, TC, TG, LDL-C, HDL-C의 수치에 따라서 식사방침이 달라진다. 식생활을 바꾸기에는 노력과 시간이 걸리고, 결과가 신체상황으로 나타나기까지 시간이 걸리며, 리바운드현상(rebound phenomenon)이 일어나기도 한다. 이점을 염두에 두고, 식재의 선택 및 조리를 연구하고, 목표를 설정하여 환자·가족이 부담을 느끼지 않고 식사요법을 계속할 수 있도록 하는 계획을 생각한다.

· 이해와 동기부여 (함께 개선점을 발견하고, 환자가 목적의식을 가지고 임하도록 돕는다)에 힘쓴다.
· 증거를 제시하고 정신적 케어 (다음 회까지의 구체적인 목표설정을 명시하고, 성공사례 등의 증거를 보여주며 평가해 간다)를 제공한다.
· 고령자에게 적용되는 식사요법 (식생활의 변경이 어렵거나 엄격한 식사지도가 삶의 보람을 손상시키거나 반대로 영양부족에 빠지는 수도 있으므로, 개인의 가치관을 중요하게 생각하면서 지도한다)에 대하여 고려한다.

(福田祐子)

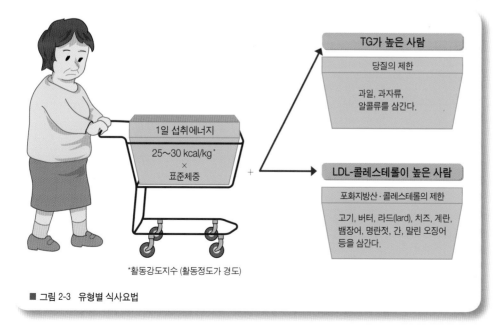

1일 섭취에너지

25~30 kcal/kg*
×
표준체중

TG가 높은 사람

당질의 제한

과일, 과자류,
알콜류를 삼간다.

LDL-콜레스테롤이 높은 사람

포화지방산·콜레스테롤의 제한

고기, 버터, 라드(lard), 치즈, 계란,
뱀장어, 명란젓, 간, 말린 오징어
등을 삼간다.

*활동강도지수 (활동정도가 경도)

■ 그림 2-3 유형별 식사요법

Memo

3 비만 (obesity, 대사증후군 포함)

宮崎 滋/泉 貴子

전체 map

병인
- 원발성 비만 : 과식 (과영양)과 운동부족 (활동성 저하)에 의한다. 비만의 대부분이 원발성이다.
- 2차성 비만 : 내분비질환, 유전성 질환에 의한다.

[악화인자] 생활습관

역학
- 남성의 비만은 40대가 34.4%로 가장 많다.
- 비만자수는 남성은 증가하고, 여성은 감소하고 있다.
- 젊은층 남성 비만자의 증가가 대사증후군의 증가, 심혈관 · 뇌혈관질환의 증가로 연결되는 것이 염려된다.

병태생리
- 체지방조직이 과잉 축적되고, 비만에 기인하거나 관련되는 건강문제가 합병되거나 임상적으로 그 합병이 예측되어 의학적으로 감량을 필요로 하는 병태이다.
- body mass index (BMI) ≧25이면 비만이라고 판정한다.
- 지방세포의 양적 이상에 의한 피하지방형 비만은 하반신형 (서양배형) 비만을, 지방세포의 질적 이상에 의한 내장지방형 비만은 상반신형 (사과형) 비만을 나타낸다.

병태생리 map p.24

증상

[합병증]
- 피하지방형 비만 : 변형성관절증 (요통, 슬관절증), 수면무호흡증후군(sleep apnea syndrome), 월경이상
- 내장지방형 비만 : 당뇨병, 고혈압, 지질이상증, 지방간, 고요산혈증(hyperuricacidemia), 심근경색, 뇌경색

증상 map p.24

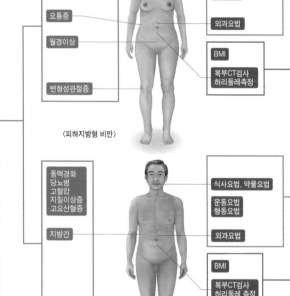

수면무호흡증후군 ─ 식사요법, 약물요법 / 운동요법 행동요법 / 외과요법
요통증
월경이상 ─ BMI / 복부CT검사 허리둘레측정
변형성관절증

〈피하지방형 비만〉

동맥경화 당뇨병 고혈압 지질이상증 고요산혈증 ─ 식사요법, 약물요법 / 운동요법 행동요법 / 외과요법
지방간 ─ BMI / 복부CT검사 허리둘레 측정
통풍

〈내장지방형 비만〉

진단
- BMI ≧ 25로 비만이라고 판정되면, 비만증 타입을 분류해야 한다.
- 건강문제에서의 접근 : 합병되어 있는 건강문제에 따라서 질적 이상에 의한 비만증과 양적 이상에 의한 비만증으로 분류한다.
- 내장지방에서의 접근 : 허리둘레가 남성 85cm 이상, 여성 90cm 이상이면 복부CT검사를 하고, 내장지방면적이 100cm³ 이상이면 질적 이상에 의한 비만증으로 판단한다.
- 허리둘레 조건을 충족시키고, 고혈당, 고혈압, 지질대이상의 3항목 중 2항목 이상이 해당되면 대사증후군(metabolic syndrome)이라고 진단한다.

진단 map p.24

치료
- 우선 생활습관의 개선 (식사요법, 운동요법, 행동요법)을 꾀한다. 그래도 체중감소가 확인되지 않으면 약물요법, 외과요법을 시행한다.
- 식사요법 : 비만증치료식 (1,000~1,800kcal/일), 최저에너지식 (6000kcal./일 이하)을 적용한다.
- 운동요법 : 주 2~3회 운동한다.
- 행동요법 : 식생활이나 체중 등을 기록하고, 스스로 부적절한 생활습관을 자각하여 시정한다.
- 약물요법 : BMI≧35로, 식사 · 운동요법이 무효한 경우에는 식욕억제제를 적용한다.
- 외과요법 : 복강경하 위조절밴드술(laparoscopic adjustable silicone gastric banding) 등이 있다.

치료 map p.26

병태생리 map

비만이란 체지방조직이 과잉 축적된 상태이다. 비만에 기인하거나 관련된 건강문제가 합병하거나 그 합병이 예측되는 경우로서, 의학적으로 감량을 필요로 하는 병태이다.

● 판정 : body mass index (BMI) 를 이용한다. BMI가 25 이상이면 비만이라고 판정한다.

$$체중(kg) \div 신장(m)^2 = BMI$$

● 대사증후군 : 과식, 운동부족이라는 생활습관의 문제로 인해 비만이 되고, 특히 내장지방조직이 축적되면 내장지방세포에서 여러 가지 아디포사이토카인 (지방조직에서 유래하는 생리활성물질)의 이상생산·분비가 발생한다. 그 결과, 혈당상승 (당뇨병), 혈압상승 (고혈압), 지질대사이상이 일어남과 동시에, 동맥경화가 촉진되며, 심근경색, 뇌경색이 발생하기 쉬운 위험한 병태를 대사증후군이라고 한다.

병인·악화인자

● 과식 (과영양)과 운동부족 (활동성 저하)이 비만의 원인인 것으로 원발성 비만이라고 한다. 비만의 원인이 내분비질환 (쿠싱증후군 등)이나 유전성 질환인 2차성 비만도 있는데, 대부분은 원발성 비만이다.
● 체중의 증감은 섭취에너지와 소비에너지의 차이로 결정된다.
· 섭취에너지 : 식사 등으로 먹어서 얻게 되는 에너지
· 소비에너지 : 운동으로 소비하는 에너지, 기초대사, 열생산에 의한 에너지
● 섭취에너지가 소비에너지를 웃돌면, 트리글리세리드 (중성지방)로 변환되어 지방세포 내에 축적된다. 지방조직은 1kg이 약 7,200kcal이며, 7,200kcal 과잉이면 1kg 체중이 증가한다. 지방조직은 피하지방과 복강 내에 축적되는 내장지방으로 나뉜다.

역학·예후

● BMI 25 이상으로서 비만으로 판정되는 사람의 비율이 가장 높은 것은 40대 남성으로서 그 비율이 34.4%이고, 비만율이 각 세대 모두 20년 전보다 약 10% 증가하고 있다.
● 여성은 60대가 30.3%로 비만자가 제일 많고, 70대 이상을 제외하면 비만자의 비율은 10년 전보다 3~5% 감소하고 있다.
● 젊은층 남성 비만자의 증가로 인해 이 연령의 대사증후군, 심혈관질환, 뇌혈관질환이 증가되는 것이 아닐까 염려되고 있다.

■ 표 3-1 비만도 분류

비만의 판정		
BMI	판정	WHO기준
<18.5	저체중	Underweight
18.5≤ ~ <25	보통체중	Normal range
25≤ ~ <30	비만 (1도)	Preobese
30≤ ~ <35	비만 (2도)	Obese class I
35≤ ~ < 40	비만 (3도)	Obese class II
40≤	비만 (4도)	Obese class III

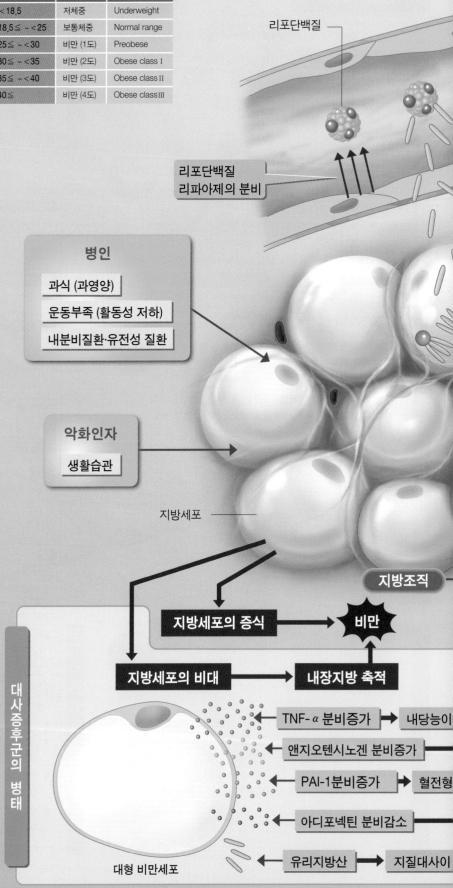

리포단백질

리포단백질 리파아제의 분비

병인
과식 (과영양)
운동부족 (활동성 저하)
내분비질환·유전성 질환

악화인자
생활습관

지방세포

지방조직

지방세포의 증식 → 비만

지방세포의 비대 → 내장지방 축적

대사증후군의 병태

TNF-α 분비증가 → 내당능이
앤지오텐시노겐 분비증가 →
PAI-1분비증가 → 혈전형
아디포넥틴 분비감소
유리지방산 → 지질대사이

대형 비만세포

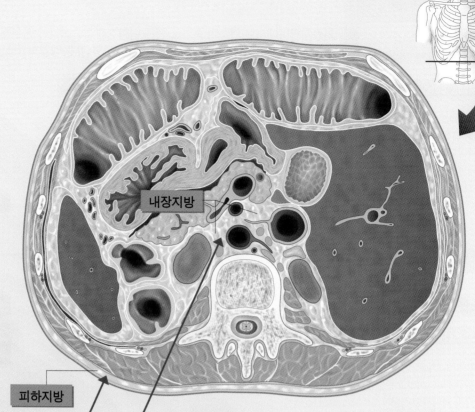

내장지방

지방산의 방출

지방산의 흡수

트리글리세리드를 형성하여 저장

피하지방

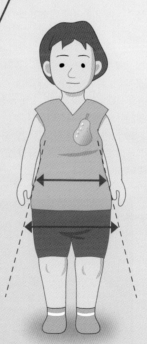

하반신형 (서양배형) 비만

↓

피하지방형 비만이 많다.

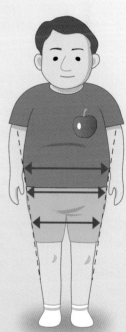

상반신형 (사과형) 비만

↓

내장지방형 비만이 많다.

동맥경화성
질환

↑

압상승

당능이상
맥경화

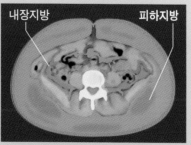

내장지방　　　피하지방

피하지방형 비만

지방세포의 양적 이상

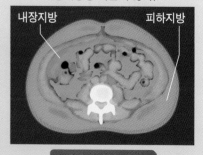

내장지방　　　피하지방

내장지방형 비만

지방세포의 질적 이상
(대형 지방세포가 많아진다)

피하지방형에서는 체중의 증가로 인해 변형성관절증이나 수면무호흡증후군 등이, 내장지방형에서는 아디포사이토카인 이상분비로 인해 당뇨병, 고혈압, 동맥경화 등이 발생하기 쉽다.

합병증

- ●피하지방형 비만 (지방세포의 양적 이상으로 인한 비만증) : 피하지방은 둔부부터 대퇴부 등에서 현저히 축적되며, 체중의 증가 때문에 변형성관절증(arthrosis deformans) 등이 일어난다. 그 밖에도 수면무호흡증후군, 월경이상을 일으키는 경우가 많다.
- ●내장지방형 비만 (지방세포의 질적 이상으로 인한 비만증) : 내장지방이 과잉 축적되면, 지방세포에서의 아디포사이토카인이 이상분비를 일으켜서, 당뇨병, 고혈압, 지질이상증, 지방간, 고요산혈증 등을 일으키며, 동맥경화도 발생하기 쉬워서 심근경색, 뇌경색이 잘 발생하게 되는 비만이다.

비만 진단 map

BMI ≥ 25를 비만이라고 하며, 비만증 타입을 분류해야 한다. 대사증후군은 허리둘레와 고혈당, 고혈압, 지질대사이상으로 진단한다.

진단·검사치

- ●비만 : BMI가 25 이상이면 비만이라고 판정한다.
- ●비만증 : 비만이라고 판정한 경우, 비만증의 타입을 분류한다.
- ① 건강문제에서의 접근

  표 3-2의 1~7이 1개 이상 합병되어 있으면 질적 이상에 의한 비만증이며, 8~10이 1개 이상 합병되어 있으면 양적 이상에 의한 비만증이다.
- ② 내장지방에서의 접근

  CT에서 내장지방면적 100cm² 이상이면 질적 이상에 의한 비만증이지만, CT검사는 일반진료소, 건강검진, 보건지소 등에서는 불가능하므로, 배꼽근처의 허리둘레로 대용하여 스크리닝한다. 남성은 85cm 이상, 여성은 90cm 이상이면 내장지방면적 100m²에 해당된다. 그림 3-1에 내장지방형 비만과 피하지방형 비만의 CT상을 나타낸다. 그림 3-2는 허리둘레 측정법이다.
- ●대사증후군 (그림 3-3) : 필수요건은 내장지방 축적이지만, 현재 정확하고 간단하게 측정하는 방법이 없으므로 허리둘레를 이용한다. 필수요건인 허리둘레를 충족시키고, 고혈당, 고혈압, 지질대사이상의 3항목 중 2항목 이상이 해당되면 대사증후군이라고 진단한다.

■ 표 3-2 비만에 기인하거나 관련되어 체중감량이 필요한 건강문제

1) 2형당뇨병 · 내당능장애
2) 지질대사이상
3) 고혈압
4) 고요산혈증 · 통풍
5) 관동맥질환 · 심근경색 · 협심증
6) 뇌경색 : 뇌혈전증 · 일과성뇌허혈발작
7) 지방간
8) 수면무호흡증후군 · Pickwick증후군
9) 정형외과적 질환 · 변형성관절증 · 요추증
10) 월경이상

1)-7) : 지방세포의 질적 이상에 의한 비만증
8)-10) : 지방세포의 양적 이상에 의한 비만증 등에서 확인하기 쉬운 건강문제

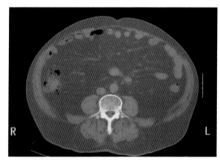

지방세포의 질적 이상에 의한 비만증
(내장지방형 비만)

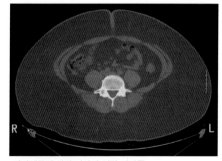

지방세포의 양적 이상에 의한 비만증
(피하지방형 비만)

■ 그림 3-1 비만의 CT영상

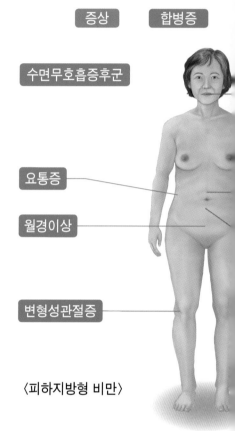

증상　　합병증

수면무호흡증후군

요통증

월경이상

변형성관절증

〈피하지방형 비만〉

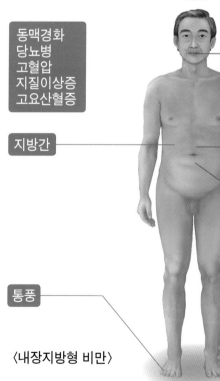

동맥경화
당뇨병
고혈압
지질이상증
고요산혈증

지방간

통풍

〈내장지방형 비만〉

진단 　　치료

식사요법, 약물요법

운동요법
행동요법

외과요법

BMI

복부CT검사
허리둘레측정

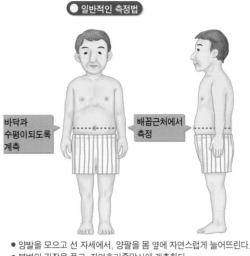

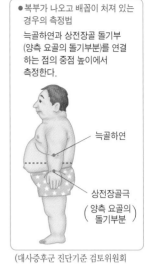

● 일반적인 측정법

바닥과
수평이되도록
계측

배꼽근처에서
측정

● 복부가 나오고 배꼽이 처져 있는
경우의 측정법
늑골하연과 상전장골 돌기부
(양측 요골의 돌기부분)를 연결
하는 점의 중점 높이에서
측정한다.

늑골하연

상전장골극
(양측 요골의
돌기부분)

● 양발을 모으고 선 자세에서, 양팔을 몸 옆에 자연스럽게 늘어뜨린다.
● 복벽의 긴장을 풀고, 자연호기종말시에 계측한다.
● 힘주어 숨을 들이쉬지 않도록 주의한다.
● 식사의 영향을 받지 않도록 공복시에 계측한다.

(대사증후군 진단기준 검토위원회
: 일본내과학회잡지94 : 188-203,
2005 일부 개편)

■ 그림 3-2 허리둘레의 측정방법

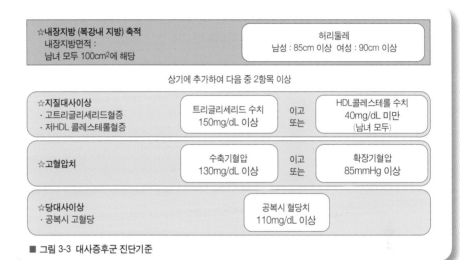

☆내장지방 (복강내 지방) 축적 내장지방면적 : 남녀 모두 100cm²에 해당	허리둘레 남성 : 85cm 이상 여성 : 90cm 이상		

상기에 추가하여 다음 중 2항목 이상

☆지질대사이상 · 고트리글리세리드혈증 · 저HDL 콜레스테롤혈증	트리글리세리드 수치 150mg/dL 이상	이고 또는	HDL콜레스테롤 수치 40mg/dL 미만 (남녀 모두)
☆고혈압치	수축기혈압 130mg/dL 이상	이고 또는	확장기혈압 85mmHg 이상
☆당대사이상 · 공복시 고혈당	공복시 혈당치 110mg/dL 이상		

■ 그림 3-3 대사증후군 진단기준

식사요법, 약물요법

운동요법
행동요법

외과요법

BMI

복부CT검사
허리둘레 측정

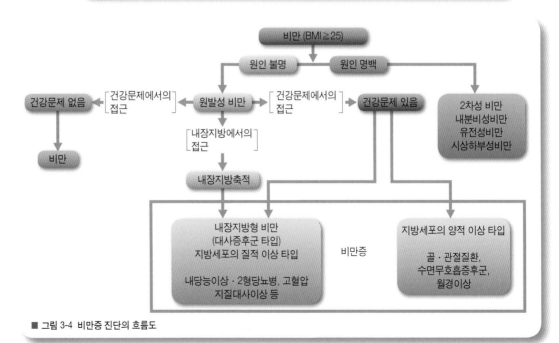

비만 (BMI≧25)

원인 불명　　　　원인 명백

건강문제 없음 ← [건강문제에서의 접근] ← 원발성 비만 → [건강문제에서의 접근] → 건강문제 있음

2차성 비만
내분비성비만
유전성비만
시상하부성비만

[내장지방에서의 접근]

비만

내장지방축적

내장지방형 비만
(대사증후군 타입)
지방세포의 질적 이상 타입

내당능이상 · 2형당뇨병, 고혈압
지질대사이상 등

비만증

지방세포의 양적 이상 타입

골 · 관절질환,
수면무호흡증후군,
월경이상

■ 그림 3-4 비만증 진단의 흐름도

치료 map

식사요법과 운동요법을 시행하는 등 생활습관을 개선하는 것이 기본이다.

치료방침

● 비만증 : 소비(운동)에너지보다 섭취(식사)에너지가 반드시 적어야 한다. 식사요법의 기본은 식사제한으로 에너지섭취를 줄이고, 운동요법은 스포츠나 활동성을 높임으로써, 에너지소비량을 늘리는 것을 목적으로 하고 있다. 식사 및 운동요법으로 체중감소가 확인되지 않는 경우, 약물요법, 외과요법을 선택한다.

● 지방세포의 질적 이상에 의한 비만증, 대사증후군에서는 현 체중의 5%를 3~6개월에 감소시키는 치료계획을 세운다. 지방세포의 양적 이상에 의한 비만증에서는 체중과잉을 시정하기 위해서 10%의 감소를 목표로 한다. 표준체중까지 체중을 감소시킬 필요는 없다.

■ 표 3-2 비만의 주요 치료제

분류	일반명	주요 상품명	약효발현의 메커니즘	주요 부작용
중추성식욕억제제	마진돌	사노렉스	식욕에 관한 신경시냅스에서 카테콜아민 재흡수 저해작용	의존성, 폐고혈압증

식사요법

● 저에너지식으로 한다. 지방조직 1kg은 약 7,200kcal이며, 1개월에 1kg 지방조직으로 체중을 감소시키기 위해서는 1일당 약 250kcal 정도 섭취에너지를 소비에너지보다 적게 한다. 지시섭취에너지량은 남성은 1,500~1,900kcal, 여성은 1,200~1,600kcal 정도이다. 단백질은 표준체중 1kg에 1.0g 이상 반드시 섭취해야 한다. 당질, 지질의 섭취를 줄임으로써, 에너지제한이 더욱 가능해진다. 비타민, 미네랄이 결핍되지 않도록 식품을 구성한다.

운동요법

● 일상적으로 계속하기 쉽고 에너지소비량이 많은 보행이나 조깅 등을 선택한다. 주 2~3회 운동 (스포츠 등)에 추가하여, 일상활동도를 높인다. 보행이나 좌위시간을 짧게 하는 것 등이 효과적이다.

행동요법

● 자기 스스로 부적절한 일상생활습관을 자각하고 그것을 시정하며, 또 체중이 다시 증가하지 않도록 행동을 시정함으로써 비만을 예방하고 감량한 체중을 유지하는 방법이다. 의료스태프가 강요하는 것이 아니라, 환자 스스로 의욕을 이끌어내는 것이 중요하다. 그러기 위해서는 체중, 허리둘레나 일상행동을 기록하는 것이 효과적이다.

약물요법

Px 처방례 BMI 35 이상이며 식사 및 운동요법이 무효인 비만증에 적용

● 사노렉스정(0.5mg) 1정 1일 1회 (점심식사전) 3정 (1.5mg) 分3까지 증량 ←식욕억제제

※ 투여기간은 3개월이 한도이다. 현재 중추성식욕억제제작용이 있는 비만증치료제가 개발되고 있다.

외과요법

● 소화관바이패스를 수반하는 위축소술, 복강경하 위조절밴드술 등이 행해지고 있지만, 일본에서는 아직 일반화되어 있지 않다.

대사증후군 치료

● 대사증후군 치료는 식사 및 운동을 중심으로 하는 생활습관개선이 기본이며, 고위험상태임을 환자 스스로 자각하게 하여, 체중, 허리둘레를 감소시키는 것을 목표로 한다. 현 체중의 5% 감량, 허리둘레의 단축이 목표이다. 생활습관을 잘 파악하고, 지방세포의 질적 이상에 의한 비만증에 준하여 치료를 실시한다.

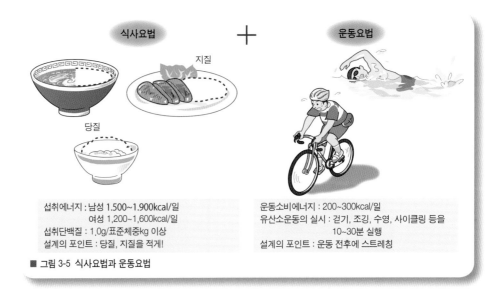

섭취에너지 : 남성 1,500~1,900kcal/일
　　　　　　 여성 1,200~1,600kcal/일
섭취단백질 : 1.0g/표준체중kg 이상
설계의 포인트 : 당질, 지질을 적게!

운동소비에너지 : 200~300kcal/일
유산소운동의 실시 : 걷기, 조깅, 수영, 사이클링 등을
　　　　　　　　　　 10~30분 실행
설계의 포인트 : 운동 전후에 스트레칭

■ 그림 3-5 식사요법과 운동요법

■ 비만증 치료의 진행법

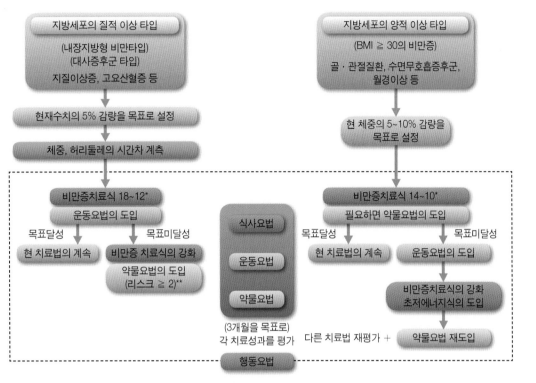

*비만증치료식 18-12 : 1,800-1,200kcal/일, 14-10 : 1,400-1,000kcal/일
**리스크 : 고혈당, 고혈압, 지질대사이상 3가지 중 2가지 이상이 있는 경우.

■ 대사증후군에 대한 치료방침

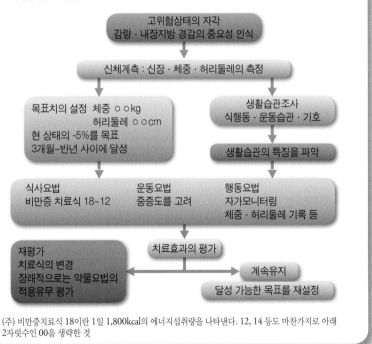

(주) 비만증치료식 18이란 1일 1,800kcal의 에너지섭취량을 나타낸다. 12, 14 등도 마찬가지로 아래
2자릿수인 00을 생략한 것

(宮崎 滋)

치료의 도입기에는 환자가 자주적으로 식사요법, 운동요법을 할 수 있게 돕는 교육적 개입이 중심이 된다. 실행기에는 식사제한으로 인한 공복감이나 스트레스를 완화시키고, 요법을 유지할 수 있도록 지도한다.

병기·병태·중증도에 따른 케어

【도입기】 지금까지의 생활사, 라이프스타일을 확인하여 비만의 요인을 찾아낸다. 비만은 여러 요인이 관련되어 있는 경우가 많으므로, 다양한 각도에서 정보를 수집하는 것이 중요하다. 정보를 수집하면서 환자의 비만에 대한 지식, 이해도를 확인한다. 자주적으로 식사요법 및 운동요법을 실행하는 데는 환자가 목적이나 필요성을 자각하고, "자신이 이렇게 되고 싶다"라는 의사가 중요하기 때문에 동기가 부여되면 효과적으로 할 수 있다. 따라서 가족을 포함하여 교육적인 개입을 중점을 두고 요법의 목적이나 필요성의 이해를 촉구하는 것이 필요하다. 그러나 지식을 이해해도 행동으로 옮기기는 쉽지 않다. 식사요법, 운동요법의 구체적인 내용을 생각할 때에는 가능한 환자의 지금까지의 라이프스타일에 따라서 실현 가능한 계획을 세우도록 명심한다. 계획을 세울 때에는 환자·가족 모두의 목표의식을 통일시켜 생각하는 것도 필요하다.

【실행기】 섭취에너지양의 감소, 소비에너지양의 증가에 수반하여 공복감이나 기아감이 예상되므로, 완화방법 등의 대응책, 가족 등의 정신적 지지체계를 미리 생각해 두어야 한다. 식사요법, 운동요법을 실시하고 있을 때에는 할 수 있는 일이나 성과를 확인하고, 의욕을 유지할 수 있도록 지도해 간다. 실시 중에 문제가 발생하는 경우 포기하지 않도록 즉시 상담하도록 전달하고, 정신적 지지를 포함하여 지지해 간다.

【유지기】 퇴원 후나 비만이 개선된 후에도 다시 비만이 되지 않도록, 정기진찰을 통해 동기를 계속해서 부여한다. 또 환자모임 등의 사회자원을 소개하고, 의욕이 유지되도록 지지한다.

케어의 포인트

신뢰관계의 형성
● 비만자의 경우 자기혐오감이 있어서 부정적 감정을 가지기 쉽다. 또 체중이나 식생활를 확인할 때 프라이버시에 관련된 정보가 필요해지므로, 환자가 안심하고 얘기할 수 있는 환경을 조성하는 것이 필요하다.
● 면담시는 가능한 환자가 중심으로 얘기하도록 하고, 환자의 생각을 중심으로 정보를 수집한다.
● 공감적인 태도로 대하고, 지식의 제공, 장래 계획의 입안 등을 지지해 갈 것을 전달하여, 환자가 안도감을 가지도록 지도한다.

치료도입기의 지지
● 지방이 축적되는 원인에 관해서는 여러 가지 요인을 관련지어서 사정한다.
● 환자 본인이 뚱뚱하지 않다고 생각하고 있는 경우가 있으므로, 신체상을 수정하여 동기부여를 촉구한다.
● 식사의 내용, 식사를 하는 시간 등, 다음과 같은 식사에 관한 정보를 상세히 수집한다.
· 1회섭취량이 많다, 빨리 먹는다, 간식 및 외식이 잦다, 직장모임·회식이 잦다, 저녁 식사시간이 늦다, 남은 음식을 먹어 버린다, 정신적인 스트레스로 인해 충동적으로 과식한다, 혼자 식사한다, 다른 행동을 하면서 식사를 한다, 등.
● 환자 본인이 「자신이 어떻게 되고 싶은지」 생각을 확인한다.
● 과거, 현재의 생활행동에서 할 수 있는 것에 주목하여 늘려가는 방법을 생각한다.
● 「왜 할 수 없는가」라고 부정적으로 생각하기보다 「어떻게 하면 할 수 있는가」 라고 긍정적으로 생각한다.
● 하루의 행동패턴, 직무내용을 상세하게 정보 수집한다.
● 일상생활행동에 운동을 도입해 갈 수 있도록 어느 타이밍에 운동을 도입할 것인가를 생각한다.
● 비만에 관한 지식, 치료의 필요성 등을 올바르게 이해하지 않으면, 동기부여가 불충분하여 잘못된 행동을 하게 될 가능성이 있으므로, 지식, 이해도를 파악한다.
● 환자가 주체적으로 임하지 않으면, 효과를 기대할 수 없으므로 의욕수준을 파악한다.

치료계획의 입안에 대한 지지
● 생활에 따른 실현 가능한 계획을 세운다.
● 계획은 환자·가족과 함께 세운다. 그렇게 함으로써 목표를 공유하고 환자·가족이 일체가 되어 의욕적으로 임할 수 있다.
● 성취감을 통해 의욕을 높일 수 있도록, 단계적으로 목표를 설정한다.
● 스스로 자기관리의식을 높이거나 생활행동의 경향을 인식할 수 있도록, 행동·식사·운동을 기록하는 일기 기록을 제안한다.
● 준비가 필요한 것, 시간이 걸리는 것, 노력을 요하는 것은 오래 계속할 수 없으므로, 일상생활 속에서 가볍게 할 수 있는 것부터 시작한다.
● 영양사가 제공한 식사의 구체적인 어드바이스에 입각하여, 가족도 함께 영양지도를 한다.
● 모임 등의 조정이 어려운 경우 등, 각 케이스에서 구체적인 대처법을 계획한다.
● 공복시의 대응, 안정방법 등, 식사제한으로 인한 스트레스를 경감시키는 방법을 미리 생각해 둔다.

자기관리 의식수준을 높이는 데는 행동·식사·운동을 기록하는 일기가 효과적이다.

■ 그림 3-6 자기관리의식을 높인다

식사요법의 지지
● 식사요법의 어려운 점은 포만감을 얻을 수 없다, 칼로리계산이 어렵다, 영양균형이 기운다, 환경적으로 외식이 많아져서 칼로리가 초과되어 버린다 등이다. 환자의 문제를 파악하고 그에 맞추어 계획을 세워야 한다.
● 지시에너지양의 설정 : 비만증 치료식으로는 1,000~1,800kcal/일의 범위에서 200kcal씩 차이를 둔 5단계로 나누어져 있다. 또 600kcal/일 이하의 초저에너지식이 있는데, 이 경우는 반드시 입원하여 한다. 이 지시에너지양은 환자의 연령, 성별, BMI수치, 활동량을 참고로 통합적으로 생각한다. 다음의 계산식을 참고로 하여 구체적인 수치를 산출한다.
· 하루의 섭취에너지양 (지시에너지양)= 이상체중×기초대사기준치×신체활동수준
· 이상적 체중(kg)=신장(m)^2×22, 기초대사기준치 (표 3-3 참조), 신체활동수준 (표 3-4 참조)

■ 표 3-3 기초대사기준치(kcal/kg 체중/일)

연령(세)	남성	여성
1~2	61.0	59.7
3~5	54.8	52.2
6~7	44.3	41.9
8~9	40.8	38.3
10~11	37.4	34.8
12~14	31.0	29.6
15~17	27.0	25.3
18~29	24.0	22.1
30~49	22.3	21.7
50~69	21.5	20.7
70 이상	21.5	20.7

(후생노동성 : 일본인의 식사섭취기준 2010년도판에서 발췌)

■ 표 3-4 신체활동수준

	낮다 (Ⅰ)	보통 (Ⅱ)	높다 (Ⅲ)
신체활동수준	1.50 (1.40~1.60)	1.75 (1.60~1.90)	2.00 (1.90~2.20)
일상생활의 내용	생활의 대부분이 좌위에서 행해지며 정적인 활동이 중심인 경우	좌위중심의 작업을 행하지만, 직장 내에서의 이동이나 입위에서의 작업·접객 등, 또는 통근·쇼핑·가사, 가벼운 스포츠 등을 포함하는 경우	이동이나 입위가 많은 작업의 종사자, 또는 스포츠 등 활발한 운동습관을 가지고 있는 경우

(후생노동성 : 일본인의 식사섭취기준 2010년도판에서 발췌)

● 식사요법은 3개월 기준으로 평가한다. 처음 목표는 3~6개월에 체중 5kg, BMI 2kg/m^{2}의 감량을 목표로 한다. 그 후, 3개월에 체중 3kg, BMI 1kg/m^{2}의 감량을 목표로 한다.
● 다음을 환자의 이해도에 맞추어 설명한다.
· 지방을 줄이고, 그만큼 단백질의 비율을 높인다. 3대 영양소의 비율은 지질 15%, 단백질 25%, 당질 60%가 적당하다.
· 단 과자, 지방, 고기의 지방 덩어리 등의 섭취를 억제하고, 표준체중, 생활활동강도에 따른 적절한 섭취에너지를 고수한다.
· 설명할 때 영양소의 이름만으로는 이미지를 떠올리기 어려우므로, 구체적인 식품명이나 메뉴로 예를 나타낸다.
· 저칼로리식을 섭취하기 위해서 튀김, 볶음 등의 기름을 사용하는 조리법에서 찌고, 끓이는 조리법으로 변경한다.
· 조미료는 드레싱, 마요네즈는 지질이 함유된 고칼로리식품이므로, 식초나 레몬즙, 간장 등의 저칼로리식품을 사용한다.
· 밤 늦은 시간대가 되면 대사능이 저하되고, 식후의 활동량도 적으므로 감량을 기대할 수 없다. 따라서 가능한 일찍 (20시까지) 저녁식사를 한다.
· 저작횟수를 늘려서 식사시간을 오래하여 포만감을 얻는다.

운동요법의 지지
● 섭취칼로리를 제한해도 소비칼로리가 그를 상회하지 않으면 감량으로 연결되지 않음을 설명한다.
● 비용이나 시간이 필요하면 실행이 더 어려워지므로 일상생활에서 응용할 수 있는 방법을 생각한다. 내릴 역의 한 정거장 전에 내려서 걷기, 엘리베이터가 아니라 계단을 사용하기 등이 그 예시이다.
● 격렬한 운동은 오히려 식욕을 증진시키므로, 그보다는 생활에 맞추어 계속할 수 있는 운동을 생각한다.

환자·가족의 심리·사회적 문제에 대한 지지
● 라이프스타일 변경하려면 시간이 걸린다는 점을 설명하고, 의욕이 감퇴되지 않도록 주의한다.
● 정신적인 스트레스 때문에 부적절한 식행동을 하는 경우가 많으므로, 정신적인 스트레스의 완화에도 주의한다.
● 환자 혼자서는 어려운 경우도 있으므로, 가족의 지지가 계속될 수 있도록 가족도 케어한다.
● 고민이나 감량에 대한 정보를 공유할 수 있는 환자모임 등을 소개한다.

퇴원지도·영양지도
● 정기적으로 진찰을 받아 동기를 계속 부여한다.
● 일기를 계속 쓰게 하여, 자기관리능력을 높일 수 있도록 지지한다.

(泉 貴子)

튀기거나 볶는 조리법에서 찌고, 끓이는 조리법으로

지질이 많이 함유된 드레싱, 마요네즈에서 식초나 레몬즙, 간장으로

■ 그림 3-7 조리설계의 예시

Memo

4 고요산혈증
(통풍; hyperuricacidemia)

福田祐子/下門顯太郎

전체 map

병인
- 동일가계 내에서 50% 이상 확인되는 점에서, 유전적 요인이 관여된다고 생각된다.
- 과식, 음주 등 생활습관과 관련된 인자도 영향을 미친다.
[악화인자] 생활습관, 비만

역학
- 중년남성에게 호발한다.
- 환자수는 600만명이 넘지만, 평생 무증상인 경우도 많다.
[예후] 생명예후에 영향은 없다. 단, 심혈관병변이 발생하면 생명예후에 영향을 미친다.

병태생리
- 통풍이란 고요산혈증에 의해서 요산결절이 관절에 침착하여, 급성관절염증상 (통풍발작;gouty attack), 통풍결절(gouty node), 만성관절염을 일으키는 병태를 말한다. 병태생리 map p.32
- 고요산혈증의 병형분류 : 요산생산과잉형 (요산의 합성량 증가), 요산배설저하형 (요산의 요중배설능저하), 양자가 혼재한 혼합형으로 나뉜다.
- 고요산혈증에는 원인불명의 원발성 (1차성) 과 다른 질환에 속발하는 속발성 (2차성) 이 있다.

증상
- 고요산혈증 그 자체는 무증상이다.
- 오랫동안 방치하면 통풍발작 (급성기에는 주로 엄지발가락의 소관절에 발적·종창·열감을 수반하는 관절통, 간헐기~만성기에는 이개(耳介)나 여러 관절 주위에 발생하는 통풍결절)을 일으키기도 한다. 증상 map p.34

[합병증]
- 신기능 저하
- 요로결석 (urolithiasis)
- 동맥경화 (arteriosclerosis)

증상　합병증　　　진단　치료

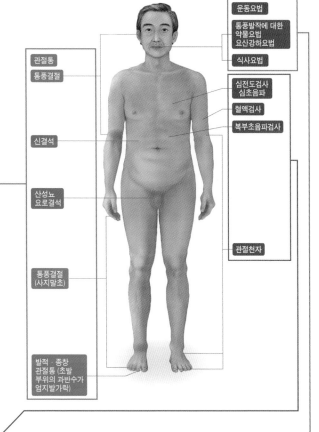

- 관절통
- 통풍결절
- 신결석
- 산성뇨 요로결석
- 통풍결절 (사지말초)
- 발적·종창 관절통 (초발 부위의 과반수가 엄지발가락)

- 운동요법
- 통풍발작에 대한 약물요법 요산강하요법
- 식사요법
- 심전도검사 심초음파
- 혈액검사
- 복부초음파검사
- 관절천자

진단
- 일본통풍·핵산대사학회의 고요산혈증·통풍의 치료가이드라인의 진단기준이 이용된다. 진단 map p.35
- 고요산혈증 : 성별·연령을 불문하고 혈장 속의 요산용해농도인 혈청요산치가 7.0mg/dL를 넘는 것
- 통풍관절염(gouty arthritis) : 요산염결정이 관절액속에 존재+통풍결절의 증명+11항목 중 6항목을 충족시키는 것
- 통풍발작시에는 CRP 양성, 백혈구증가, 적혈구침강속도 항진 등의 염증증상이 보인다. 발작시 혈청요산치는 발작 전에 비해서 크게 저하되는 경우가 많다.

치료
- 약제로 요산치를 저하시킬 뿐 아니라, 대사증후군을 감안하여 생활습관 전체를 개선함으로써 내인성 요산상승의 원인을 제거한다. 치료 map p.36
- 통풍발작시 : 발작전조시에는 발작치료제 (콜히친)를, 발작의 극기에는 비스테로이드성 항염증제 (NSAIDs)를 투여하고, 치유되면 중지한다.
- 만성기 : 식사요법+약물요법 (요산생성저해제, 요산배설촉진제, 요알칼리화제)을 적용한다.
- 외과요법 : 큰 통풍결절은 미용상 또는 관절에 미치는 영향으로 인해 절제대상이 되기도 한다.

병태생리 map

통풍이란 고요산혈증에 의해서 요산결정이 관절에 침착하는 급성관절염발작 (통풍발작) 을 일으키는 질환이다.

● 통풍은 고요산혈증이 원인으로 작용하여, 급성 관절염증상 (통풍발작), 통풍결절, 만성관절염 을 일으키는 병태이다. 비만, 고혈압, 지질이상 증 (고지혈증), 신장애, 요로결석, 심근경색 등 에 합병되는 빈도가 높다. 고요산혈증을 개선 해도 이 질환 자체는 치료되지 않지만, 생명예 후에 직접 영향을 미치는 만성질환을 발견하여 치료하는 계기가 된다는 관점에서 고요산혈증 에 주목할 필요가 있다.

● 요산(uric acid)은 핵산 (DNA, RNA)의 구성성분인 푸린염기(purine base)의 최종대사산물로 생산되 며, 1일 생산량은 약 700mg이다. 생산된 요산이 배설되기 때문에 1일배설량도 거의 동량이다. 즉, 요중으로의 배설이 약 500mg, 및 신장 이외 (땀, 소화액 등)에서의 배설이 약 200mg이다.

● 고요산혈증은 다음의 병형으로 분류되지만, 이 분류가 치료제의 선택에 필수적이라고 할 수는 없다.
  1) 생산과잉형 : 요산이 합성과잉 되는 경우
  2) 배설저하형 : 요중배설이 저하되는 경우
  3) 혼합형 : 1), 2)가 합병되는 경우

● 고요산혈증은 다른 질환에 속발하는 속발성 (2차성)과 원인불명의 원발성 (1차성)으로 분류 된다(표 4-1).

● 속발성고요산혈증은 요산생산과잉을 초래하 는 혈액질환이나 악성종양의 병태 등에서도 볼 수 있지만, 탈수에 수반하는 신전성고질소혈증 (prerenal azotemia)이나 임신성고혈압증후군 (pregnancy-induced hypertension), 신부전, 약 제부작용에 기인하는 배설량의 저하에 수반되 는 빈도가 높으며, 혈청요산치도 더욱 높은 경향 을 나타낸다.

● 고요산혈증이 고도여도 일시적이면 통풍발작을 일으키지 않는다. 요산은 온도나 pH의 저하로 인해 용해도가 급속히 저하되므로, 고요산혈증

이 지속되는 병태에서는 온도가 낮은 손발이나 이개부분에서는 요산나트륨이 요산결정으로 석 출되기 쉬워지며, 관절활막에 침착하여, 관절내 나 관절주위에 염증반응을 일으키기도 한다.

병인·악화인자

● 유전인자에 대한 내용은 확실하지 않지만, 가 계 내에서 고요산혈증이나 통풍환자가 있는 경 우가 50% 이상에 이르는 점이나 비만체형 사 람에게 통풍환자가 많은 점 등에서, 유전적 요 인이 관여하고 있다고 생각된다.

● 환경인자로는 과식, 음주, 그 밖의 생활습관과 관련된 인자가 비만과 더불어 고요산혈증의 원 인 또는 관련인자가 된다.

● 대사증후군에서 고요산혈증은 인슐린저항성· 혈청요산수치·고중성지방혈증과의 관련성을 나 타내기 때문에 내장지방 축적상태의 표지로서, 동맥경화성 질환에 대한 위험성을 나타내는 만 성 복합대사장애의 부분증이라는 역할이 부여되 고 있다. 최근, 고요산혈증 그 자체가 독립된 위험 인자일 수도 있다는 보고가 있지만, 그 위험인자 로서의 중요성은 관리가 불충분한 고혈압이나 당 뇨병, 고LDL 콜레스테롤혈증 등과 비교하면 훨씬 낮다는 사실도 이해해야 한다.

● 비만타입에 따라서 생산과잉 (내장지방형 비 만)도 배설저하 (피하지방형 비만)도 유발된다. 음주는 요중에 대한 유기산 배설항진을 일으키

므로 요산배설이 저하되어 혈청요산치를 상승 시키지만, 간에서의 ATP이용·분해촉진을 통 해 푸린체분해가 정상적으로 항진되어 생산과 잉으로 연결된다.

역학·예후

● 중년남성에게 호발한다. 고요산혈증은 라이프 스타일의 변화에 따라서 증가하고 있으며, 환 자수가 600만명을 넘는 만성대사성질환이다. 단, 고요산혈증의 정도가 가벼운 것은 통풍증 상발생의 위험이 낮아서, 평생 통풍발작도 발 생하지 않고 무증상인 경우도 많다.

● 단발관절염에 머무는 통풍발작은 후유증이 없 고, 생명예후에도 영향을 미치지 않는다. 그러 나 고요산혈증은 신기능장애나 혈관장애의 위 험인자가 되는 각종 대사성질환에 합병되는 빈 도가 높으므로, 이것을 장기간 방치하면 허혈 성심질환이나 뇌경색 등의 심혈관병변을 발생 하여 생명예후에 영향을 미치기도 한다.

Key word

● 푸린염기 (푸린체)
푸린염기와 푸린체는 거의 동의어로, 푸린핵 을 기본골격으로 하는 염기성 화합물의 총칭 이다. 그 중에서도 아데닌과 구아닌은 DNA나 RNA의 구성성분으로서 매우 중요하다.

통풍은 요산염의 결정이 관절에 염증을 일으키는 것이다.

요산은 콜라겐이나 뮤코다당을 많이 함유한 조직에 침착하여, 이개나 손발의 관절 등 체온이 낮은 장소에서 결정을 석출하여 염증을 일으킨다. 이 관절염을 통풍이라고 한다.

■ 표 4-1 고요산혈증의 분류

분류	번호	내용
1. 원발성(1차성) 고요산혈증	1-1	요산생산과잉형 데노보합성계에 의한 푸린뉴클레오티드합성항진
	1-2	요산배설저하형 신기능장애는 없지만, 요산배설이 저하된 상태
	1-3	혼합형 요산생산과잉 및 요산배설저하
2. 속발성(2차성) 고요산혈증	2-1	유전성 대사질환 Lesch-Nyhan증후군, 선천성근원성고요산혈증 등
	2-2	세포증식의 항진에 수반하는 핵산분해항진 종양성 (백혈병, 악성림프종, 골수종) 등 급성종양용해증후군 심상성건선 (psoriasis vulgaris)
	2-3	조직파괴의 항진에 수반하는 핵산분해항진 비종양성 (용혈성빈혈, 다혈증, 좌상, 열상, 운동부하 등)
	2-4	외인성 고푸린식 과잉섭취
	2-5	기타 신부전 약제성 (사이아자이드, 피라진아미드 등) 산증 (요의 산성화에 의한 요산의 배설저하) 당원병 임신성고혈압증후군

(치료가이드라인 작성위원회편: 고요산혈증·통풍의 치료가이드라인, 일본통풍·핵산대사학회, 2002 일부 개편)

세포

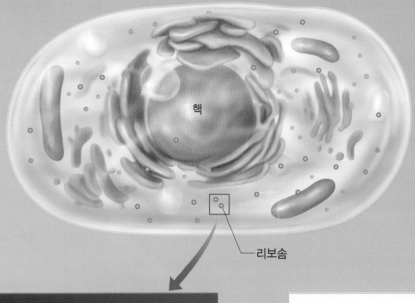

핵

리보솜

핵산의 구성성분인
푸린염기의 최종대사물이
요산이다.

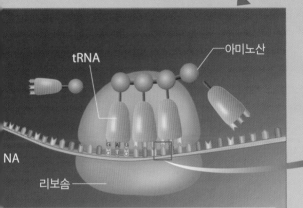

tRNA

아미노산

리보솜

NA

는 핵산인 DNA와 RNA가 축적되어 있다. DNA는 세포가
 있는 한 잘 분해되지 않지만, RNA는 활발하게 새로운
로 변환된다. 위는 핵 밖으로 나온 RNA (mRNA)가 번역을
 있는 모습.

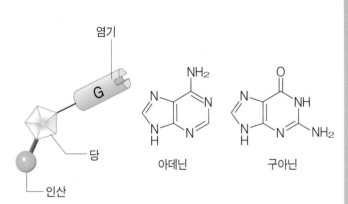

염기

G

당

인산

아데닌

구아닌

RNA 염기에는 아데닌 (A), 구아닌 (G), 시토신 (C), 티민 (T),
우라실 (U)의 5종류가 있다. 이 중 아데닌과 구아닌은
푸린염기 (푸린체)이다.

요산의 혈중
농도가 높다.

은 농도가 높으면 바늘모양의
을 석출한다.

(일부는 변속)

요로
배설

Na

혈중내 요산의
대부분은 요산염이
된다.

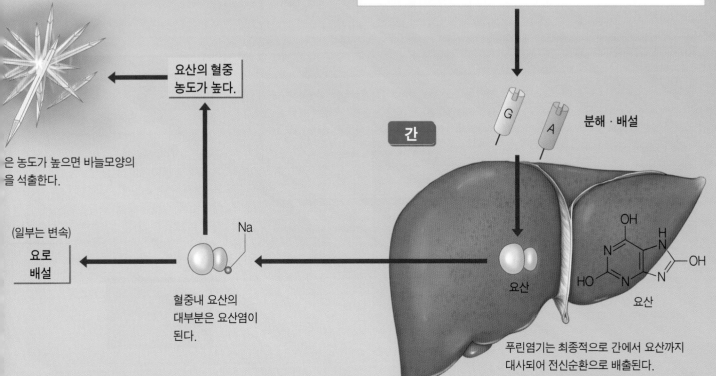

간

G   A   분해 · 배설

요산

요산

푸린염기는 최종적으로 간에서 요산까지
대사되어 전신순환으로 배출된다.

증상 map

고요산혈증 그 자체는 무증상이지만 통풍결절이 보이는 수가 있다. 통풍발작은 관절염에 의해 발생한다.

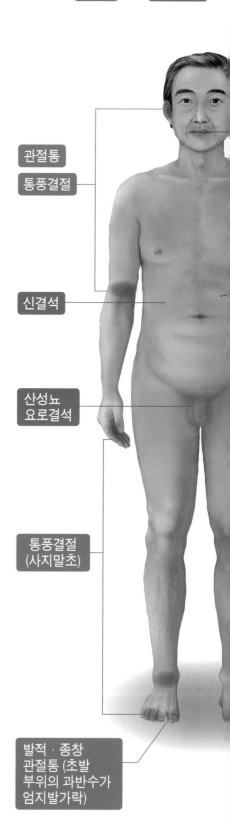

증상   합병증

관절통
통풍결절

신결석

산성뇨
요로결석

통풍결절
(사지말초)

발적 · 종창
관절통 (초발
부위의 과반수가
엄지발가락)

증상

- 급성통풍발작 : 주로 엄지발가락의 소관절에 발적, 종창, 열감을 수반한 관절통 (급성단관절염~다관절염)을 일으키는 경우가 많다. 관절통은 엄지발가락의 중족골 관절부에 초발하는 경우가 과반수를 차지하지만, 발목, 무릎, 팔꿈치, 손목관절인 경우도 있다. 전형적인 단관절염에서는 국소의 위화감, 가벼운 통증을 전조로 하여, 몇 시간~3일 이내에 급격한 통증발작을 일으킨다. 이후, 며칠간 통증이 지속된 후, 자연치유된다. 일반적으로 통증이 심하고, 발생부위가 족부 중심이므로, 보행이 어려워지는 경우가 많다. 통풍의 「풍(風)」은 원래 「풍질(風疾)」에서 유래하고, 「바람이 불어도 통증을 느낄 만큼 아픈 병」이라고 비유되고 있다.
- 간헐기(통풍발작과 발작 사이 무증상인 시기)부터 만성기 : 현저한 고요산혈증이 관리되지 않고 장기간 지속되면, 이개나 여러 관절 주위에 통풍결절이 나타나는 경우가 있다. 통풍발작이 없는 무증상 고요산혈증은 건강진단 등으로 발견되는 경우가 많다.
- 통풍결절에 관하여 : 이개, 손가락, 주두(肘頭), 사지말초의 피하에 생기는 통풍결절은 몇 mm~몇 cm에 이르고, 석출한 요산염 결절덩어리에 반응성 육아조직이 생기지만, 무통이면서 무증상이다. 내부에는 괴사가 수반되어 우유나 초크같은 흰 요산염 내용물을 포함한다. 파동을 접하는 경우는 없고, 가동성이 있으며, 체표의 결절은 탄성연이다(그림 4-1). 골에 접하면 결절하의 골막반응 때문에, X선 사진에서 punched out상으로 보이기도 한다.
- 관절액에서는 요산염의 바늘과 같은 날카로운 결정(침상결정)이나 증가된 다핵백혈구가 관찰된다.

합병증

- 고요산혈증 환자는 2/3 가까이 만성적인 산성뇨를 나타낸다고 알려져 있다. 요산의 용해도는 산성으로 저하되므로, 요산결석 형성을 촉진시키는 인자가 될 수 있다. 그러나 산성뇨 이외에 요산결석 형성에 영향을 미치는 인자도 많으므로, 고요산혈증 환자는 반드시 요로결석의 유무를 정밀검사해야 한다는 이론에는 반대의견도 많다. 요산은 수산이나 인산을 기초로 한 결석형성도 촉진시키지만, 특히 요중 수산배설은 요산에 한정되지 않고 결석형성 촉진인자가 되고 있다. 반대로 요중 구연산은 대표적인 결석형성 저해인자이다.

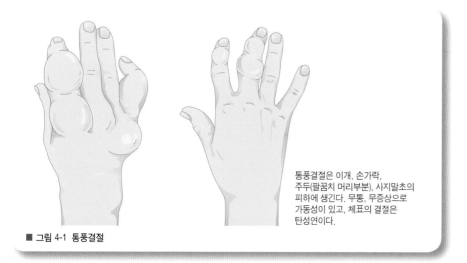

통풍결절은 이개, 손가락,
주두(팔꿈치 머리부분), 사지말초의
피하에 생긴다. 무통, 무증상으로
가동성이 있고, 체표의 결절은
탄성연이다.

■ 그림 4-1 통풍결절

진단 map

고요산혈증 · 통풍의 치료가이드라인에 근거하여, 혈중 요산치 $\geq$ 7.0mg/dL을 고요산혈증이라고 한다.

진단　　　치료

운동요법

통풍발작에 대한
약물요법
요산강하요법

식사요법

심전도검사
심초음파

혈액검사

복부초음파검사

관절천자

진단 · 검사치

- 2002년에 일본통풍 · 핵산대사학회에서 「고요산혈증 · 통풍의 치료가이드라인」이 발간되었다. 또 일본비만학회에 의한 2006년 「비만증치료가이드라인」에서도 고요산혈증의 취급이 기술되어 있다.
- 통풍관절염의 진단기준은 표 4-2와 같다.
- 통풍과 똑같은 증상을 나타내는 질환으로, 위통풍이 있다. 위통풍(pseudogout)은 피롤린산 칼슘의 결정이 연골에 침착하여, 고요산혈증의 유무에 상관없이, 통풍발작과 유사한 급성관절염증상이 무릎, 대퇴, 팔꿈치, 손, 발의 각 관절에 일어나는 질환이다.
- 검사치
- 일반적으로 혈중요산 기준치는 남성 4.0~7.0mg/dL, 여성 3.5~6.0mg/dL인 경우가 많다. 혈청요산치는 이른 아침에 높아지므로, 이른 아침 공복시의 측정을 원칙으로 한다. 일본에서는 연령 · 성별을 불문하고 혈청요산치가 7.0mg/dL 이상일 때, 고요산혈증이라고 정의하고 있다.
- 고요산혈증을 진단할 때, 표 4-1에 나타낸 속발성 (2차성)의 각종 질환을 감별해야 한다. 동시에 고혈압, 지질이 상증 (고지혈증), 당뇨병의 유무 등을 검사하고, 심혈관계 합병증의 위험이 고려되는 경우, 심전도검사, 심 · 경동맥초음파 등을 통해 정밀검사한다. 요잠혈 양성, 지속되는 산성뇨 등 요로결석의 기왕을 의심케 하는 에피소드가 있으면, 요로결석을 스크리닝하기 위하여 복부초음파검사도 실시한다.
- 고요산혈증의 병태를 밝히기 위해서는 요산생산과잉 · 배설저하를 검사해야 한다. 1일 요중요산배설량은 체내의 요산생산을 반영하므로, 생산과잉의 중요한 지표이다. 배설저하의 유무는 요산클리어런스와 사구체여과율의 비에서 구한 요산분별 배설률 (FEUA)을 측정하여 판정한다. 간이법에서는 사구체여과율을 수시뇨의 크레아티닌 클리어런스로 계산하여, 다음의 계산식에 의한 요산 · 크레아티닌 클리어런스비에서 FEUA를 추정할 수 있다.

$$\text{요산분별 배설률(FEUA) (\%) : } \frac{\text{요중 요산농도} \times \text{혈중 크레아티닌농도}}{\text{혈중 요산농도} \times \text{요중 크레아티닌농도}} \times 100$$

단, 이렇게 구한 FEUA는 음수량이나 수액에 따라서 비교적 큰 변동을 나타내므로, 책에는 5.5% 이상이면 혼합형 또는 생산과잉이라고 기재되어 있지만, 절대적인 지표는 아니다. 또 당뇨병성신증 초기에는 크레아티닌 클리어런스가 저하되지 않지만 FEUA가 높은 수치를 나타내는 경우가 있으며, 또 신기능 저하시에도 FEUA가 높은 수치를 나타내는 경향이 있는 점도 고려한다.

- 통풍발작시에는 CRP 양성, 백혈구 증가, 적혈침강속도 항진 등의 염증반응이 나타난다. 발작시 혈청요산치는 발작 전에 비해서 크게 저하되는 경우가 많으며, 초진환자의 발작시 요산치는 통풍의 진단에 참고하지 않는다.

■ 표 4-2 **통풍관절염의 진단기준**

1. 요산염 결정이 관절액 속에 존재한다.
2. 통풍결절의 확인
3. 다음 항목 중 6항목 이상을 충족시킨다.
   - 3-1. 2회 이상 급성관절염의 기왕력이 있다.
   - 3-2. 24시간 이내에 염증이 최고 수준에 달한다.
   - 3-3. 단관절염이다.
   - 3-4. 관절의 발적이 있다.
   - 3-5. 제1중족지관절의 통증 또는 종창이 있다.
   - 3-6. 편측 제1중족지관절의 병변이다.
   - 3-7. 편측 족관절병변이다.
   - 3-8. 통풍결절 (확진 또는 오진)이 있다.
   - 3-9. 혈청요산치의 상승이 있다.
   - 3-10. X선상의 비대칭성종창이 있다.
   - 3-11. 발작의 완전한 관해가 있다.

(치료가이드라인 작성위원회편 : 고요산혈증·통풍의 치료가이드라인, 일본통풍·핵산대사학회, 2002 일부개편)

Key word

- 관절액의 소견

급성발작이 나타난 관절에서 관절천자로 관절액을 채취하여 요산-1-나트륨의 침상결정이 확인되면 통풍의 진단이 확실해진다. 위통풍인 경우는 관절액 속에서 피롤린산 칼슘결정을 확인한다.

단순히 약물로 요산치를 저하시키는 치료 뿐 아니라 대사증후군을 감안하여 내장지방의 축적을 시정하기 위해서 생활습관 전체를 개선하며, 내인성 요산상승의 원인도 제거하는 것이 바람직하다.

치료방침

- 발작시에는 염증반응의 개선을 목표로 한다. 간헐기에는 고요산혈증의 개선을 목표로 한다. 일본에서는 생활습관을 지도하기 위해서 요로결석이나 통풍발작의 기왕력이나 가족력이 있으면, 8.0mg/dL에서 요산강하요법을 시작하며, 생활습관에 문제가 없는 경우라도 9.0mg/dL을 초과하면 통풍발작의 위험이 높으므로 요산강하요법을 실시한다. 그러나 미국에서는 통풍을 일으킨 적이 없는 무증상의 고요산혈증은 치료를 하지 않는다는 입장으로써 일본과는 치료방침에서 차이가 있다(자세한 내용은 p.37을 참조).
- 한 번 확실한 통풍발작이 일어난 적이 있는 증례에서는 재발률이 매우 높으므로, 요산치가 그 정도로 높지 않아도 이론적인 요산의 용해농도를 하회하는 6.0mg/dL 이하로 장기간 유지할 것을 목표로 한다는 점에서는 일본과 미국 모두 차이가 없다.

■ 표 4-3 고요산혈증의 주요치료제

분류	일반명	주요 상품명	약효발현의 메커니즘	주요 부작용
통풍치료제	콜히친	콜히친	통풍발작시에 국소에 침윤된 백혈구, 호중구의 작용을 저지	재생불량성빈혈, 과립구감소
비스테로이드성 항염증제	나프록센	Naixan	항염증작용, 진통작용	쇼크, 아나필락시스양 증상, 소화성궤양출혈
	인도메타신	Indacin, Inteban		
	프라노프로펜	Niflan		
	옥사프로진	Arbo		
부신피질 호르몬제	프레드니솔론	Predonine, 프레드니솔론, Predohan	항염증작용	유발감염증, 당뇨병이나 소화성궤양의 유발
요산생성저해제	알로푸리놀	Zyloric, Alositol, Riball	푸린대사경로의 최종단계에 작용하는 크산틴옥시다제를 저해	피부점막안증후군
요산배설촉진제	벤즈브로마론	Urinorm, Muirodine	세뇨관에서 요산의 재흡수를 저해	간장애, 황달
	프로베네시드	Benecid		용해성빈혈
요알칼리화제	구연산칼륨 · 구연산나트륨합제	Uralyt-U, Uralyt	요중의 요산용해도를 개선	대사이상→고칼륨혈증

통풍발작시의 약물요법

- 통풍발작에는 비스테로이드성 항염증제 (NSAIDs)를 사용한다. 발작예감시나 발작초기에는 콜히친 투여로 즉각적인 효과를 기대할 수 있다. 환부를 안정된 상태로 유지하고 냉각시키며, 금주를 지시한다. 발작 중 · 발작 직후부터 요산강하제 (요산생성저해제, 요산배설촉진제)를 투여하거나 증량하면 발작이 악화되는 수가 있다. 그 때문에, 급성발작이 완전히 시작되고 나서 요산강하요법을 시작한다. 단, 이미 요산강하제를 투여하고 있는 경우는 원칙적으로 중지하지 말고 그대로 복용하게 한다.

Px 처방례 통풍발작의 전조기~초기 (늦어도 2~3시간 이내에)
- 콜히친정 (0.5mg) 1회 1정 첫날만 사용 ←발작치료제

Px 처방례 통풍발작의 극기
- Naixan정(100mg) 1회 1정 1일 3회 ←비스테로이드성 항염증제

※첫날만 1회 3정을 3시간마다 3회까지, 그 후는 1회 2정을 사용하기도 한다. 증상에 따라서 감량하고, 경우에 따라서는 위보호제를 병용한다.

만성기 치료

- 만성기 식사요법과 약물요법으로 치료한다.
- 식사요법에서는 푸린체를 포함한 식품의 제한이 그다지 중요하진 않지만, 알콜과음이나 육류 등의 과식을 시정하면 다소 요산치가 저하된다. 어쨌든, 폭음폭식은 삼가는 편이 좋다. 비만의 예방도 중요하며, 운동요법도 권장된다.
- 일본에서는 신장애의 예방에 요로관리가 필요하지만, 신생검이나 부검한 신장의 조직표본을 아무리 검사해도 「고요산혈증에 의한 만성신장애」라는 병리조직진단이 없었다는 전문가도 많다. 또 요로결석의 예방에는 요알칼리화약의 투여가 권장되고 있지만, 이 점에 관해서도 일본과 미국의 진료스타일이 다르다. 요산의 배설을 촉진하고, 요중 요산농도를 저하시킨다는 의미에서 요량이 크게 영향을 미치므로, 수분섭취량을 늘리는 것이 유효한 점에는 이견이 없다.
- 약물요법에 관해서는 통풍관절염을 유발시키지 않도록, 최소량에서 조금씩 증량하여 유지량을 결정한다. 또 투여시작 후에는 반드시 부작용의 발현을 주시한다. 책에는 요산배설저하형에는 요산배설촉진제를 사용하고, 요산생산과잉형에는 요산생성저해제를 사용한다고 기술되어 있지만, 앞에서 기술하였듯이, 이러한 사용법이 보다 소량의 투약량으로도 유효한 요산치 저하작용을 발휘할 수 있다고는 할 수 없다. 부작용을 유발하지 않고 장기적으로 요산치를 충분히 관리할 수 있는 약제의 종류와 투여량을 선택하는 것이 포인트이다.

Px 처방례 만성기 약물요법
- Zyloric정(100mg) 1~3정 分1~3 ←요산생성저해제

※투여시작 후, 피부증상, 간기능, 혈액소견을 확인한다. 타입에 상관없이, 신기능장애나 신결석이 확인되면 사용하는 경우가 많다.

- Urinorm정(50mg) 1~4정 分1~2 ←요산배설촉진제

※간기능장애례에는 투여금기대상이므로, 정기적으로 간기능을 확인한다.

- Uralyt-U산(1g) 1회 1g 1일 1~2회 ←요알칼리화약

※요pH의 수치에 따라서 사용한다. 이른 아침 요pH가 낮은 경우는 석식후~취침 전에 내복한다.

● 큰 통풍결절은 미용상의 이유나 관절에 미친 영향 때문에 절제의 대상이 되는 경우가 있는데, 일반적으로는 장기적으로 안정적인 요산강하요법으로 자연소실된다.

고요산혈증 (통풍) 의 병기 · 병태 · 중증도별로 본 치료흐름도

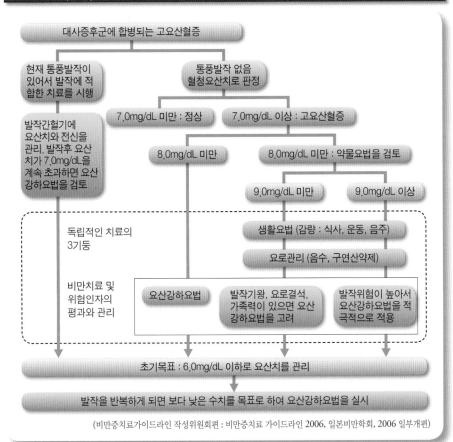

Focus

● 일본과 미국의 치료방침의 차이

미국관절염재단이나 American College of Physicians (미국내과전문의회)에서는 통풍을 일으킨 적이 없는 무증상의 고요산혈증 (통풍 발작이나 요산결석 등을 전혀 일으킨 적이 없이, 단지 요산치만 높은 상태) 자체는 병적인 상태가 아니며, 고요산혈증만으로는 치료를 하지 않는다는 입장에서 가이드라인이 작성되었다. 무증상의 고요산혈증에서 각 요산치마다 통풍발작률을 통계상 데이터에서 추정하면, 9.0mg/dL을 초과하는 무증상의 고요산혈증 환자라도 연간 통풍발생률이 그다지 높지 않으므로, 고요산혈증이 발견된 시점에서 모두 요산강하요법을 평생 계속하는 것은 옳지 않으며, 통풍발작이 한번이라도 발생한 환자에 국한해서 치료를 시작해야 한다는 입장이다. 이것은 무증상의 고요산혈증이 심혈관질환이나 신질환의 위험인자가 되지 않는다는 미국의 견해와, 신기능장애를 비롯한 여러 가지 만성질환을 일으키는 중요한 요인이 될 수 있다는 일본의 이해의 차이도 영향을 미친다고 생각할 수 있다.

(비만증치료가이드라인 작성위원회편 : 비만증치료 가이드라인 2006, 일본비만학회, 2006 일부개편)

■ 그림 4-2 통풍의 자기관리

(櫻田麻耶·七里眞義)

환자케어

급성기 (통풍발작 발현시) 는 통증완화의 지지와 ADL의 지지가, 만성기는 요법의 계속, 자기관리에 대한 지지가 중요하다. 식사시에는 푸린체 섭취를 삼가도록 지도한다.

병기·병태·중증도에 따른 케어

【급성기】급성관절염은 격통을 수반하므로, 환자의 일상생활동작 (ADL)이 현저히 저해된다. 이 때문에, 약물투여에 의한 통증완화를 지지함과 동시에, 식사·배설·청결 등 통증의 상태를 관찰하면서 QOL이 저하되지 않도록 ADL을 지지한다. 통증이 극심하고, 환자가 장래 생활이나 질환에 관하여 불안해지는 경우가 많다. 계속적인 통증기간은 대개 7~10일간 정도로 점차 소실되고, 약물 투여와 식사요법을 계속하면 질환이 진행되지 않는다는 점 등을 설명하여, 불안의 경감에 힘쓴다.

【만성기】고요산혈증 (통풍)은 동맥경화, 신기능장애, 요로결석 등의 합병증을 예방하기 위하여, 평생 식사요법, 약물요법, 운동요법 등을 계속하고, 혈청요산치를 6mg/dL 정도로 관리해야 한다. 따라서 환자에게 그 필요성을 이해시켜야 한다. 그 때문에 의사, 약제사, 영양사 등과 협력하며, 환자가 질환을 이해하고, 내복약·식사요법의 자기관리를 할 수 있도록 지도·교육한다.

【회복기】일상생활에서 장기에 걸친 식사요법, 약물요법, 운동요법 등 생활습관의 변경을 환자 자신이 계속할 수 있도록 지지한다.

케어의 포인트

급성관절염 (통풍발작) 발현시의 지지
- 급성관절염 발생시에는 안정을 유지하도록 지도한다.
- 급성통증시에는 통증의 완화를 우선으로 한다.

식사요법의 지도
- 푸린체를 많이 함유한 식품 (생선알, 맥주, 건어물 등)의 섭취를 반드시 피하도록 지도한다.
- 요중요산의 배설을 촉진시키기 위해서 1일 2,000mL 이상의 요량을 얻을 수 있도록 수분의 섭취를 권한다.

약물요법의 지도
- 급성관절염발작이 일어날 것 같은 느낌이 들면, 관절염 발생을 예방하기 위하여 콜히친 1정 (0.5mg)을 바로 복용하도록 지도한다.
- 요산하강제는 정해진 시간에 정해진 양과 방법으로 내복하도록 지도한다.

퇴원지도·요양지도

- 엄격한 식사관리는 퇴원후 계속하기가 어려운 경우가 많다는 점에서, 환자가 실행 가능한 범위에서 푸린체를 많이 함유한 식품의 섭취를 삼가도록 지도한다.
- 적정한 체중유지 (BMI 25 미만)를 위해서 식사요법과 더불어, 일상생활에 응용할 수 있는 운동을 실시하도록 지도한다.
- 식사요법, 약물요법을 계속함으로써, 고혈압, 동맥경화, 신기능장애 등의 합병증을 예방할 수 있도록 지도한다.

(川瀬祥子)

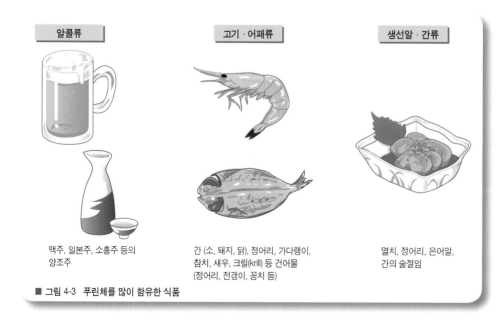

알콜류	고기·어패류	생선알·간류
맥주, 일본주, 소흥주 등의 양조주	간 (소, 돼지, 닭), 정어리, 가다랭이, 참치, 새우, 크릴(krill) 등 건어물 (정어리, 전갱이, 꽁치 등)	멸치, 정어리, 은어알, 간의 술절임

■ 그림 4-3 **푸린체를 많이 함유한 식품**

5 갑상선기능항진증
(바세도우병; hyperthyroidism)

中野　妙・泉山　肇・
平田結喜緒/間部知子

전체 map

병인
- 유전소인에 환경소인이 추가되어, 갑상선자극호르몬 (TSH) 수용체를 자극하는 자가항체 (TRAb)가 생산되면서 발병한다.
- [악화인자] 흡연, 정신적 스트레스

역학
- 전체 갑상선질환의 약 40%를 차지한다.
- 호발연령은 20~40세이고, 남녀비는 1 : 3~5이다.
- [예후] 일반적으로 양호하다. 갑상선중독발증에서는 사망률이 20~30%이다.

병태생리
- 바세도우병은 미만성갑상선종(diffuse goiter)에 수반된 갑상선기능항진증으로, 자가면역성 질환이다.
- TRAb가 TSH수용체와 결합하여, 갑상선을 지속적으로 자극함으로써 갑상선종대와 갑상선기능항진증을 일으킨다.
- 갑상선중독발증(thyroid crisis) : 감염이나 스트레스로 인하여 갑상선중독증상이 급격히 심각한 수준으로 악화된 상태를 말한다.

병태생리 map p.40

증상 　 합병증 　　　　 진단 　 치료

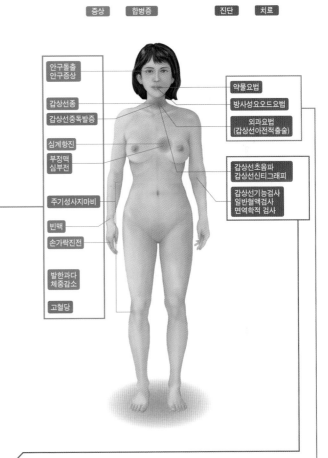

- 안구돌출 안구증상
- 갑상선종
- 갑상선중독발증
- 심계항진
- 부정맥 심부전
- 주기성사지마비
- 빈맥
- 손가락진전
- 발한과다 체중감소
- 고혈당

- 약물요법
- 방사성요오드요법
- 외과요법 (갑상선아전적출술)
- 갑상선초음파 갑상선신티그래피
- 갑상선기능검사 일반혈액검사 면역학적 검사

증상
- 갑상선종, 빈맥, 안구돌출 (메르제부르크 (Merseburg)의 3가지 주증상)
- 갑상선중독증상 : 빈맥, 발한과다, 손가락진전, 체중감소
- 안구증상 : 안구돌출(exophthalmos), 폭주부전 (Möbius징후), 눈의 깜박거림의 감소 (Stellwag징후), 상안검하강부전 (Graefe징후), 검열개대 (Dalrymple징후)

[합병증]
- 부정맥, 심부전
- 갑상선중독발증
- 주기성사지마비
- 고혈당

증상 map p.42

진단
- 일본갑상선학회의 바세도우병 진단가이드라인에 따라서 진단한다.
- 갑상선기능검사 : 갑상선호르몬 (FT$_3$, FT$_4$)은 높은 수치, TSH은 낮은 수치이다.
- 혈액검사 : ALP (골형) 상승, AST · ALT 상승, 콜레스테롤 저하, 내당능이상이 확인된다.
- 면역학적 검사 : 항TSH수용체항체 (TRAb, TBII), 갑상선자극항체 (TSAb) 양성, TBII와 TSAb를 조합하면 바세도우병의 98%가 진단 가능하다.
- 영상검사 : 갑상선초음파 (미만성갑상선종), 갑상선신티그램 (^{123}I 또는 ^{99m}Tc 섭취율 높은 수치)

진단 map p.43

치료
- 우선 약물요법을 통해 혈중 갑상선호르몬농도의 정상화를 목표로 한다. 약제저항성 또는 부작용으로 인해 약을 사용하지 않는 경우에는 수술치료, 동위원소치료(isotope therapy)가 적용된다.
- 약물요법 : 갑상선치료제 (티아마졸, 프로필티오우라실) 또는 무기요오드를 투여하고, 갑상선중독증상이 현저한 경우는 β차단제를 병용한다.
- 외과요법 : 갑상선아전적출술
- 방사선요법 : 동위원소치료 (방사성요오드 내복)

치료 map p.44

병태생리 map

바세도우병은 미만성갑상선종을 수반하는 갑상선기능항진증이며, 갑상선에 대한 자가항체 (항TSH수용체항체 ; TRAb)를 확인하는 자가면역성 질환이다.

- 바세도우병은 갑상선자극호르몬 (TSH) 수용체에 대한 항체가 TSH수용체와 결합하여, 갑상선을 지속적으로 자극함으로써 갑상선종대와 기능항진증을 일으키는 병태이다.
- 갑상선호르몬은 여포상피세포에서 생성되어, 여포 내에 저장되며, 99%가 혈장단백 (TBG)과 결합하여 존재하고, 극히 일부만이 유리형 (FT_4, FT_3)으로 생리활성작용이 있다. 갑상선호르몬은 전신의 여러 장기에 작용하여, 개체의 성장·발육에 작용을 미칠 뿐 아니라, 에너지 생산이나 여러 대사, 순환기계 조절 등도 담당하고 있다(표 5-1).

병인·악화인자

- 발생매커니즘은 가족내 집적이 나타나기 때문에 유전소인 (HLA-Bw35)의 관여로 추정되고 있다. 더불어 스트레스 등의 환경인자가 추가되고, 최종적으로 갑상선에 존재하는 TSH수용체에 대한 자극성 항체가 생산된다고 생각되고 있다.
- 흡연, 정신적 스트레스는 악화인자이다.

역학·예후

- 바세도우병은 전체 갑상선질환의 약 40%를 차지하며, 갑상선중독증을 일으키는 질환의 약 90%를 차지한다. 20~40세 젊은층에게 많고, 남녀비는 1 : 3~5로 여성에게 호발하다.
- 일반적으로 예후가 양호하다. 감염이나 스트레스로 갑상선중독증상이 급격히 심각한 수준으로 악화된 상태 (갑상선중독발증)에서의 사망률은 20~30%에 이른다.

■ 표 5-1 갑상선호르몬의 생리작용

열생산작용	조직에서의 산소소비량의 증가 → 기초대사율의 상승
심장작용	아드레날린 β수용체를 넣은 작용의 증식 → 심수축력과 심박수의 증가
당대사작용	소화관에서 당흡수의 촉진 → 혈당치 상승
신경계작용	카테콜아민 반응성의 증강 → 사고의 신속화, 피자극성 촉진작용
지질대사작용	LDL수용체의 증가 → 혈중 콜레스테롤치 저하
골격근작용	단백질의 이화작용
성장·성숙작용	신체·뇌의 정상 발육, 골격의 성숙

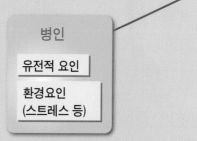

병인

유전적 요인

환경요인
(스트레스 등)

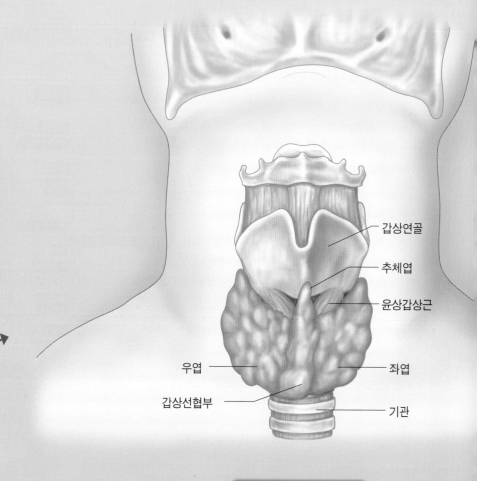

- 갑상연골
- 추체엽
- 윤상갑상근
- 우엽
- 좌엽
- 갑상선협부
- 기관

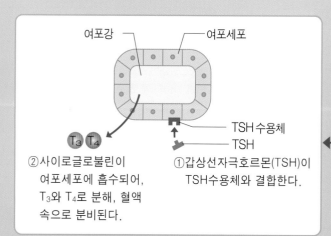

여포강

여포세포

TSH 수용체

TSH

② 사이로글로불린이 여포세포에 흡수되어, T_3와 T_4로 분해, 혈액 속으로 분비된다.

T_3 T_4

① 갑상선자극호르몬(TSH)이 TSH수용체와 결합한다.

정상 갑상선조직

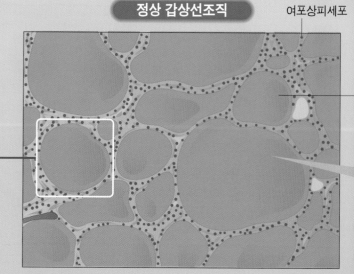

여포상피세포

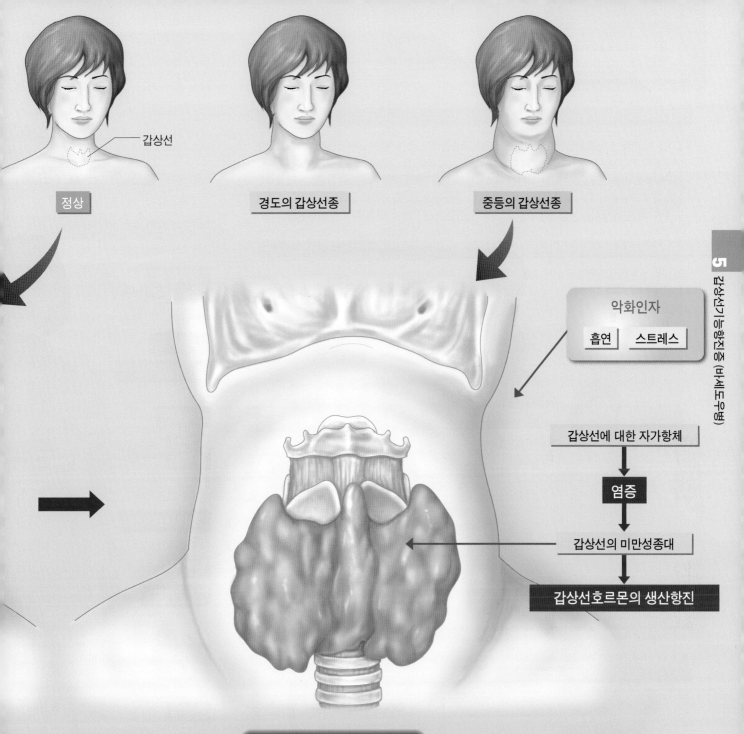

갑상선

정상

경도의 갑상선종

중등의 갑상선종

악화인자

흡연 스트레스

갑상선에 대한 자가항체

염증

갑상선의 미만성종대

갑상선호르몬의 생산항진

바세도우병의 갑상선조직

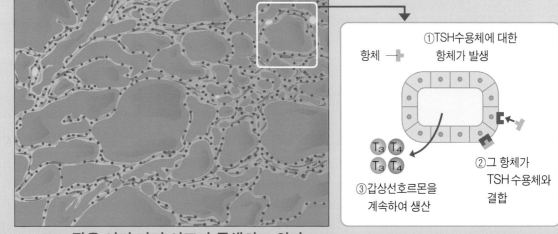

여포강

상선호르몬을 생산·분비한다.

로이드라는 젤라틴상의
질이 축적되는데, 주성분은
이로글로불린이다.

①TSH수용체에 대한
항체가 발생

항체 ＋

T₃ T₄
T₃ T₄

②그 항체가
TSH 수용체와
결합

③갑상선호르몬을
계속하여 생산

크고 작은 여러 가지 여포가 증생하고 있다.

증상 map

특징적인 증상은 갑상선종, 빈맥, 안구돌출 (그림 5-2)이다.

증상

- 갑상선종, 빈맥, 안구돌출은 메르제부르크의 3가지 주증상이다. 갑상선종은 미만성으로 부드럽고 표면이 평활하다. 갑상선중독증에서는 빈맥 외에 발한과다 · 손가락진전 · 체중감소 등도 확인된다.
- 안구돌출로 인한 안구증상으로는 양안을 내측으로 모으지 못하는 경우 [Möbius징후], 눈의 깜빡거림의 감소 [Stellwag징후], 위쪽에서 아래쪽을 볼 때, 안구운동보다도 안검의 움직임이 느리고 상안검 아래에 백안구가 보이는 현상 [Graefe징후], 깜짝 놀란듯한 눈 [Dalrymple징후]이 유명하다(표 5-2).

합병증

- 부정맥, 심부전, 갑상선중독발증, 고혈당 (당뇨병) 등.
- 갑상선중독성 주기성사지마비(periodic paralysis)에서는 기립이 어렵다. 20세 이상의 남성, 특히 동양인에서 많다.

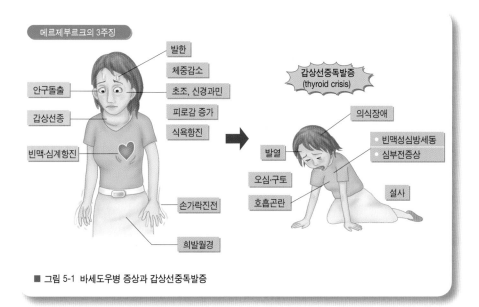

■ 그림 5-1 바세도우병 증상과 갑상선중독발증

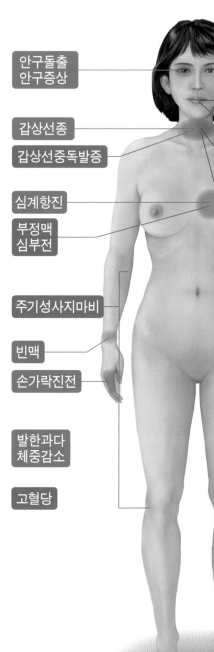

안구돌출
안구증상

갑상선종
갑상선중독발증

심계항진

부정맥
심부전

주기성사지마비

빈맥

손가락진전

발한과다
체중감소

고혈당

■ 표 5-2 바세도우병의 주요증상

	갑상선종
안구증상	안구돌출 폭주부전 (Möbius징후) 상안검하강부전 (Graefe징후) 안검개대 (Dalrymple징후) 눈깜빡임 감소 (Stellwag징후)
전신증상	전신권태감 체중감소 열감 증가
정신증상	초조감 불면
순환기증상	빈맥, 심계항진 맥압 상승 심박출량 증가
소화기증상	식욕항진 설사, 연변
근증상	근력저하
신경증상	손가락진전, 주기성사지마비 심부건반사항진
월경	무월경
피부증상	국한성점액수종 탈모 발한과다 피부혼탁

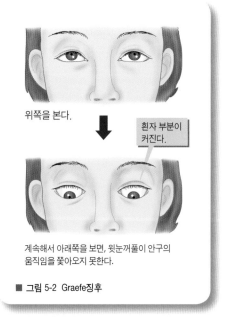

위쪽을 본다.

흰자 부분이
커진다.

계속해서 아래쪽을 보면, 윗눈꺼풀이 안구의
움직임을 쫓아오지 못한다.

■ 그림 5-2 Graefe징후

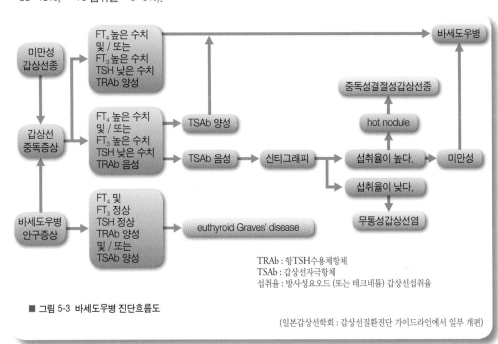

진단 map

갑상선기능검사 (FT$_3$, FT$_4$의 높은 수치, TSH의 저하)와 면역학적 검사 (TBII 또는 TSAb 양성)를 통해 진단한다.

진단   치료

약물요법

방사성요오드요법

외과요법
(갑상선아전적출술)

갑상선초음파
갑상선신티그래피

갑상선기능검사
일반혈액검사
면역학적 검사

진단 · 검사치 (그림 5-3, 표 5-3)

● 갑상선기능검사 : FT$_3$, FT$_4$는 갑상선기능 이상의 정도를, TSH는 기능항진 · 저하의 질적진단을 내리는 데에 적합하다. 갑상선호르몬은 주로 뇌하수체에서 관리되고 있다. 혈중 갑상선호르몬 (주로 FT$_4$)이 저하되면 뇌하수체에서 TSH가 분비되어 갑상선을 자극하고 이것으로 갑상선호르몬은 정상화된다. 혈중 갑상선호르몬이 증가하면 TSH의 분비가 억제된다. 이 조절기구를 negative feedback이라고 한다. 바세도우병에서는 FT$_3$, FT$_4$가 높은 수치이며, TSH는 억제된다.

● 일반검사 : ALP (골형) 상승, AST (GOT), ALT (GPT) 상승, 혈중 콜레스테롤 저하, 내당능이상을 확인한다.

● 면역학적 검사 : TRAb (TSH결합저해면역글로불린 ; TBII) 또는 갑상선자극항체 (TSAb) 양성으로 나타난다. RAb는 TSH수용체에 결합한다. 이 때 TSH도 TSH수용체에 결합하려고 하므로, TSH와 TRAb는 서로 경쟁하게 된다. 이 활성도를 나타내는 것이 TBII이다. 바세도우병에서 90%가 양성으로 나타난다. TRAb가 TSH수용체에 결합한 후, TSH수용체의 작용을 자극하는데, 이 활성도를 나타내는 것이 TSAb이다. 치료하지 않은 바세도우병에서는 92%가 양성으로 나타난다. TBII와 TSAb를 조합하면, 바세도우병의 98% 진단이 가능하다.

● 영상검사 : ① 갑상선초음파 : 미만성갑상선종을 확인하는데, 표면이 평활하며, 컬러도플러에 의해서 혈액증가가 확인된다. ② 갑상선신티그래피 : 방사요오드 (^{123}I) 또는 테크네튬 (^{99m}Tc)으로 섭취율이 높다(^{123}I 섭취율 > 35~40%, ^{99m}Tc 섭취율 > 3~5%).

TRAb : 항TSH수용체항체
TSAb : 갑상선자극항체
섭취율 : 방사성요오드 (또는 테크네튬) 갑상선섭취율

■ 그림 5-3 바세도우병 진단흐름도

(일본갑상선학회 : 갑상선질환진단 가이드라인에서 일부 개편)

■ 표 5-3 바세도우병의 진단가이드라인

a) 임상소견
　① 빈맥, 체중감소, 손가락진전, 발한증가 등이 갑상선중독증의 소견
　② 미만성갑상선종대
　③ 안구돌출 또는 특이한 안구증상
b) 검사소견
　① 유리T$_4$(FT$_4$), 유리T$_3$(FT$_3$)의 어느 한쪽이나 양쪽의 수치가 높다.
　② TSH 낮은 수치 (0.1 μU/mL 이하)
　③ 항TSH수용체항체 (TRAb, TBII) 양성, 또는 갑상선자극항체 (TSAb) 양성
　④ 방사성요오드 (또는 테크네튬) 갑상선섭취율이 높은 수치이고, 신티그래피에서 미만성으로 확인된다.
[진단]
1) 바세도우병 : a)의 1개 이상에 추가하여, b)의 4개가 있는 것
2) 바세도우병 확진 : a)의 1개 이상에 추가하여, b)의 ①, ②, ③이 있는 것
3) 바세도우병 의심 : a)의 1개 이상에 추가하여, b)의 ①과 ②가 있으며, FT$_4$ · FT$_3$ 수치가 높은 상태로 3개월 이상 지속되는 것
[부기]
1. 콜레스테롤 낮은 수치, 알칼리포스파타제 높은 수치를 나타내는 경우가 많다.
2. FT$_4$ 정상으로 FT$_3$만이 높은 수치인 경우가 드물게 있다.
3. 안구증상이 있고 TRAb 또는 TSAb 양성이지만, FT$_4$ 및 TSH가 정상인 증례는 euthyroid Graves' disease 또는 euthyroid ophthalmopathy라고 한다.
4. 고령자인 경우, 임상증상이 부족하고 갑상선종이 확실하지 않은 경우가 많으므로 주의한다.
5. 소아에서는 학력저하, 신장촉진, 침착함의 결여 등이 확인된다.
6. FT$_3$ (pg/mL)/FT$_4$ (ng/dL)비는 무통성갑상선염의 제외에 참고된다.
7. 갑상선혈류 측정이 무통성갑상선염과의 감별에 유용하다.

(일본갑상선학회 : 갑상선질환진단 가이드라인에서)

치료 map

혈중 갑상선호르몬 농도의 정상화를 목표로, 항갑상선제를 이용하는 약물요법으로 치료를 시작한다.

치료방침

● 혈중 갑상선호르몬 농도의 정상화를 목표로, 갑상선호르몬 합성을 억제하는 약물요법, 호르몬 합성의 장을 축소시키는 수술치료, 동위원소치료 [방사성요오드 (131 I요법)]를 시행한다. 기본적으로는 약물요법부터 시작하여, 약제저항성 또는 부작용의 출현으로 약을 사용하지 못하게 되는 경우에는 다른 치료로 변경한다. 각각의 치료법에는 장점·단점이 있으므로, 환자의 병태·병기에 따라서 적절한 치료를 선택한다(표 5-4).

■ 표 5-4 바세도우병의 치료법

	약물치료	수술치료	동위원소치료
장점	수술이나 동위원소치료 후에 일어날 수 있는 불가역성 기능저하증이 나타나지 않는다.	조기에 확실한 결과를 얻게 된다. 큰 갑상선종을 제거할 수 있다.	확실, 간단, 안전한 치료결과를 예측할 수 있다.
단점	부작용의 빈도가 높다. 몇 개월에 1번 정도 진찰이 필요하다. 절반 가량은 1~2년의 내복으로 완화되지만, 완화되지 않는 예도 있다.	반회신경마비나 부갑상선기능저하증을 일으킬 위험이 있다. 입원이 필요하다. 비용부담이 크다. 평생 갑상선호르몬보충이 필요해지는 경우가 있다.	임신, 수유 중에는 금기시 된다. 평생 갑상선호르몬 보충요법이 필요한 환자가 많다.
적응	수술이나 동위원소치료를 거부하는 환자 경증이며 갑상선종이 작은 젊은 환자	약으로 관리할 수 없는 환자 부작용으로 약을 복용하지 못하고, 동위원소치료를 거부하는 환자 종양합병례	약으로 관리할 수 없는 환자 부작용으로 약을 복용할 수 없는 환자 심장병이나 정신장애 등의 합병증이 있는 환자

■ 표 5-5 갑상선기능항진증 (바세도우병)의 주요 치료제

분류	일반명	주요 상품명	약효발현의 메커니즘	주요 부작용
항갑상선제	티아마졸	Mercazole	갑상선호르몬의 생성을 저해	무과립구증
	프로필티오우라실	Propacil, Thiuragyl		두드러기, 간장애
β 차단제	프로프라놀롤염산염	인데랄	교감신경 β 수용체 차단작용을 발현	울혈성심부전

약물요법

● 치료제에는 ① 항갑상선제와 ② 무기요오드가 있다. 갑상선중독증상에 의한 빈맥이나 진전이 현저한 경우에는 β 차단제를 병용한다.
● 항갑상선제
● 티아마졸 (MMI : Mercazole), 프로필티오우라실 (PTU : Propacil, Thiuragyl)이 있고, 갑상선페르옥시다제의 효소작용을 억제하고 갑상선호르몬생산을 저해한다.
● 부작용으로 가려움증, 두드러기, 간장애 등이 있다. 가려움증이나 두드러기 정도이면 항히스타민제를 병용하고 경과를 관찰한다. 간장애나 MPO-ANCA관련 혈관염 (1년 이상의 PTU내복 환자에게 많다), 무과립구증이라는 중등 부작용이 나타난 경우, 약제를 변경 (MMI ⇄ PTU)하거나 다른 치료법으로 변경한다. 무과립구증의 출현빈도는 500명에 1~2명 정도로, 내복시작 후 몇 개월 이내에 발병하는 경우가 많고, 처치가 늦어지면 치명적이다. 증상 출현시에 가능한 빨리 약제의 내복을 중지해야 하며, 치료를 시작할 때에는 「갑자기 고열이 나면 내복을 중지하고 바로 진찰을 받으십시오」 라는 환자지도가 중요하다.
● 바세도우병의 항갑상선제치료에 의한 완화율은 5년 동안 약 40%이다. 갑상선종이 작고 부드러우면 1~2년에 완화될 가능성이 높지만, 갑상선종이 커서 TRAb치가 높은 증례에서는 장기간의 내복치료가 필요해지는 경우가 많다. 약제 중지의 명확한 지표가 없으므로, 환자에게의 충분한 설명과 내복중지 후의 정기적인 경과관찰이 필요하다.
● 무기요오드
● 대량 (몇 10mg) 의 무기요오드 (요화칼륨이나 내복용 루골액) 투여로 갑상선호르몬생산이 억제되고, 동시에 갑상선에서 혈중으로의 갑상선호르몬 방출도 억제된다. 속효성이 있고 혈중 갑상선호르몬 농도를 급속히 감소시켜야 하는 경우에 효과적이며, 통상 1주 이내에 임상소견의 개선이 보인다.
● 2주 정도면 단독치료가 가능하지만, 장기사용 (3~4주) 후에 약 70%로 분비억제효과가 소실되므로(escape현상), 치료를 시작할 때부터 항갑상선제와 병용하고, 증상이 안정되면 요오드는 투여를 중지하여 항갑상선제만으로 관리한다. 단, 요오드의 선행투여로 항갑상선제의 효과가 저하되는 경우가 있으므로, 가능하면 1~2회 가량 항갑상선제를 선행투여한다.

Px 처방례
● Mercazole정(5mg) 4~6정 分1~2 (매 식후) ←항갑상선제
● Propacil정(5mg) 또는 Thiuragyl정(50mg) 6정 分3 (매 식후) ←항갑상선제
※ 이후, 갑상선기능을 정상으로 유지하면서 감량해 간다. FT_3, FT_4 정상화까지 수개월을 요한다.
Px 처방례 상기 항갑상선제에 의한 가려움증이나 두드러기를 확인했을 때
● 지르텍정(10mg) 1정 分1 (취침전) ←항히스타민제
Px 처방례 신속히 갑상선호르몬을 저하시키고자 할 때
● 내복용 루골액(요오드 함유량 : 7.5mg/방울) 10~15방울 1회 ←무기요오드
● 요화칼륨환(요오드 함유량 : 38mg/환) 2~3환 1회 ←무기요오드
Px 처방례 빈맥이 합병됐을 때
● 인데랄정(10mg) 3~6정 分3 (매 식후) ←β 차단제

방사선요오드가 들어간 캡슐을 내복한다. 캡슐에서는 방사선이 조사되고 있다.

■ 그림 5-4 동위원소치료 (radioactive isotope therapy)

외과치료

● 갑상선아전적출술 : 갑상선호르몬 생산세포의 수를 직접적으로 줄이는 치료법이다. 항갑상선제로 부작용이 나타
  나서 계속 내복할 수 없는 증례, 항갑상선제로 완화되지 않는 증례, 내복순응도가 나빠서 갑상선기능이 불안정한
  증례에 적용된다. 갑상선기능을 억제하고 난 후에 수술을 적용하지 않으면 갑상선중독발증이 발생할 위험이 있
  다. 치료효과는 확실히 얻을 수 있지만, 술후합병증으로 갑상선기능저하증이나 반회신경마비가 발생할 수 있다.

방사선요법

● 방사성요오드요법 : 갑상선이 요오드를 높은 비율로 흡수하는 것을 이용한 치료법으로, 방사성요오드 (131I) 내복
  으로 내부에서 갑상선여포세포를 파괴한다. 적응대상은 외과요법과 같지만, 18세 이하, 임부(임부일 가능성이 있
  는 경우도 포함), 수유부는 적응대상에서 제외된다. 다만 시행 가능한 의료시설이 한정되어 있는 것이 난점이다.
  부작용으로 만발성갑상선기능저하증이 발병할 수 있다.

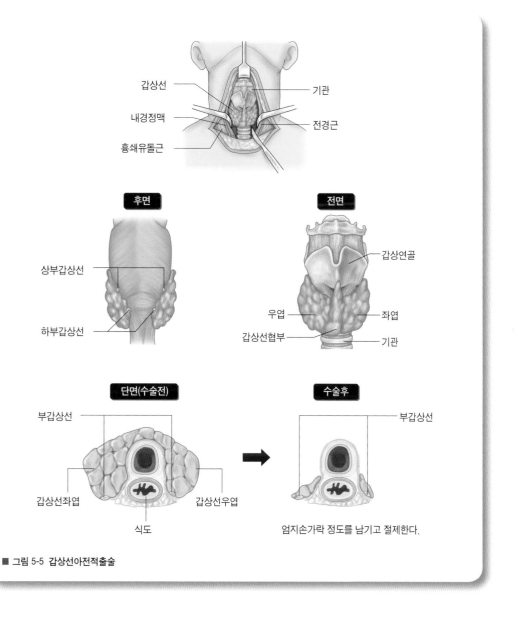

■ 그림 5-5 갑상선아전적출술

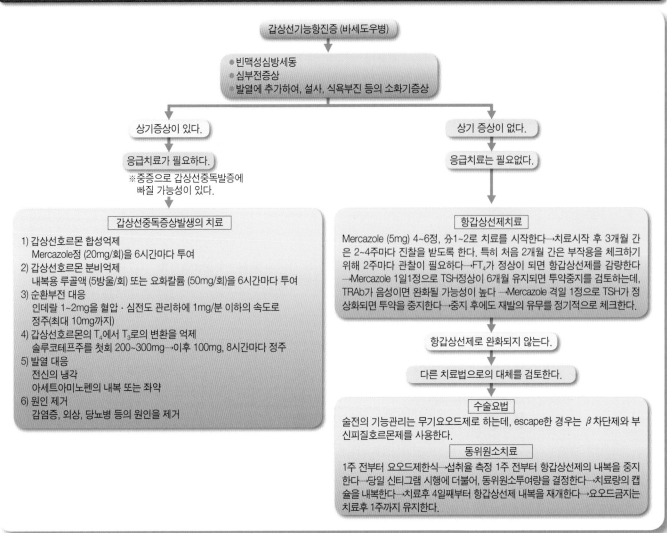

갑상선기능항진증 (바세도우병)

- 빈맥성심방세동
- 심부전증상
- 발열에 추가하여, 설사, 식욕부진 등의 소화기증상

상기증상이 있다.

상기 증상이 없다.

응급치료가 필요하다.

※중증으로 갑상선중독발증에 빠질 가능성이 있다.

응급치료는 필요없다.

갑상선중독증상발생의 치료

1) 갑상선호르몬 합성억제
   Mercazole정 (20mg/회)을 6시간마다 투여
2) 갑상선호르몬 분비억제
   내복용 루골액 (5방울/회) 또는 요화칼륨 (50mg/회)을 6시간마다 투여
3) 순환부전 대응
   인데랄 1~2mg을 혈압 · 심전도 관리하에 1mg/분 이하의 속도로 정주(최대 10mg까지)
4) 갑상선호르몬의 T_4에서 T_3로의 변환을 억제
   솔루코테프주를 첫회 200~300mg→이후 100mg, 8시간마다 정주
5) 발열 대응
   전신의 냉각
   아세트아미노펜의 내복 또는 좌약
6) 원인 제거
   감염증, 외상, 당뇨병 등의 원인을 제거

항갑상선제치료

Mercazole (5mg) 4~6정, 分1~2로 치료를 시작한다→치료시작 후 3개월 간은 2~4주마다 진찰을 받도록 한다. 특히 처음 2개월 간은 부작용을 체크하기 위해 2주마다 관찰이 필요하다→FT_4가 정상이 되면 항갑상선제를 감량한다→Mercazole 1일1정으로 TSH정상이 6개월 유지되면 투약중지를 검토하는데, TRAb가 음성이면 완화될 가능성이 높다→Mercazole 격일 1정으로 TSH가 정상화되면 투약을 중지한다→중지 후에도 재발의 유무를 정기적으로 체크한다.

항갑상선제로 완화되지 않는다.

다른 치료법으로의 대체를 검토한다.

수술요법

술전의 기능관리는 무기요오드제로 하는데, escape한 경우는 β차단제와 부신피질호르몬제를 사용한다.

동위원소치료

1주 전부터 요오드제한식→섭취율 측정 1주 전부터 항갑상선제의 내복을 중지한다→당일 신티그램 시행에 더불어, 동위원소투여량을 결정한다→치료량의 캡슐을 내복한다→치료후 4일째부터 항갑상선제 내복을 재개한다→요오드금지는 치료후 1주까지 유지한다.

(中野 妙·泉山 肇·平田結喜緖)

환자케어

증상이 중등도 · 경도인 경우는 외래통원하면서 내복치료를 시행하는 케이스가 대부분이므로 복용관리에 관한 지도가 중요하다. 중증인 경우에는 입원해야 하는데, 특히 갑상선중독발증이 발생하지 않도록 주의한다.

병기 · 병태 · 중증도에 따른 케어

【중등도 · 경도】 증상이 증등도 · 경도인 경우는 외래통원하면서 내복치료가 행해지는 케이스가 대부분이다. 복용관리나 일상생활상의 주의점에 관한 지도가 케어의 중심이 된다. 장기간의 치료가 필요하며, 환자의 순응도의 유지 · 향상에 직결되는 심리적 지지가 필요하다.

【중증】 심부전 등 중등인 증상이 출현할 때에는 입원치료가 필요하다. 증상의 정도에 따라서 안정도가 제한되는 수가 있으므로, 일상생활상의 셀프케어 부족에 대한 지지가 필요하다. 갑상선기능의 관리가 불량할 때, 감염 등의 스트레스가 추가되면서 갑상선중독발증 (증상이 악화되어 이상발한, 고열, 심한 설사, 중증의 탈수가 일어나서 혼수상태에 빠진다)이 발생하고 병태가 중증화 되는 케이스가 많아서, 전신상태의 관찰과 증상완화를 위한 지지가 필요하다.

케어의 포인트

진료 · 치료의 지지
- 복용에 대하여 지도한다(정확한 복용법과 부작용 출현시의 대처방법).
- 계속적으로 증상출현 상황과 정도를 관찰하고, 복용의 효과를 평가한다.
- 부작용 발현시에는 신속히 의사에게 보고하여 적절히 대처한다.

셀프케어에 대한 지지
- 환자의 증상출현 상황이나 안정도에 따라서 일상생활상의 부족한 셀프케어를 지지한다.
- 권태감, 피로도에 맞추어, 적당히 휴식을 취하면서 일상생활활동을 하도록 지도한다.

신체상의 변화, 질환에 대한 불안 등 심리면에 대한 지지
- 적절한 치료로 증상이 개선되는 것을 설명하고, 개선되고 있는 증상에 관해 평가하여 전달한다.
- 환자가 의견을 표출하기 쉬운 환경을 만들고, 환자의 생각을 경청한다.
- 환자의 의문이나 불안의 내용에 대하여, 환자의 이해도를 확인하면서 알기 쉽게 설명한다.
- 사사로운 일이라도 의사나 간호사, 가족에게 상담하도록 지도한다.

퇴원지도 · 요양지도

- 지시받은 대로 복용하고, 증상이 개선되었다고 해서 임의로 중단하지 않도록 지도한다.
- 고열, 두드러기 등 내복의 부작용이 출현했을 때에는 바로 연락하고 진찰받도록 지도한다.
- 권태감 · 피로감에 맞추어, 적당히 휴식을 취하면서 일상생활활동을 하도록 지도한다.
- 가족이나 주위사람이 질환을 이해하고 협력할 수 있도록 지도한다.
- 과도한 운동, 음주 · 흡연, 요오드함유식품의 과잉섭취 등, 증상의 악화나 약의 효과에 영향을 미칠 가능성이 있는 ADL을 삼가도록 지도한다.
- 고칼로리, 고단백의 균형적인 식사, 수분섭취에 유의하도록 지도한다.

(間部知子)

■ 표 5-6 방사성요오드요법에서의 주의점 : 요오드섭취량의 제한
치료전후 2주 간은 요오드를 포함한 식품이나 의약품을 섭취하지 말 것.

섭취금지식품류	해조류	다시마, 미역, 녹미채, 큰실말, 김 등의 해조류 전반
	미역 가공식품	말린 다시마, 다시마채, 해조류양념 등
	미역국물 · 엑기스를 포함한 식품	미역국물, 미역국물을 첨가한 조미료 (간장, 된장 등), 음료수
	요오드를 첨가한 식품 · 약	요오드계란, 루골액
삼갈식품류	우뭇가사리의 가공품이나 한천을 사용하고 있는 식품	한천, 우무, 곤약, 양갱, 젤리, 요쿠르트 등
	해초류 유래 식품첨가물을 사용하고 있는 식품	두부, 드레싱, 아이스크림, 푸린 등
	어패류	붉은살생선 : 참치, 언어, 송어 등, 푸른살생선 : 전갱이, 정어리, 고등어, 가다랭이 등, 새우 · 게류
	어패가공품	대구 등을 사용한 반죽식품 : 어묵, 꼬치, 다진생선
	육류	간, 내장 등

Memo

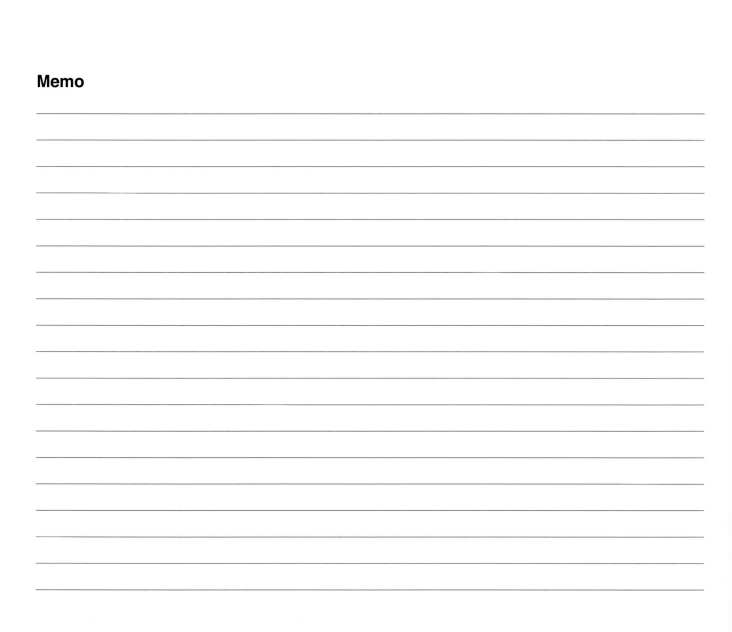

6 갑상선기능저하증, 갑상선염, 쿠싱병, 에디슨병, 부신위기 (hypothyroidism, thyroiditis, Cushing's disease, Addison's disease, adrenal crisis)

中野　妙・泉山　肇・平田結喜緒 / 磯見智惠・酒井明子

A. 갑상선기능저하증 (hypothyroidism)

병인
- 갑상선호르몬의 합성 · 분비저하 또는 작용부족에 의해 발병한다.

역학
- 남녀비는 1 : 3~7이고, 30~60대 여성에게 많다.
- 자가면역성원발성갑상선기능저하증이 가장 많다.
- [예후] 보충요법을 지속하면 안정화된다.

병태생리 (병태생리 map p.50)
- 체내조직에 갑상선호르몬이 작용하지 않는 상태
- 분류 : ①갑상선호르몬의 합성 · 분비가 저하된 상태 (원발성갑상선기능저하증, 중추성갑상선기능저하증), ②말초에서의 갑상선호르몬수용체의 이상으로 갑상선호르몬의 작용이 저하된 상태 (말초성갑상선호르몬불응증)

증상 (증상 map p.52)
- 무기력, 피로도 증가, 안검부종(blepharoedema), 오한
- 기억력 저하, 변비, 체중증가, 동작완만, 기면경향
- 경도인 경우는 임상증상이 부족하다.
- 중증인 경우는 의식장애, 호흡 · 순환부전, 저체온이 나타난다.
- [합병증]
- 방치하면 여러 가지 합병증 (점액수종성혼수;Myxoedema coma 등)이 발생한다.

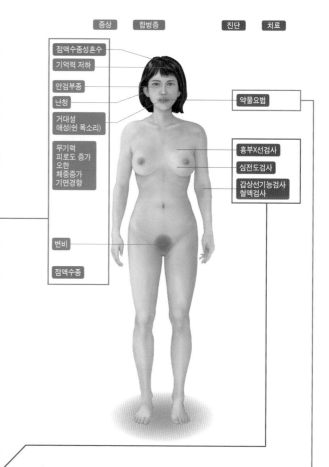

증상 ｜ 합병증 ｜ 진단 ｜ 치료

- 점액수종성혼수
- 기억력 저하
- 안검부종
- 난청
- 거대설 애성(쉰 목소리)
- 무기력 피로도 증가 오한 체중증가 기면경향
- 변비
- 점액수종
- 약물요법
- 흉부X선검사
- 심전도검사
- 갑상선기능검사 혈액검사

진단 (진단 map p.53)
- 갑상선기능검사 : 혈중 갑상선호르몬 (FT$_4$)과 갑상선자극호르몬 (TSH)의 측정이 유효하다.
- 원발성갑상선기능저하증 : TSH은 높은 수치, FT$_4$는 낮은 수치
- 만성갑상선염 (하시모토병;Hashimoto's disease)이 원인인 경우 : 항갑상선 페르옥시다아제항체 (TPOAb) 또는 항사이로글로불린항체 (TgAb) 양성
- 중추성갑상선기능저하증 : FT$_4$는 낮은 수치, TSH는 낮은 수치~정상
- 혈액검사 : 콜레스테롤은 높은 수치이고, CPK · LDH는 증가하며, 빈혈을 확인한다.
- 흉부X선사진 : 심음영의 확대
- 심전도 : 서맥, 저전위, T파의 평저 또는 음전화

치료 (치료 map p.54)
- 갑상선호르몬을 투여 · 보충하여 치료한다. (갑상선호르몬보충요법)
- 약물요법 : 갑상선호르몬제에는 건조갑상선 (Thyradin), T$_4$제 (Thyradin-S), T$_3$제 (Thyronamin)의 3종류가 있는데, 반감기가 긴 T$_4$제가 제1선택이 된다.

병태생리 map

갑상선기능저하증은 체내조직에 갑상선호르몬이 작용하지 않는 상태이다.

● 갑상선기능저하증은 ① 갑상선호르몬의 합성·분비가 저하된 상태 (원발성갑상선기능저하증, 중추성갑상선기능저하증)와, ② 말초에서 갑상선호르몬의 작용이 저하된 상태 (말초성갑상선호르몬불응증)로 크게 나뉜다.

병인·악화인자

● 갑상선호르몬의 합성·분비저하, 또는 작용부족에 의해 발병한다(표 6-1).

역학·예후

● 남녀비는 1 : 3~7이고, 30~60대 여성에게 많다.
● 원발성갑상선기능저하증이 많고, 그 중에서도 자기면역성갑상선질환이 가장 많다.

■ 표 6-1 갑상선기능저하증의 분류

① 갑상선호르몬의 합성·분비저하
I : 원발성갑상선기능저하증
1. 후천성
a. 자가면역성 [만성갑상선염(하시모토병), 저해형 TSH수용체항체 (TSBAb) 등]
b. 요오드과잉 (또는 결핍)
c. 갑상선수술·방사선조사·동위원소치료 후
d. 파괴성 갑상선중독증 회복기 (무통성갑상선염, 아급성갑상선염 등)
e. 약제 (항갑상선제, 리튬제, 아미오다론 등)
f. 갑상선에의 침윤병변 (악성림프종, 갑상선암 등)
2. 선천성
a. 발생 이상 (갑상선의 무형성·저형성, 이소성갑상선)
b. 합성장애 (요오드유기화장애, 사이로글로불린 이상 등)
II : 중추성 갑상선기능저하증
1. 시상하부성
a. 시상하부종양 (두개인두종, 배세포종, 뇌하수체종양의 안상부 신전)
b. 수술이나 방사선조사
c. 외상
d. 사르코이도시스 랑게르한스세포 (조직구증 X)
e. 림프구성뇌하수체염
f. TSH단독결핍증
g. 특발성
② 갑상선호르몬의 작용부족
갑상선호르몬불응증

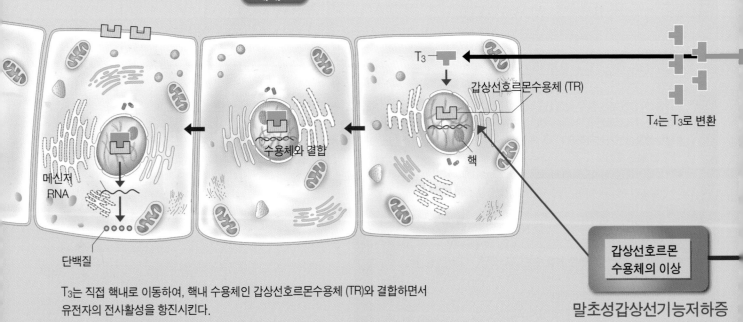

자극

자극

혈중 호르몬 농도의 저하

체세포

T_3

갑상선호르몬수용체 (TR)

수용체와 결합

핵

메신저 RNA

단백질

T_4는 T_3로 변환

갑상선호르몬 수용체의 이상

T_3는 직접 핵내로 이동하여, 핵내 수용체인 갑상선호르몬수용체 (TR)와 결합하면서 유전자의 전사활성을 항진시킨다.

말초성갑상선기능저하증

갑상선호르몬수용체는 전신 대부분의 세포 핵내에 있다.

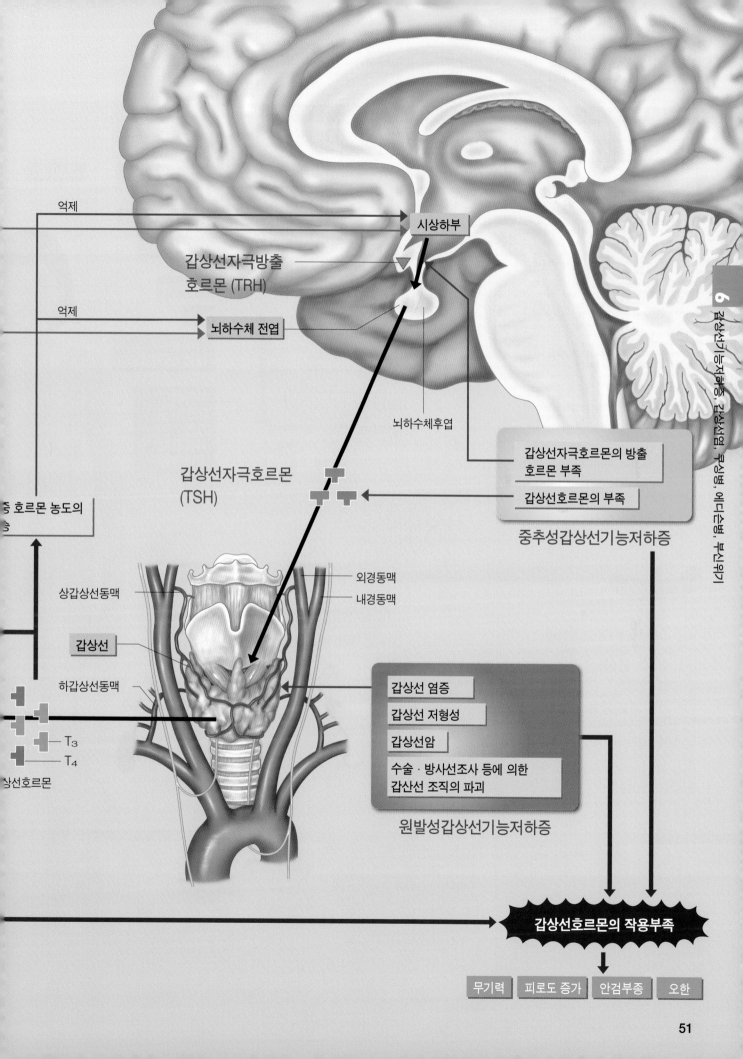

억제

억제

갑상선자극방출
호르몬 (TRH)

시상하부

뇌하수체 전엽

뇌하수체후엽

갑상선자극호르몬
(TSH)

갑상선자극호르몬의 방출
호르몬 부족

갑상선호르몬의 부족

중추성갑상선기능저하증

등 호르몬 농도의
승

외경동맥

내경동맥

상갑상선동맥

갑상선

하갑상선동맥

T_3

T_4

상선호르몬

갑상선 염증

갑상선 저형성

갑상선암

수술 · 방사선조사 등에 의한
갑산선 조직의 파괴

원발성갑상선기능저하증

갑상선호르몬의 작용부족

무기력　피로도 증가　안검부종　오한

갑상선기능저하증
증상 map

특징적인 증상은 무기력, 피로도 증가, 안검부종, 오한 등이다.

증상

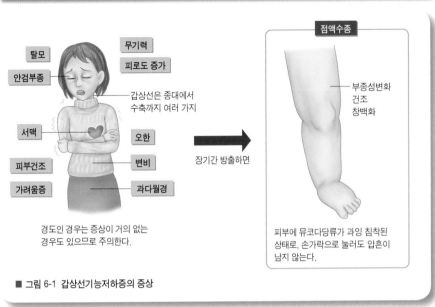

■ 그림 6-1 갑상선기능저하증의 증상

- 경도인 경우에서는 임상증상이 부족하다. 전형적인 증상으로는 무기력, 피로도 증가, 안검부종, 오한, 기억력 저하, 변비, 체중증가, 동작완만, 기면경향이 있다. 중도인 경우는 의식장애, 호흡·순환부전, 저체온 (점액수종성혼수) 을 일으킨다.
- 정신활동의 저하에 수반하여 인지증이나 우울상태와 혼동하는 경우도 있다. 또 피부에 뮤코다당류가 침착됨으로써 압흔을 남기지 않는 부종이나 혀·성대·중이에 대한 침착으로 인한 거대설 (megaloglossia), 애성(쉰 목소리), 난청이 나타난다.

합병증

- 방치하면 점액수종성혼수에 빠진다.

■ 표 6-2 뮤코다당류의 침착에 의한 증상

1) 점액수종 : 압흔을 남기지 않는 부종
2) 점액수종양 안모 : 구순이 두껍고, 안검부종이나 탈모가 있다.
3) 거대설 : 혀의 운동상태가 좋지 않아서, 대화가 느리다.
4) 애성(쉰 목소리) : 성대부종에 의한다.
5) 난청 : 중이부종에 의한다.
6) 호흡곤란 : 가성심근비대와 심막액저류에 의한다.
7) 체중증가
8) 근육가성비대 : 근육이 비대해지는 반면 근력은 저하된다.
9) 손가락의 저림 : 수근관으로의 뮤코다당류의 침착에 의한 수근관증후군(carpal tunnel syndrome)이 발생한다.

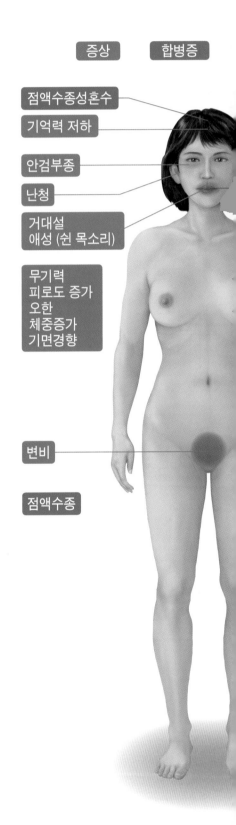

진단 map

여러 가지 임상증상으로 본증이 의심스러운 경우, 혈중 TSH 및 FT_4의 측정이 진단에 유효하다.

진단　　치료

약물요법

흉부X선검사

심전도검사

갑상선기능검사
혈액검사

진단·검사치

- 원발성갑상선기능저하증에서는 FT_4 낮은 수치+TSH 높은 수치가 된다.
- 원인이 만성갑상선염 (하시모토병)인 경우, 항갑상선 페르옥시다아제항체 (TPOAb) 또는 항사이로글로불린항체 (TgAb)가 양성이 된다.
- 저해형 항TSH수용체항체 (TSBAb) 양성으로 저하증을 일으키기도 한다.
- 중추성갑상선기능저하증에서는 FT_4 낮은 수치+TSH 낮은 수치~정상이 된다.
- 출산후 또는 과잉 요오드섭취에 의한 일과성기능저하나 시상하부성갑상선기능저하증에서 TSH가 상승(> 5~10 μU/mL)하는 경우가 있으므로, 감별에 주의해야 한다. 중추성에서 갑상선중독증 회복기, 중증질환 합병례, TSH억제제 복용례는 제외된다.
- 일반검사에서 혈중 콜레스테롤의 높은 수치, CPK (CK)·LDH의 증가, 빈혈을, 흉부X선사진에서 심음영의 확대를, 심전도에서 서맥·저전위·T파의 평저 또는 음전화를 확인한다.

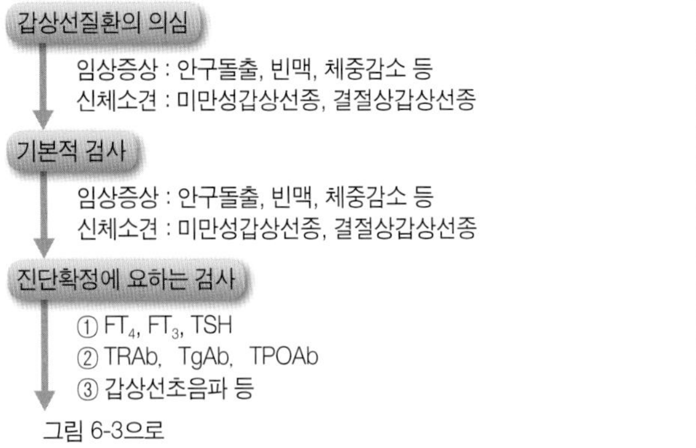

갑상선질환의 의심

　　임상증상 : 안구돌출, 빈맥, 체중감소 등
　　신체소견 : 미만성갑상선종, 결절상갑상선종

기본적 검사

　　임상증상 : 안구돌출, 빈맥, 체중감소 등
　　신체소견 : 미만성갑상선종, 결절상갑상선종

진단확정에 요하는 검사

　　① FT_4, FT_3, TSH
　　② TRAb, TgAb, TPOAb
　　③ 갑상선초음파 등

　　그림 6-3으로

■ 그림 6-2 갑상선기능 이상이 의심스러운 경우의 검사흐름도

(일본임상검사의학회 포괄의료검토위원회 : 임상검사의 가이드라인 2005/2006,
일본임상검사의학회)

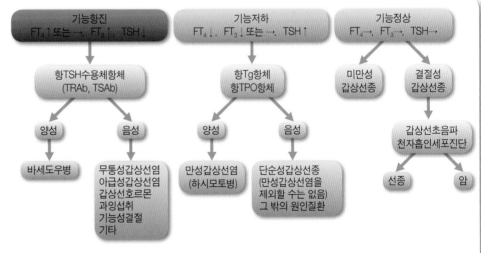

■ 그림 6-3 갑상선기능검사에서 진단까지

(일본임상검사의학회 포괄의료검토위원회 : 임상검사의 가이드라인 2005/2006, 일본임상검사의학회)

결핍된 갑상선호르몬을 보충하는 약물요법을 실시한다.

■ 표 6-3 갑상선기능저하증의 주요 치료제

분류	일반명	주요 상품명	약효발현의 메커니즘	주요 부작용
갑상선호르몬제	레보티록신나트륨수화물	Thyradin-S	갑상선호르몬(T_4)의 보충	협심증, 간기능장애
	리오티로닌나트륨	Thyronamin	갑상선호르몬(T_3)의 보충	

약물요법

● 갑상선호르몬제에는 건조갑상선 (Thyradin, 티로이드), T_4제 (Thyradin-S), T_3제 (Thyronamin)의 3종류가 있다.
● 갑상선호르몬은 T_3가 활성형으로, T_3농도를 일정하게 유지하는 것이 중요하지만, T_3제는 반감기가 짧아서 (약 1일) 소량을 자주 투여한다(필요량을 한번에 투여하면 위험)하다. 또 건조갑상선은 소나 돼지의 갑상선 조추출물로, T_3, T_4의 함량에 편차 (건조분말 40~60mg이 Thyradin-S 100 μg에 해당)가 있어서 거의 사용하지 않게 되었다.
● T_4제는 반감기가 길고 (1주) 말초에서 T_3로 전환되므로, 현재 치료제제 중 제1선택이다. TSH 높은 수치 (10 μU/mL 이상)에서 투여를 검토한다. 경도 중 높은 수치 (10 μU/mL 미만)에서도 FT_4가 낮은 수치, 또는 임부나 임신 예정자는 투여를 시작한다. 갑상선기능저하증 환자는 갑상선호르몬에 대한 감수성이 증가하기 때문에 급속한 호르몬 보충은 심계항진, 협심증, 부정맥을 초래할 수 있다. 특히 고령자 · 관동맥질환 · 부정맥 합병례에서는 Thyradin-S를 소량 (12.5~25μg) 부터 투여한다. 또 부신피질기능저하증 합병례에서는 갑상선호르몬 선행투여로 부신부전을 유발할 위험이 높으므로, 반드시 부신피질호르몬제를 투여하고 나서 갑상선호르몬제를 투여한다.

Px[처방례] 고령자 · 관동맥질환 · 부정맥 합병례
● Thyradin-S정 12.5μg/일 分1 또는 25μg/일 分2에서 시작 ←갑상선호르몬제 (T_4제)
※2~4주마다 12.5~25μg 씩 증량

Px[처방례] 상기 이외
● Thyradin-S정 50μg/일 分1로 시작 ←갑상선호르몬제제 (T_4제)

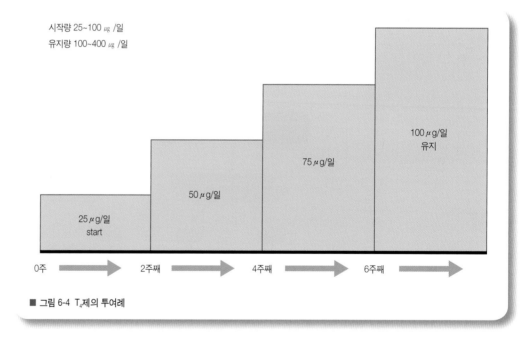

시작량 25~100 μg /일
유지량 100~400 μg /일

25μg/일
start

50μg/일

75μg/일

100μg/일
유지

0주 → 2주째 → 4주째 → 6주째 →

■ 그림 6-4 T_4제의 투여례

B. 갑상선염 (thyroiditis)

Ⅰ. 만성갑상선염 (하시모토병)

병태생리 · 병인 · 역학

- 미만성갑상선종을 수반하고, 갑상선조직의 림프구침윤, 여포상피세포의 변성 · 붕괴, 호산성 변화, 간질의 섬유화를 특징으로 하는 자가면역성질환이다.

[병인] 자가면역에 의해 발병한다.
- 남녀비는 1 : 10~20이고, 20~50대 여성에게 많다.

[예후] 통상적으로 장기에 걸친 변화는 나타나지 않는다.
→ p.56

증상
- 미만성갑상선종대
- 진행되면 경부 압박감, 불쾌감이 나타난다.
→ p.58

진단
- TPOAb, TgAb 중 하나가 양성이다.
- 세포진단에서 림프구침윤을 확인한다.
→ p.59

치료
- 대부분은 갑상선기능이 정상이므로, 치료할 필요가 없다.
→ p.60

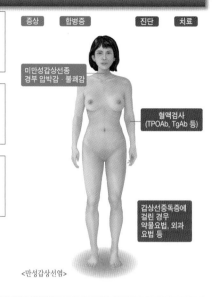

증상　합병증　진단　치료

미만성갑상선종
경부 압박감 · 불쾌감

혈액검사
(TPOAb, TgAb 등)

갑상선중독증에 걸린 경우
약물요법, 외과요법 등

<만성갑상선염>

Ⅱ. 아급성갑상선염

병태생리 · 병인 · 역학

- 갑상선 국소 부위의 염증성 변화 (극심한 통증, 발열, 전신권태감)를 특징으로 하는 일과성 (3개월 이내)의 갑상선기능장애이다.

[병인] 불분명하지만, 바이러스감염이나 HLA-Bw35와 관련된다는 보고도 있다.
- 남녀비는 1 : 10이고, 40대 여성에게 많으며, 20대에서는 드물다.

[예후] 몇 개월 간에 자연치유된다.
→ p.56

증상
- 유통성갑상선종
- 전구증상으로 상기도감염 같은 증상이 나타난다.
→ p.58

진단
- CRP·적혈구침강속도는 높은 수치, FT₄는 높은 수치, TSH는 낮은 수치이고 갑상선초음파로 통증부에 일치하는 저에코역을 확인한다.
→ p.59

치료
- 약물요법 : 염증과 통증에 적용하는 대증요법 (경증은 NSAIDs, 중증은 부신피질호르몬제)
→ p.60

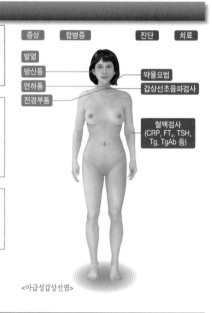

증상　합병증　진단　치료

발열
방산통
연하통
전경부통

약물요법
갑상선초음파검사

혈액검사
(CRP, FT₄, TSH, Tg, TgAb 등)

<아급성갑상선염>

Ⅲ. 무통성갑상선염

병태생리 · 병인 · 역학

- 일과성 (3개월 이내) 통증을 수반하지 않는 갑상선중독증을 특징으로 한다.
- 출산후 2~4개월에 높은 빈도로 발생한다.

[병인] 만성갑상선염 (하시모토병) 경과 중 아급성악화에 의한 것이 많다.
- 호발연령은 20~50대로, 특히 여성에게 많다.

[예후] 3개월 정도로 자연치유된다.
→ p.56

증상
- 경도의 미만성갑상성종대와 경도의 갑상선중독증상 (심계항진, 빈맥, 다한, 피로도 증가)
→ p.58

진단
- FT₄는 높은 수치, TSH는 낮은 수치, 항TSH 수용체항체 (TRAb)는 음성이고, 갑상선신티그래피에서 섭취율 저하가 나타난다.
→ p.59

치료
- 원칙적으로 치료할 필요가 없다.
→ p.60

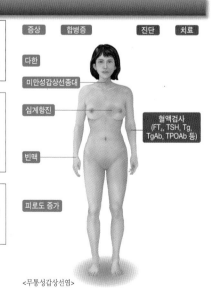

증상　합병증　진단　치료

다한
미만성갑상선종대
심계항진
빈맥
피로도 증가

혈액검사
(FT₄, TSH, Tg, TgAb, TPOAb 등)

<무통성갑상선염>

병태생리 map

만성갑상선염 (하시모토병)은 자가면역성 질환이고, 아급성갑상선염은 원인불명의 염증성 질환이다. 무통성갑상선염의 대부분은 만성갑상선염의 아급성악화로 인해 발병한다.

Ⅰ. 만성갑상선염 (하시모토병)

병태생리

● 미만성갑상선염을 수반하고, 병리학적으로 갑상선조직의 림프구침윤, 여포상피세포의 변성과 붕괴, 호산성변화, 간질의 섬유화를 특징으로 한다. 자가면역성 질환에서 갑상선기능에 상관없이 항갑상선 페르옥시다아제항체 (TPOAb), 항사이로글로불린항체 (TgAb) 중 하나가 양성이면 진단을 내린다.

역학 · 예후

● 성인여성에게 높은 빈도 (약 10%)로 확인되고, 압도적으로 남성보다 여성에게 많으며 (남성의 10~20배), 빈도는 연령과 더불어 증가한다.

Ⅱ. 아급성갑상선염

병태생리

● 아급성갑상선염은 갑상선 국소부위의 심한 통증과 발열 · 전신권태감 등 염증성 변화를 특징으로 하며, 일과성갑상선기능장애 (3개월 이내)를 일으켜 몇 개월 간에 자연치유된다. 원인은 바이러스감염이나 유전성 배경 (HLA-Bw35와의 관련)이라는 보고가 있지만 불분명하다.

역학 · 예후

● 40대의 발생이 많고, 20세 미만은 드물다. 남녀비는 1 : 10으로 압도적으로 여성에게 많고, 여름철 (6~9월) 발생례가 많다.

Ⅲ. 무통성갑상선염

병태생리

● 무통성갑상선염은 아급성갑상선염과 마찬가지로 일과성갑상선중독증 (3개월 이내)을 수반하지만, 통증을 수반하지 않는 것이 특징적이다. 그 대부분은 만성갑상선염 (하시모토병) 경과 중의 아급성악화로 인한 것이다.
● 출산후 (2~4개월)에 높은 빈도 (약 10%)로 발생하고, 일과성갑상선중독증을 겪은 후에 자연치유 (6개월 이내)되지만, 갑상선기능저하가 지속되어 호르몬보충이 필요해지는 경우도 있다. 완화기 바세도우병 환자에게도 발생하는 경우가 있으므로 바세도우병의 재발과의 감별이 중요하다.

역학 · 예후

● 호발연령은 20~50대로, 여성에게 많다.

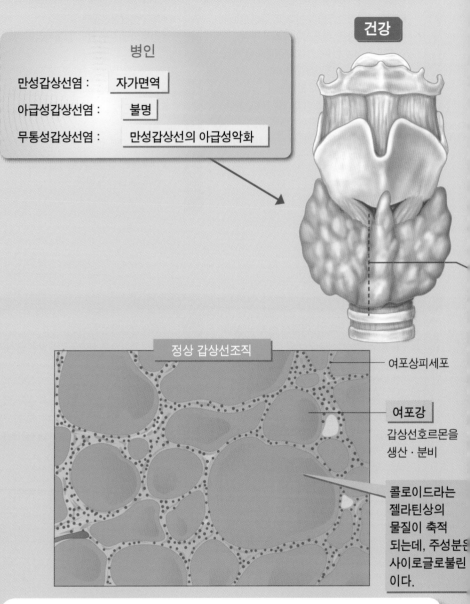

건강

병인

만성갑상선염 :	자가면역
아급성갑상선염 :	불명
무통성갑상선염 :	만성갑상선의 아급성악화

정상 갑상선조직

여포상피세포

여포강
갑상선호르몬을 생산 · 분비

콜로이드라는 젤라틴상의 물질이 축적되는데, 주성분은 사이로글로불린이다.

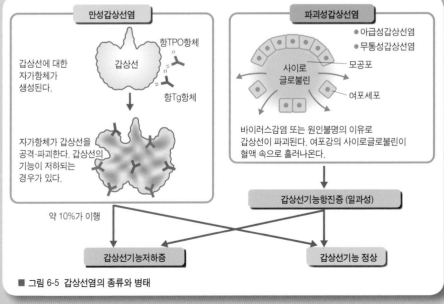

만성갑상선염

갑상선에 대한 자가항체가 생성된다.

항TPO항체
갑상선
항Tg항체

자가항체가 갑상선을 공격·파괴한다. 갑상선의 기능이 저하되는 경우가 있다.

약 10%가 이행

파괴성갑상선염

● 아급성갑상선염
● 무통성갑상선염

모공포
사이로글로불린
여포세포

바이러스감염 또는 원인불명의 이유로 갑상선이 파괴된다. 여포강의 사이로글로불린이 혈액 속으로 흘러나온다.

갑상선기능항진증 (일과성)

갑상선기능저하증

갑상선기능 정상

■ 그림 6-5 갑상선염의 종류와 병태

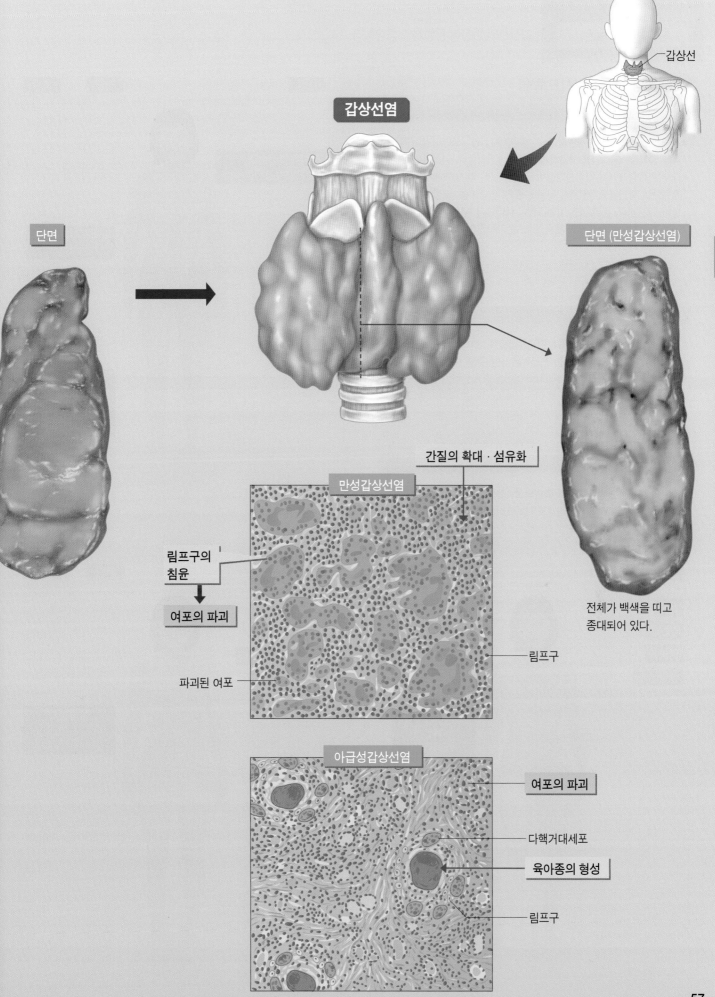

갑상선

갑상선염

단면

단면 (만성갑상선염)

간질의 확대 · 섬유화

만성갑상선염

림프구의
침윤

↓

여포의 파괴

림프구

파괴된 여포

전체가 백색을 띠고
종대되어 있다.

아급성갑상선염

여포의 파괴

다핵거대세포

육아종의 형성

림프구

증상 map 갑상선의 종창이 공통적인 증상이다.

Ⅰ. 만성갑상선염 (하시모토병)

증상

● 미만성갑상선종대가 확인되고, 진행되면 탄성경·표면이 불규칙해지며 경부 압박감·불쾌감을 자각하게 된다.

● 대부분의 증례에서 갑상선기능이 유지되지만, 약 10%에서 갑상선기능 저하증이 확인되고, 무기력, 피로도 증가, 안검부종, 오한, 기억력 저하, 변비, 체중증가, 동작완만, 기면경향이 나타난다. 무통성갑상선염에 합병되는 갑상선중독증 (빈맥·체중감소·손가락진전·발한증가 등)의 소견을 확인하기도 한다.

Ⅱ. 아급성갑상선염

증상

● 유통성갑상선종이 주증상이다. 전구증상으로 상기도감염 같은 증상을 나타내고, 자발통·압통이 있는 전경부통, 연하통을 수반하며, 때로 39℃ 이상의 발열과 이개부터 두부까지의 방산통을 확인하는 경우가 있다. 통증은 경과와 더불어 반대측으로 이동 (creeping)하는 경우가 많다.

Ⅲ. 무통성갑상선염

증상

● 경도의 미만성갑상선종대가 확인되고, 갑상선중독증상 (심계항진·빈맥·다한·피로도 증가)은 바세도우병에 비해서 경도인 경우가 많아서 3개월 정도로 자연치유된다.

증상   진단   치료

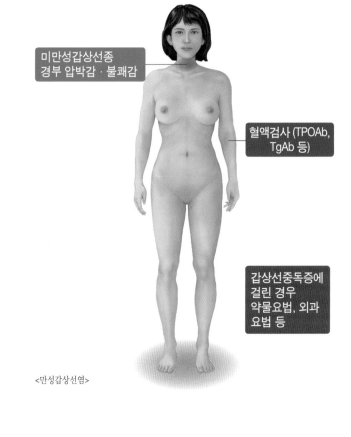

미만성갑상선종 경부 압박감·불쾌감

혈액검사 (TPOAb, TgAb 등)

갑상선중독증에 걸린 경우 약물요법, 외과 요법 등

<만성갑상선염>

증상   진단   치료

발열
방산통
연하통
전경부통

약물요법
갑상선초음파검사

혈액검사 (CRP, FT₄, TSH, Tg, TPOAb, TgAb 등)

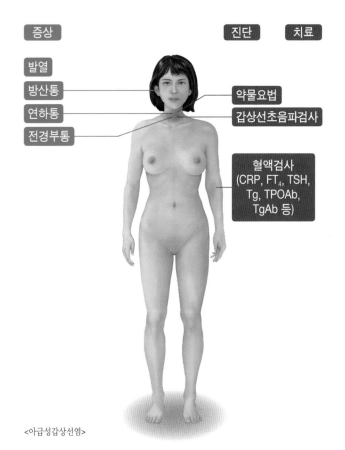

<아급성갑상선염>

증상   진단   치료

다한
미만성갑상선종대
심계항진

혈액검사 (FT₄, TSH, Tg, TgAb, TPOAb 등)

빈맥

피로도 증가

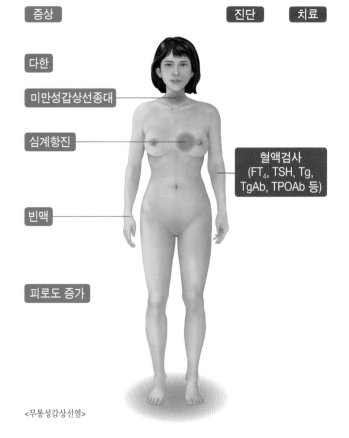

<무통성갑상선염>

진단 map

각 질환의 가이드라인에 근거하여, 항갑상선 페르옥시다아제항체, 항사이로글로불린항체, TSH, FT₄ 등의 검사치를 통해 진단한다.

Ⅰ. 만성갑상선염 (하시모토병)

진단·검사치

● 만성갑상선염의 진단가이드라인에 근거한다(표 6-4). 미만성갑상선종대를 확인하고, TPOAb, TgAb 중 하나가 양성이면 진단가능하다. 항체음성례에서도 소견상 하시모토병이 의심스러운 경우, 세포진단에서 림프구침윤을 확인하게 되면 진단을 내릴 수 있다.

● 갑상선초음파에서는 불균일한 저에코레벨의 소견이 확인된다.

Ⅱ. 아급성갑상선염

진단·검사치

● 아급성갑상선염 (급성기)의 진단가이드라인에 근거한다 (표 6-5). 급성기는 적혈구침강속도 항진, CRP 높은 수치이고 FT₄ 높은 수치·TSH 낮은 수치, 사이로글로불린 (Tg) 높은 수치가 확인된다. 경과 중, 일과성으로 TPOAb, TgAb, TSH수용체항체 (TRAb)가 양성이 되기도 한다.

● 갑상선초음파에서는 압통 (염증) 부위에 일치하여 저에코역 (pseudocyst)이 확인되고, 갑상선신티그래피에서도 섭취율 저하가 확인된다.

● 급성기에는 갑상선여포가 파괴되고, 저장된 갑상선호르몬이 대량으로 방출되므로 갑상선중독증을 일으키고, 그 후 여포내 갑상선호르몬의 고갈과 더불어 갑상선기능저하증으로 이행된다. 여포의 회복과 함께 갑상선기능도 2~4개월 후에는 정상화된다.

Ⅲ. 무통성갑상선염

진단·검사치

● 무통성갑상선염의 진단가이드라인에 근거한다(표 6-6). FT₄ 높은 수치·TSH 낮은 수치, Tg 높은 수치이고, TgAb 또는 TPOAb가 대부분의 증례에서 양성이다. 갑상선초음파는 미만성 저에코상을 나타내며, 갑상선신티그래피의 섭취율이 저하된다.

■ 표 6-4 만성갑상선염 (하시모토병)의 진단가이드라인

a) 임상소견
　1. 미만성갑상선종대
　　단 바세도우병 등 다른 병인이 확인되지 않는 것
b) 검사소견
　1. 항갑상선마이크로좀항체 (또는 항갑상선 페르옥시다아제항체 ; TPOAb) 양성
　2. 항사이로글로불린항체 (TgAb) 양성
　3. 세포진단에서 림프구침윤이 확인된다.
1) 만성갑상선염 (하시모토병)
　a) 및 b) 중 한 개에 해당
부기
1. 다른 원인이 확인되지 않는 원발성갑상선기능저하증은 만성갑상선염 (하시모토병)을 의심하게 하는 요인이다.
2. 갑상선기능 이상도 갑상선종대도 확인되지 않지만 항갑상선 마이크로좀 항체 및/또는 항사이로글로불린항체 양성인 경우는 만성갑상선염 (하시모토병)의 의심이라고 한다.
3. 자가항체 양성인 갑상선종양은 만성갑상선염 (하시모토병)의 의심례이면서 종양의 합병례라고 생각한다.
4. 갑상선초음파검사에서 내부의 에코 저하나 불균일이 확인되면 만성갑상선염 (하시모토병)일 가능성이 높다.

(일본갑상선학회 : 일본갑상선질환 가이드라인에서)

■ 표 6-5 아급성갑상선염 (급성기)의 진단가이드라인

a) 임상소견
　1. 유통성갑상선종
b) 검사소견
　1. CRP 또는 적혈구침강속도가 높은 수치
　2. 유리T4 (FT₄)는 높은 수치, TSH는 낮은 수치 (0.1 μU/mL 이하)
　3. 갑상선초음파검사로 통증부에 일치하는 저에코역이 확인된다.
1) 아급성갑상선염
　a) 및 b)의 전부에 해당
2) 아급성갑상선염의 의심
　a)와 B의 1 및 2에 해당
제외사항
하시모토병의 급성악화, 낭포로의 출혈, 급성화농성갑상선염, 미분화암
부기
1. 상기도감염증상의 전구증상을 종종 수반하고, 고열이 나타나는 경우도 드물지 않다.
2. 갑상선의 통증은 종종 반대측으로도 이동한다.
3. 항갑상선 자가항체는 원칙적으로 음성이지만 경과 중 약양성을 나타내기도 한다.
4. 세포진단으로 다핵거대세포가 확인되지만, 종양세포나 하시모토병에서 특이적인 소견은 확인되지 않는다.
5. 급성기는 방사성요오드 (또는 테크네튬) 갑상선섭취율의 저하가 확인된다.

(일본갑상선학회 : 일본갑상선질환 진단가이드라인)

■ 표 6-6 무통성갑상선염의 진단가이드라인

a) 임상소견
　1. 갑상선통을 수반하지 않는 갑상선중독증
　2. 갑상선중독증의 자연개선 (통상 3개월 이내)
b) 검사소견
　1. 유리T4 (FT₄) 높은 수치
　2. TSH 낮은 수치 (0.1 μU/mL 이하)
　3. 항TSH수용체 항체 (TRAb) 음성
　4. 방사성요오드 (또는 네크네튬) 갑상선섭취율 낮은 수치
1) 무통성갑상선염
　a) 및 b)의 전부에 해당
2) 무통성갑상선염의 의심
　a)의 전부와 b)의 1~3에 해당
제외사항
갑상선호르몬의 과잉섭취례를 제외한다.
부기
1. 만성갑상선염 (하시모토병)이나 완화된 바세도우병의 경과 중에 발생한다.
2. 출산 후 몇 개월 간에 종종 발생한다.
3. 갑상선중독증상은 경도인 경우가 많다.
4. 질환초기에 갑상선중독증을 간과하다가, 일과성갑상선기능저하증으로 자각되기도 한다.
5. 항TSH수용체항체양성례도 드물게 있다.

(일본갑상선학회 : 갑상선질환 진단가이드라인)

Key word

● 「미만성」과 「결절성」의 갑상선종대
갑상선이 부어 있는 상태를 갑상선종이라고 하는데, 갑상신이 전체적으로 부은 것을 「미만성갑상선종대」, 국소 부위가 부분적으로 부은 것을 「결절성갑상선종대」라고 한다.

아급성갑상선염의 염증과 통증은 약물요법을 통한 대증요법을 시행하지만, 만성갑상선염, 무통성갑상선염은 갑상선중독증이 없으면 치료할 필요가 없다.

I. 만성갑상선염 (하시모토병)

치료

● 대부분은 갑상선기능이 정상으로, 특별히 치료할 필요가 없다. 갑상선기능저하증 또는 무통성갑상선염 합병에 의해 갑상선중독증에 이환된 경우는 각각에 준하여 치료한다.

II. 아급성갑상선염

치료

● 몇 개월에 걸쳐 정상화되므로, 염증과 통증에 대한 대증요법이 기본이다. 경증례에서는 비스테로이드성 항염증제를, 중증례에서는 스테로이드제를 사용한다. 스테로이드 사용례에서는 증상이 며칠 만에 경감되지만, 그렇다고 해서 급격히 감량하면 재발하는 수가 있으므로, 2~3개월에 걸쳐서 서서히 감량한다. 또 갑상선중독증상이 심한 경우는 β 차단제를 사용한다.

Px 처방례) 경증례에는 1)을, 중증례에는 2)를, 심계항진이 심한 경우에는 3)을 이용한다.
1) 아스피린 3g 分3 ←비스테로이드성 항염증제
2) Predonine정(5mg) 20mg 아침1회 복용으로 시작 ←부신피질호르몬제
→그 후, 2주마다 5mg씩 감량하고 2개월 후에 내복을 중지한다.
3) 인데랄정(10mg) 30mg 分3 ← β 차단제

■ 표 6-7 아급성갑상선염의 주요 치료제

분류	일반명	주요 상품명	약효발현의 메커니즘	주요 부작용
비스테로이드성 항염증제	아스피린	아스피린	프로스타글란딘 생합성 억제 및 항염증·해열진통작용	재생불량성빈혈, 아스피린천식
부신피질호르몬제	프레드니솔론	Predonine, 프레드니솔론	항염증·항알레르기·면역억제작용	유발감염증, 내당능이상, 위궤양
β 차단제	프로프라놀롤	인데랄	교감신경 β 수용체 차단작용	서맥, 방실블록, 심부전

II. 무통성갑상선염

치료

● 원칙적으로 치료할 필요가 없다. 갑상선중독증이 심한 경우는 β 차단제 (인데랄)를, 갑상선기능저하가 지속되는 경우는 갑상선호르몬 (Thyradin-S)을 보충한다.

Px 처방례) 심계항진이 심한 경우
인데랄정(10mg) 30mg 分3 ← β 차단제

Px 처방례) 갑상선기능저하가 지속되는 경우, 고령자·관동맥질환·부정맥합병례에는 1)을, 그 이외는 2)를 이용한다.
1) Thyradin-S정 12.5μg/일 分1 또는 25μg/일 分2로 개시 ←갑상선호르몬제 (T₄제)

※2~4주마다 12.5~25μg씩 증량
2) Thyradin-S정 50μg/일 分1로 시작 ←갑상선호르몬제 (T₄제)
※2~4주마다 25~50μg씩 증량

■ 표 6-8 무통성갑상선염의 주요 치료제

분류	일반명	주요 상품명	약효발현의 메커니즘	주요 부작용
β 차단제	프로프라놀롤	인데랄	교감신경 β 수용체 차단작용	서맥, 방실블록, 심부전
갑상선호르몬제	레보티록신나트륨수화물	Thyradin-S	갑상선호르몬(T₄)의 보충	협심증, 간기능장애

C. 쿠싱병 (Cushing's disease)

<table>
<tr><td>병
인</td><td>● 부신피질자극호르몬 (ACTH) 생산뇌하수체종양에 의한 코르티
졸의 과잉분비가 원인이다.</td></tr>
</table>

<table>
<tr><td>역
학</td><td>● 남녀비는 1 : 4~5로, 40~60세 중년여성에게 많고, 15세 미만은
드물다.
● 쿠싱증후군의 약 40%가 쿠싱병이다.
[예후] 적절한 치료를 하지 않으면 예후가 불량하다.</td></tr>
</table>

<table>
<tr><td>병
태
생
리</td><td>● 코르티졸의 만성적 과잉상태로 인해서 특이적 증후
(쿠싱징후)를 나타내는 질환군이 쿠싱증후군이며,
이 중 ACTH생산뇌하수체종양을 원인으로 하는 것
을 쿠싱병이라고 한다.
● 뇌하수체종양 (일반적으로 10mm 이하인 미소선종)로 인한 과잉
ACTH 분비로 양측 부신이 종대되고 코르티졸 및 부신안드로겐
의 과잉증상을 나타낸다.</td></tr>
</table>

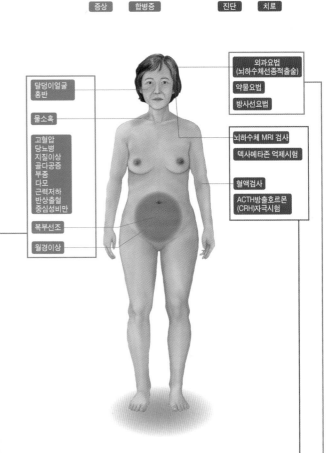

증상　합병증　　진단　치료

외과요법
(뇌하수체선종적출술)

약물요법

방사선요법

뇌하수체 MRI 검사

덱사메타존 억제시험

혈액검사

ACTH방출호르몬
(CRH)자극시험

달덩이얼굴
홍반

물소혹

고혈압
당뇨병
지질이상
골다공증
부종
다모
근력저하
반상출혈
중심성비만

복부선조

월경이상

<table>
<tr><td>증
상</td><td>● 특이적 증후 (쿠싱징후) : 달덩이얼굴 (moon face),
중심성비만(truncal obesity), 물소혹 (bufflao hump),
복부선조, 피부의 비박화 · 피하일혈, 근력저하, 붉
은 뺨, 반상출혈
● 비특이적 징후 : 코르티졸 과잉증상 (고혈압, 내당능이상, 골다공
증, 부종, 정신 이상), 안드로겐 과잉증상 (월경이상, 다모, 좌창)</td></tr>
</table>

<table>
<tr><td>진
단</td><td>● 후생노동성의 쿠싱병의 진단과 치료 입문 (2009년
도 개정)에 준거한다.
● 주증상 : 특이적 증후와 비특이적 증후를 각각
한 가지 이상 확인한다.
● 검사소견 : 혈중 ACTH와 코르티졸 (동시측정)은 높은 수치~정
상, 요중 유리코르티졸은 높은 수치~정상이다.
● 상기 내용을 충족시키면, 스크리닝검사 [하룻밤 소량 덱사메타
존 억제시험, 혈중 코르티졸 일내변동, 데스모프레신 (DDAVP)시
험], 확정진단검사 (CRH시험, 하룻밤 대량 덱사메타존 억제시험,
영상검사, 선택적 정맥동혈 샘플링)를 시행한다.</td></tr>
</table>

<table>
<tr><td>치
료</td><td>● 외과요법 : 치료의 제1선택은 경접형골동
뇌하수체선종적출술이다.
● 약물요법 : 수술로 치유가 불가능한 예,
수술을 할 수 없는 예, 재발례에는 부신피질스테로
이드합성저해제 (메티라폰, 미토탄 등)을 적용한다.
● 방사선요법 : 수술해도 효과가 불충분하거나 수술이 불가능하면
감마나이프 등 정위적 방사선조사(stereotactic irradiation)를 적
응한다. 효과발현에는 시간이 걸리므로, 약물요법의 병용 또는
부신절제술을 고려한다.</td></tr>
</table>

병태생리 map

쿠싱병은 뇌하수체에서 원발하여 ACTH과잉분비로 인한 뇌하수체선종을 수반한다.

● 부신피질호르몬 중, 당질코르티코이드 (코르티졸)의 만성적 과잉상태에 의해서 일어나는 특이적 징후 (쿠싱징후)를 나타내는 병태를 쿠싱증후군이라고 한다. 그 중에서 뇌하수체 전엽세포에서 유래한 부신피질자극호르몬 (ACTH) 생산뇌하수체종양이 원인으로 고코르티졸혈증을 일으키는 질환을 쿠싱병이라고 한다. 종양은 통상 10mm 이하의 미소선종이다. 그 밖에 이소성ACTH생산종양이나 부신종양에 의한 쿠싱증후군도 있다.

● 종양에서의 ACTH 과잉분비로 양측 부신이 종대되고, 코르티졸 및 부신안드로겐의 과잉증상을 나타낸다.

역학·예후

● 40~60세 중년여성에게 흔히 볼 수 있으며, 남녀비는 1 : 4~5이며, 15세 미만에게는 드물다. 뇌하수체종양의 약 10%를 차지하며, 쿠싱증후군 중 약 40%가 뇌하수체종양에 의한 쿠싱병이다.

ACTH과잉분비로 코르티졸의 과잉분비가 일어나며, 특징적인 지방침착이 생긴다.

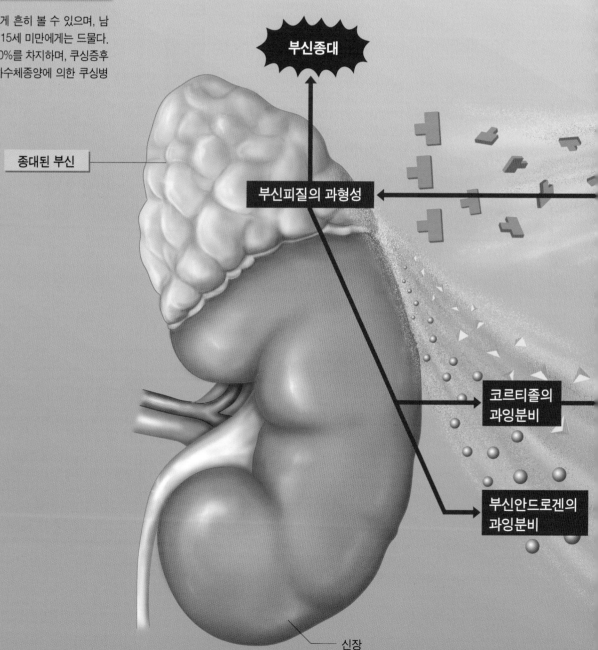

부신종대

종대된 부신

부신피질의 과형성

코르티졸의 과잉분비

부신안드로겐의 과잉분비

신장

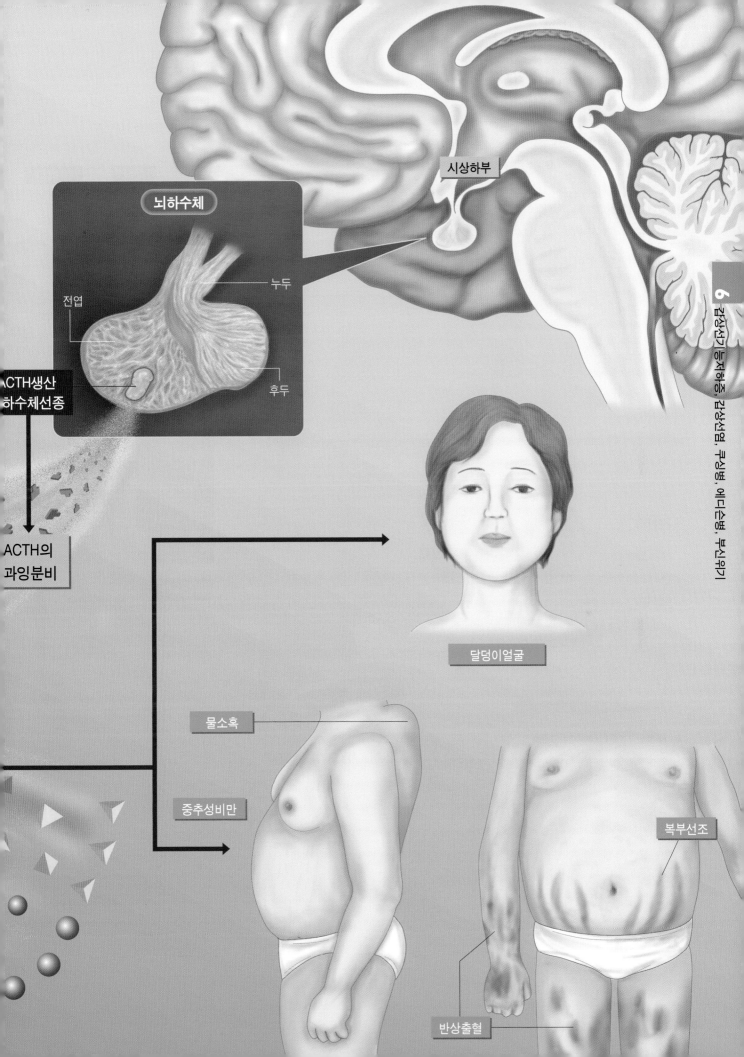

뇌하수체

시상하부

전엽

누두

후두

ACTH생산
하수체선종

ACTH의
과잉분비

달덩이얼굴

물소혹

중추성비만

복부선조

반상출혈

증상 map

달덩이얼굴, 중심성비만, 물소혹, 복부선조 등, 코르티졸이나 안드로겐과잉으로 인해 여러가지 증상이 출현한다.

증상

● ACTH이 과잉분비된 결과, 코르티졸과잉으로 인한 고혈압증, 당뇨병, 지질이상증, 골다공증, 부종이나 안드로겐과잉에 의한 다모, 월경이상 등의 여러가지 증상을 나타낸다(표 6-8).

■ 표 6-9 코르티졸 · 안드로겐의 과잉증상

	증상	병태생리
코르티졸	달덩이얼굴 · 중심성비만	체지방분포의 이상
	고혈압	미네랄코르티코이드 같은 작용으로 Na, 물이 저류
	물소혹 변형	체지방분포의 이상
	적색복부선조	단백이화항진에 의한 피부의 비박화와 급속비만으로 인한 피부의 신전
	부종	미네랄코르티코이드 같은 작용
	근위축	단백이화항진에 의한 근력저하
	골다공증	골신생의 억제
	요로결석	비타민D의 작용억제에 의한 장관에서의 Ca흡수저하, 요중 Ca 배설항진
	당뇨병	당신생항진, 인슐린저항성 증대
	피하일혈, 자반	혈관벽의 이화작용
	정신증상	중추신경계의 피자극성이 항진
	감염위험 증가	면역반응의 억제
안드로겐	월경이상	LH분비억제
	다모, 좌창 (acne)	남성화작용

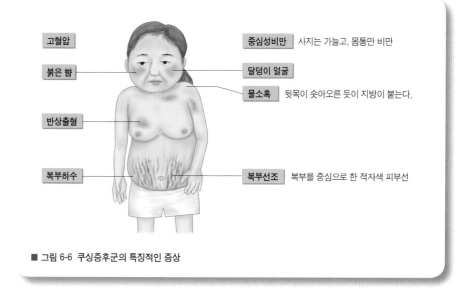

고혈압

붉은 뺨

반상출혈

복부하수

중심성비만 　사지는 가늘고, 몸통만 비만

달덩이 얼굴

물소혹 　뒷목이 솟아오른 듯이 지방이 붙는다.

복부선조 　복부를 중심으로 한 적자색 피부선

■ 그림 6-6 쿠싱증후군의 특징적인 증상

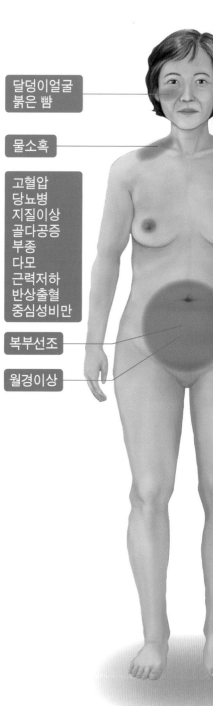

증상　　　합병증

달덩이얼굴
붉은 뺨

물소혹

고혈압
당뇨병
지질이상
골다공증
부종
다모
근력저하
반상출혈
중심성비만

복부선조

월경이상

진단 map

쿠싱징후와 혈중 코르티졸의 상승을 확인하면, 내분비학적 검사 (덱사메타존 억제시험이나 ACTH방출호르몬자극시험), 뇌하수체 MRI 등에서 쿠싱증후군을 감별하여 진단을 확정한다.

진단 치료

외과요법
(뇌하수체선종적출술)

약물요법

방사선요법

뇌하수체 MRI검사

덱사메타존 억제시험

혈액검사

ACTH방출호르몬
(CRH)자극시험

진단·검사치

● 쿠싱증후군의 감별진단을 위한 흐름도이다(그림 6-7). 쿠싱증후군에서 특징적인 신체징후를 통해 본증을 의심하고, 코르티졸의 자율적인 과잉생산을 확인한다. 요중 유리코르티졸은 높은 수치, 저용량 (0.5mg) 덱사메타존 억제시험에서는 코르티졸의 억제결여, 야간 혈중 코르티졸은 높은 수치로 나타나면 쿠싱증후군으로 확진한다.

● 쿠싱병에서는 혈중 ACTH농도가 정상~증가하고 있다(ACTH의존증). 혈중 ACTH농도가 낮은 수치이면 (ACTH 비의존증) 부신성쿠싱증후군을 의심하여 부신병변을 확인한다. 뇌하수체MRI에서 종양이 확인되고, 고용량 (8mg) 덱사메타존 억제시험에서 코르티졸이 전 수치의 50% 이하로 억제되고, ACTH방출호르몬 (CRH) 자극시험에서 혈중 ACTH농도가 전 수치의 1.5배 이상으로 증가하면 쿠싱병이라고 진단한다. 이소성ACTH증후군과의 감별에는 하추체정맥동 (IPS) 또는 해면정맥동 (CS) 샘플링을 시행하여 영상소견과 함께 뇌하수체선종을 확인한다.

● 검사치

● 일반검사 : 호중구 증가, 호산구 및 림프구 감소, 저칼륨혈증, 대사성알칼리증(metabolic alkalosis), 고혈당, LDL 콜레스테롤 증가, HDL 콜레스테롤 저하, 응고능항진.

● 내분비학적 검사 : 혈중 ACTH와 코르티졸 (동시측정)은 높은 수치~정상, 요중 유리코르티졸은 높은 수치, 야간 혈중 코르티졸은 높은 수치이다.

● 영상검사 : 1.5테슬라의 뇌하수체 MRI에서 종양을 확인한다(검출률 60~80%).

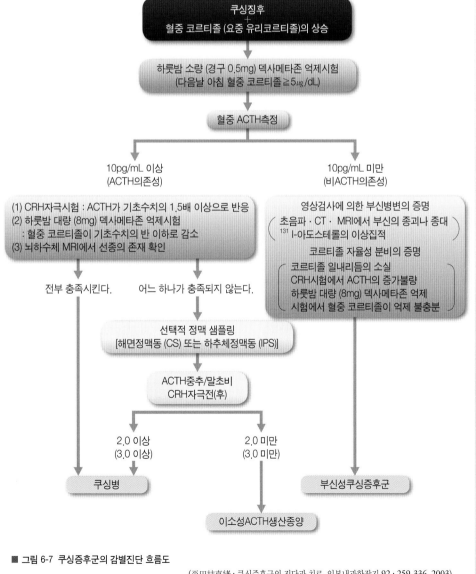

■ 그림 6-7 쿠싱증후군의 감별진단 흐름도

(平田結喜緒 : 쿠싱증후군의 진단과 치료. 일본내과학잡지 92 : 259-336, 2003)

치료 map

제1선택은 외과요법의 뇌하수체선종적출술이다.

치료방침

- 경접형골동뇌하수체선종적출술이 제1선택(치료율 75~90%)이다. 수술로는 치유불가능한 예나 수술을 할 수 없는 예, 재발례에는 방사선치료나 약물치료 (표 6-10)를 시행한다.

■ 표 6-10 쿠싱병의 주요 치료제

분류	일반명	주요 상품명	약효발현의 메커니즘	주요 부작용
부신피질스테로이드합성저해제	메티라폰	Metopiron	11β-히드록시라제를 특이적으로 저해	소화기증상
	미토탄	Opeprim	부신피질세포독작용, 스테로이드합성저해작용	소화기증상, 중추신경증상, 간장애

약물요법

Px 처방례

- Metopiron캅셀 (250mg) 4캅셀 分4 보험적용외 ←부신피질스테로이드합성저해제
- Opeprim캅셀 (500mg) 3캅셀 分3 ←부신피질스테로이드합성저해제

방사선요법

- 감마나이프 등의 정위적 방사선을 조사한다(완화율 약 80%). 효과발현에는 장시간 (몇 개월~몇 년)이 필요하므로 약물요법의 병용 또는 부신절제술을 고려한다.

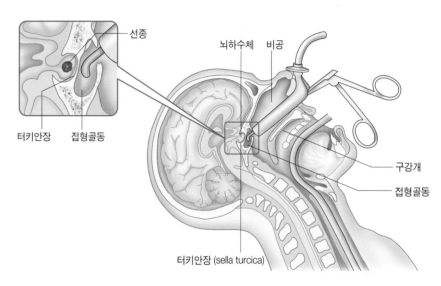

선종
뇌하수체   비공
터키안장   접형골동
구강개
접형골동
터키안장 (sella turcica)

비강, 접형골동을 경유하여 하수체선종을 절제하는 방법. 침습이 적다.

■ 그림 6-8 경접형골동뇌하수체선종적출술

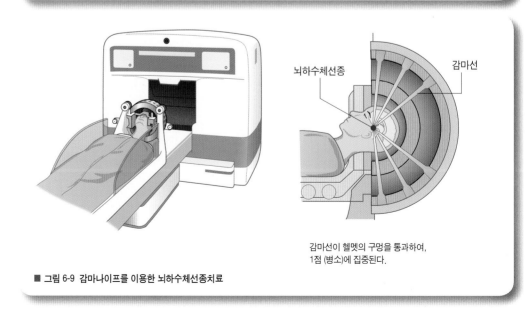

뇌하수체선종   감마선

감마선이 헬멧의 구멍을 통과하여,
1점 (병소)에 집중된다.

■ 그림 6-9 감마나이프를 이용한 뇌하수체선종치료

D. 에디슨병 (Addison's disease)

병인

- 결핵, 악성종양의 부신전이, 부신출혈·경색, 감염증이 원인인 경우와 특발성 위축 (자가면역성)이 원인이 경우가 있다.
  [악화인자] 스트레스, 감염증

역학

- 남녀비는 1 : 1이며, 50~60대에 많다.
- 특발성이 증가경향에 있지만 (42%), 결핵성도 여전히 많다 (37%).
  [예후] 악성종양의 전이에 의한 경우 이외에는 양호하다.

병태생리

- 양측 부신피질이 파괴되어, 부신피질호르몬이 만성적으로 결핍된 상태가 된다.
- 부신피질은 구상층, 속상층, 망상층의 3층으로 이루어지며, 각각 알도스테론, 코르티졸, 안드로겐 을 생성한다.
- 양측 부신의 90% 이상이 파괴되거나 위축되면서 발생하고, 코르티졸이 저하되면 부신피질자극호르몬 (ACTH) 의 분비가 증가하므로 전신의 피부에 색소침착이 생긴다.
- 다선성자가면역증후군 : I형 병태는 부갑상선기능저하증, 피부칸디다증이 합병되고 (HAM증후군), II형에서는 하시모토병이 합병된다(슈미트증후군;Schmidt's syndrome).

병태생리 map p.68

증상　합병증　　　진단　치료

증상

- 피로도 증가, 쇠약감, 체중감소, 저혈압
- 저혈당
- 저나트륨혈증, 고칼륨혈증
- 액모·음모의 탈락
- 색소침착
- 소화기증상 : 오심·구토, 식욕부진
- 정신증상 : 무기력, 불안, 억울

[합병증]

- 급성부신위기 (acute adrenal crisis) : 감기 등의 감염증 이환으로 합병

증상 map p.69

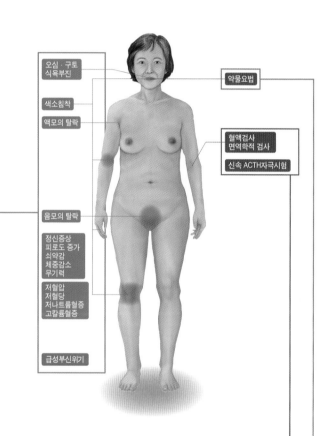

오심·구토
식욕부진

색소침착

액모의 탈락

음모의 탈락

정신증상
피로도 증가
쇠약감
체중감소
무기력

저혈압
저혈당
저나트륨혈증
고칼륨혈증

급성부신위기

약물요법

혈액검사
면역학적 검사

신속 ACTH자극시험

진단

- 일반검사 : 저나트륨혈증, 고칼륨혈증, 고BUN혈증, 호산구증가, 저혈당, 정구성빈혈(normocytic anemia), 대사성산증 (metabolic acidosis)
- 내분비학적 검사 : 레닌활성 높은 수치, 코르티졸 낮은 수치, ACTH 높은 수치, 요중 17-OHCS 낮은 수치, 요중 17-KS 낮은 수치, 항부신항체 양성
- 신속ACTH자극시험 : 합성 ACTH (테트라코삭티드초산염)를 정주하여 부신피질 예비능을 평가한다. 진단확정에 필요하다.

진단 map p.69

치료

- 평생 동안 글루코코르티코이드(glucocorticoid)의 보충이 필수적이다.
- 약물요법 : 단시간작용형 글루코코르티코이드 (히드로코르티손)에 의한 보충요법이 일반적이다.
  발열·스트레스 발생시에는 내복량을 늘린다.
  색소침착이 생긴 경우에는 장시간작용형 글루코코르티코이드 (덱사메타존), 저나트륨혈증이나 저혈압에는 미네랄코르티코이드제 (플드로코르티존)를 투여한다.

치료 map p.70

병태생리 map

에디슨병이란 양측 부신피질이 파괴되어, 부신피질호르몬이 만성적으로 결핍된 상태를 의미한다.

- 부신피질은 구상층, 속상층, 망상층의 3층으로 이루어지며, 각각 알도스테론, 코르티졸, 안드로겐을 생성한다.
- 에디슨병은 부신병변으로 인해 모든 부신피질호르몬이 만성적으로 결핍된 상태이다.
- 양측 부신의 90% 이상이 파괴되거나 위축되면서 발생한다. 코르티졸의 저하로 ACTH의 분비가 증가하므로, 전신 피부에 색소침착이 생긴다.

병인·악화인자

- 결핵, 악성종양의 부신전이 (유방암·폐암·위암·대장암·악성림프종·악성흑색종 등), 부신출혈·경색, 감염증 (진균·사이토메갈로바이러스·HIV 등)이 병인인 경우와 특발성 위축이 있다.
- 특발성 원인으로는 항부신항체가 확인되는 점에서, 자가면역성이라고 여겨진다.
- 다선성자가면역증후군 (Polyglandular autoimmune syndrome;PAS) 중 하나의 병태를 나타내는 경우가 있다. PAS에는 부갑상선기능저하증, 점막피부칸디다증 등을 합병하는 I형 (HAM증후군)과, 하시모토병, 성선기능저하증(hypogonadism), 1형당뇨병 등을 합병하는 II형 (슈미트증후군)이 있다.

역학·예후

- 남녀비는 1 : 1이며, 50~60대에게 많다. 일본에서도 서구처럼 특발성 (42%)이 증가경향에 있지만, 여전히 결핵성 (37%)도 많다.

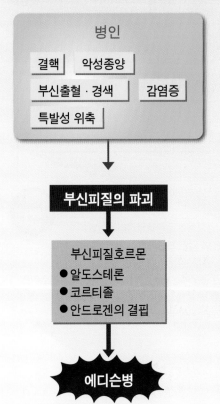

병인

결핵	악성종양
부신출혈 · 경색	감염증
특발성 위축	

↓

부신피질의 파괴

↓

부신피질호르몬
- 알도스테론
- 코르티졸
- 안드로겐의 결핍

↓

에디슨병

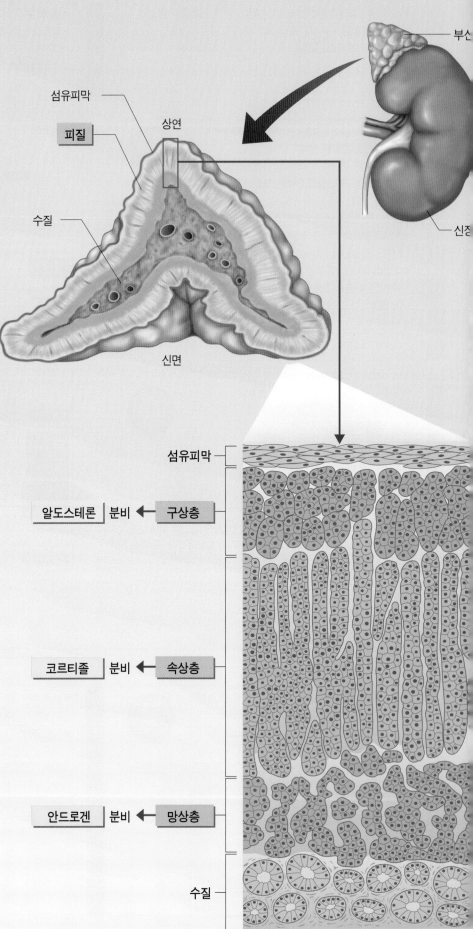

부신

신장

섬유피막

상연

피질

수질

신면

섬유피막

알도스테론 | 분비 ← 구상층

코르티졸 | 분비 ← 속상층

안드로겐 | 분비 ← 망상층

수질

에디슨병

증상 map

부신피질호르몬의 핍에 의한 피로도 증가, 체중감소, 혈압저하 등이 나타날 뿐만 아니라 높은 수치의 부신피질자극호르몬 (ACTH)에 의한 피부의 색소침착도 확인된다.

증상

● 특이한 증상은 드물고, 대신 대사전반적인 문제 (피로도 증가, 쇠약감, 체중감소, 저혈압), 당대사이상 (저혈당), 전해질이상 [저나트륨혈증, 고칼륨혈증], 부신안드로겐저하 (액모·음모의 탈락), 색소침착 (피부, 관절, 조갑, 구강내), 무기력, 소화기증상 (오심·구토·식욕부진), 정신증상 (무기력, 불안, 억울) 등이 확인된다.

합병증

● 감기 등의 감염증에 의해 급성부신위기가 발생한다.

에디슨병

진단 map

임상증상과 일반혈액검사, 내분비학적 검사와 더불어, 신속ACTH자극시험에 의해서 부신피질 예비능을 평가하여 진단을 확정한다.

진단·검사치

● 임상증상과 일반검사를 통해 에디슨병을 확인한다. 그러나 질환의 진행이 완만하고 비특이적이라는 점에서 조기진단은 쉽지 않다. 신속ACTH시험으로 부신피질 예비능을 평가하여 진단을 확정한다.
● 검사치
● 일반검사 : 저나트륨혈증, 고칼륨혈증, 고요소질소혈증, 호산구증가, 저혈당, 정구성빈혈, 대사성산증.
● 내분비학적 검사 : 이른 아침 혈청코르티졸 낮은 수치, 혈중 ACTH 높은 수치, 요중 유리코르티졸 저하, 요중 17-OHCS 낮은 수치, 요중 17-KS 낮은 수치, 항부신항체 양성.
● 신속ACTH자극시험에서는 합성 (1-24) ACTH (Cortrosyn : 250㎍)를 정주한다. 0, 30, 60분 후의 혈청 코르티졸을 채혈하고, 가장 높은 수치가 18~20㎍/dL 미만일 때, 또는 코르티졸의 증가량이 5~7㎍/dL 미만일 때에 부신피질기능저하증 (adrenocortical hypofunction)이라고 진단한다.

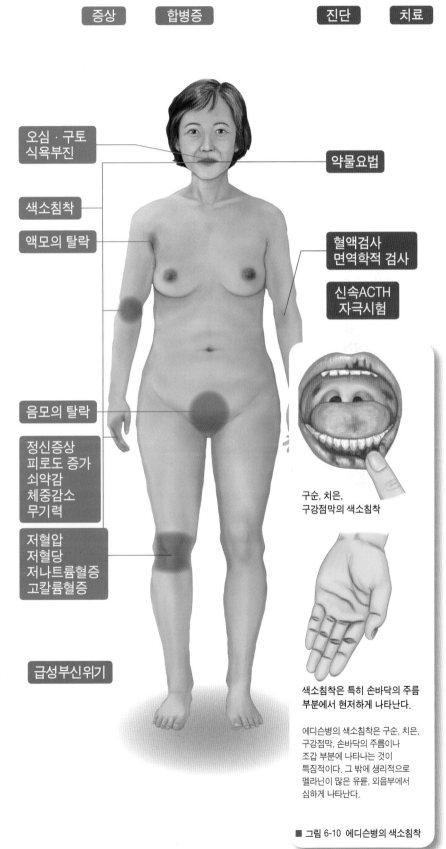

증상　　합병증　　　　진단　　치료

오심·구토 식욕부진

색소침착

액모의 탈락

약물요법

혈액검사 면역학적 검사

신속ACTH 자극시험

음모의 탈락

정신증상 피로도 증가 쇠약감 체중감소 무기력

저혈압 저혈당 저나트륨혈증 고칼륨혈증

급성부신위기

구순, 치은, 구강점막의 색소침착

색소침착은 특히 손바닥의 주름 부분에서 현저하게 나타난다.

에디슨병의 색소침착은 구순, 치은, 구강점막, 손바닥의 주름이나 조갑 부분에 나타나는 것이 특징적이다. 그 밖에 생리적으로 멜라닌이 많은 유륜, 외음부에서 심하게 나타난다.

■ 그림 6-10 에디슨병의 색소침착

평생 부신피질호르몬을 보충해야 하며, 당질코르티코이드와 광질코르티코이드의 투여는 기본이다.

치료방침

- 당질 (글루코) 코르티코이드의 보충이 필수이다. 히드로코르티손 (Cortril)의 보충요법이 일반적이다. 단시간작용형 당질코르티코이드 (코르티존, 히드로코르티손)는 광질 (미네랄) 코르티코이드작용도 있지만, 중·장시간작용형 당질코르티코이드는 광질코르티코이드작용이 약하기 때문에 저나트륨혈증이나 저혈압이 개선되지 않으면 광질코르티코이드를 보충한다. 일내변동에 맞추어, 아침 1회 또는 아침·점심 2회 내복 (아침의 내복량을 많게)하는 것이 일반적이다. 그러나 단시간작용형 당질코르티코이드는 이른 아침 ACTH분비억제가 불충분하므로 색소침착이 일어나기도 하며, 그 경우는 장시간작용형 당질코르티코이드 (덱사메타존)의 취침전 투여가 필요하다. 부신안드로겐의 보충은 통상적으로 필요 없다.
- 발열이나 스트레스 발생시에는 당질코르티코이드의 필요량이 증가하므로 급성부신부전을 발증하기도 하며, 그 경우에는 내복약을 증량하도록 하는 환자교육이 중요하다(그림 6-12).

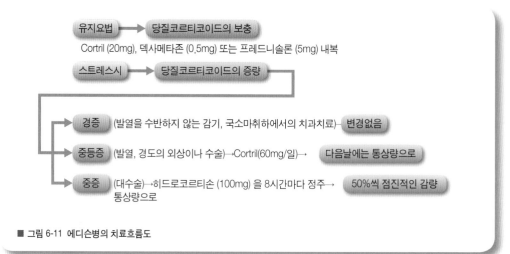

■ 그림 6-11 에디슨병의 치료흐름도

■ 표 6-11 에디슨병의 주요 치료제

분류	일반명	주요 상품명	약효발현의 메커니즘	주요 부작용
당질코르티코이드제	히드로코르티손	Cortril	항염증·항알레르기작용	감염증의 악화, 내당능이상, 위궤양
	덱사메타존	Decadron		
광질코르티코이드제	플루드로코르티존 초산에스텔	플로리네프	물, Na저류	고혈압, 저칼륨혈증

약물요법

- 부신피질호르몬제를 사용한다. 색소침착에는 덱사메타존 (Decadron), 저나트륨혈증이나 저혈압에는 플드로코르티존 (플로리네프)을 투여한다(표 6-11).

Px 처방례
- Cortril정 (10mg) 1.5~2정 分2 아침 (1~1.5정), 저녁 (0.5정) ←당질코르티코이드제
- Decadron정 (0.5mg) 1정 分1 (취침시) ←당질코르티코이드제
- 플로리네프정 (0.1mg) 1정 分1 ←광질코르티코이드제

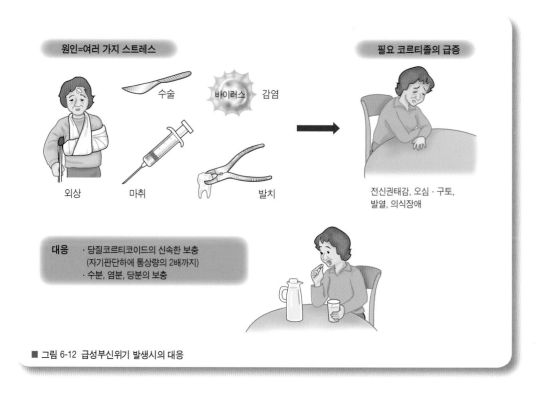

■ 그림 6-12 급성부신위기 발생시의 대응

E. 부신위기 (adrenal crisis)

<table>
<tr>
<td rowspan="1">병인</td>
<td>
●코르티졸의 급격한 부족 · 결핍에 의한다.
●부신 그 자체가 원인인 경우 (원발성)와, 시상하부 · 뇌하수체계가 원인인 경우 (속발성)가 있다.
[악화인자] 감염 · 외상 · 수술 등의 스트레스
</td>
<td>역학</td>
<td>
●에디슨병 경과 중의 부신위기 발생률은 37.4%이다.
●원인은 감염증 (75%), 스테로이드보충의 중단 (7.5%)이다.
[예후] 신속한 치료를 하지 않으면 치명적이다.
</td>
</tr>
</table>

병태생리

●부신피질호르몬인 코르티졸이 급격히 부족해지면 부신위기에 빠진다.

●생명유지에 불가결한 체액량·전해질이 잘 조절되지 않아서, 저혈압, 저혈당, 저나트륨혈증이 발생한다.

●원발성부신위기 : 에디슨병, 부신출혈, 암전이 등으로 생긴다.

●속발성부신위기 : 부신피질호르몬제의 장기내복 중의 중단, ACTH단독결핍증(isolated ACTH deficiency), 범뇌하수체기능저하증(panhypopituitarism) 등으로 생긴다.

병태생리 map p.72

증상

●초발증상은 전신권태감, 피로도 증가, 식욕부진, 소화기증상 (오심 · 구토, 복통, 설사), 발열, 탈수 등이다.

●12시간 이상 경과하면 정신증상 (실인, 오인, 기명력장애), 혈압저하, 저혈당, 탈수증상의 진행, 순환부전으로 인한 쇼크사가 발생한다.

●패혈증이나 부신출혈에서는 자반(purpura), 피하출혈, 청색증이 보인다.

[합병증]

●쇼크

증상 map p.73

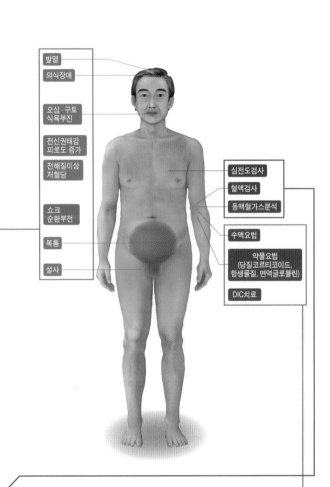

증상　합병증　　진단　치료

발열
의식장애
오심 · 구토 식욕부진
전신권태감 피로도 증가
전해질이상 저혈당
쇼크 순환부전
복통
설사

심전도검사
혈액검사
동맥혈가스분석

수액요법
약물요법 (당질코르티코이드, 항생물질, 면역글로불린)
DIC치료

진단

●증상이 비특이적이므로, 원인불명의 의식장애나 쇼크상태인 환자인 경우 본증을 의심하는 것이 중요하다.

●저나트륨혈증, 고칼륨혈증, 고BUN혈증, 저혈당, 호산구증가, 대사성산증를 나타낸다.

●빈혈, 고칼슘혈증을 확인하는 경우도 있다.

●혈중 코르티졸은 일반적으로 낮은 수치이지만, 기준치 내인 경우도 있다.

진단 map p.73

치료

●본증이 의심스러우면 ACTH, 코르티졸의 검사결과를 기다리지 말고, 즉시 치료를 시작한다.

●약물요법 : 치료의 기본은 당질코르티코이드 및 수액 투여이다. 여기에 쇼크, 파종성혈관내응고증후군 (disseminated intravascular coagulation syndrome;DIC)에 대한 대증요법, 감염증 등에 대한 원인치료를 병용한다.

치료 map p.74

6 갑상선기능저하증, 갑상선염, 쿠싱병, 에디슨병, 부신위기

71

병태생리 map

부신위기는 부신피질호르몬인 코르티졸이 급격히 부족하게 되면서 발생한다.

- 초발증상은 비특이적이지만, 생명유지에 불가결한 체액량·전해질이 잘 조절되지 않아서, 저혈압, 저혈당, 저나트륨혈증을 초래한다. 부신그 자체가 원인 (원발성)인 경우와 시상하부-뇌하수체계가 원인 (속발성)인 경우가 있다.
- 원발성부신위기는 에디슨병, 부신출혈 (Waterhouse-Friderichsen증후군), 암전이 등으로 생기고, 속발성부신위기는 부신피질호르몬제 장기내복 중단, ACTH단독결핍증, 범뇌하수체기능저하증 등으로 생긴다.

병인·악화인자

- 정상인 부신에서 1일 약 20mg의 코르티졸이 분비된다. 감염·외상·수술 등 스트레스가 추가되면 코르티졸 분비가 1일 100~300mg으로 증가하여 스트레스로부터 생체를 방어한다.
- 완만하게 진행되는 만성부신기능 저하증에 걸린 경우, 평소 자각증상이 없어도 스트레스가 증가하면, 급속한 코르티졸의 분비장애가 출현하여 코르티졸의 절대량이 부족해지거나, 수요증가에 알맞게 만큼 공급되지 않아서 상대적인 결핍상태가 초래되고, 그 결과 부신위기가 발생한다.

역학·예후

- 에디슨병 경과 중의 부신위기 발생률(37.4%)인데, 원인으로 감염증(75%), 스테로이드보충의 중단(7.5%) 등을 들 수 있다.
- 신속한 진단과 적절한 처치가 수반되지 않으면 치명적일 수 있다.

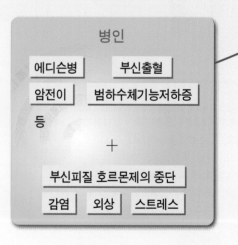

병인

| 에디슨병 | 부신출혈 |
| 암전이 | 범하수체기능저하증 |

등

\+

부신피질 호르몬제의 중단

| 감염 | 외상 | 스트레스 |

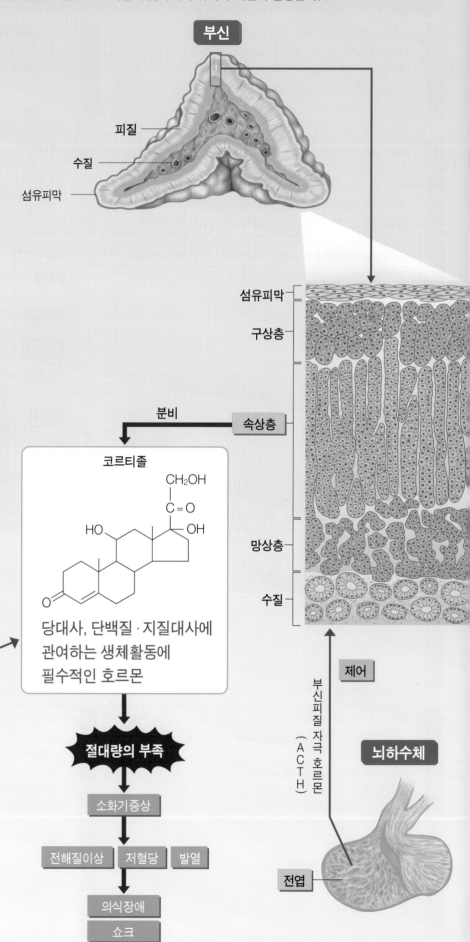

부신

피질

수질

섬유피막

섬유피막

구상층

속상층

분비

망상층

수질

코르티졸

당대사, 단백질·지질대사에 관여하는 생체활동에 필수적인 호르몬

절대량의 부족

소화기증상

| 전해질이상 | 저혈당 | 발열 |

의식장애

쇼크

제어

부신피질 자극 호르몬 (ACTH)

뇌하수체

전엽

증상 map

증상이 비특이적이며 다양하다.

증상

- 초발증상으로는 주로 전신권태감, 피로도 증가, 식욕부진, 소화기증상 (오심·구토, 복통, 설사), 발열, 탈수가 확인된다.
- 12시간 이상 경과하면 실인·오인·기명력(recent memory)장애 등의 의식장애가 출현하고, 혈압저하, 저혈당, 탈수증상이 진행되며 순환부전에 의해 쇼크사하게 된다.
- 패혈증이나 부신출혈에서는 자반, 피하출혈, 청색증을 나타내는 경우가 많다.

합병증

- 쇼크

진단 map

전해질이상, 저혈당, 혈중 부신피질호르몬의 저하, 소화기증상이나 의식장애 등이 보인다면 본증을 의심한다.

진단·검사치

- 증상이 비특이적이므로, 원인불명의 의식장애나 쇼크상태를 나타내고 있는 환자에게는 본증을 의심하는 것이 매우 중요하다.
- 저나트륨혈증, 고칼륨혈증, 고BUN혈증, 저혈당, 호산구증가, 대사성산증 등을 나타내고, 종종 빈혈이나 고칼슘혈증을 확인하는 경우가 있다. 혈중 코르티졸은 일반적으로 낮은 수치이지만, 때로 기준치 내인 경우도 있으므로 주의해야 한다.

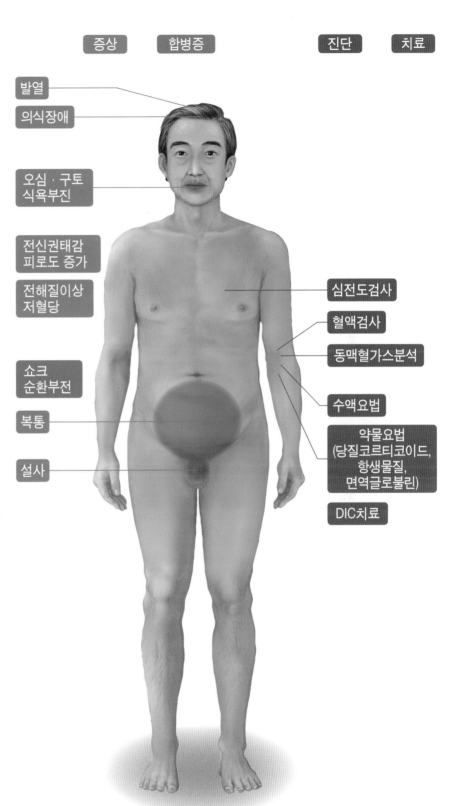

증상 합병증 진단 치료

발열
의식장애
오심·구토 식욕부진
전신권태감 피로도 증가
전해질이상 저혈당
쇼크 순환부전
복통
설사

심전도검사
혈액검사
동맥혈가스분석
수액요법
약물요법
(당질코르티코이드, 항생물질, 면역글로불린)
DIC치료

검사결과를 기다리지 않고 신속히 당질코르티코이드 및 수액 투여를 시작한다.

Key word

● 중심성뇌교수초용해증 (central pontine myelinolysis)

교중심부의 탈수로, 불가역적인 중추신경계의 손상을 초래한다. 의식장애, 안구운동장애, 연하장애, 사지마비가 급속히 진행된다. Na보정에서는 5mEq/L/일을 넘지 않도록 한다.

약물요법

● 본증이 의심스러운 경우 ACTH, 코르티졸의 결과를 기다리지 않고 즉시 치료를 시작한다. 치료의 기본은 당질코르티코이드 및 수액 투여이며, 쇼크 · 파종성혈관내응고증후군 (DIC)에 대한 대증요법, 감염 등에 대한 원인치료를 병용한다(그림 6-13). 급격한 Na보정은 중심성뇌교수초용해증 (CPM)을 발생하므로 주의해야 한다.

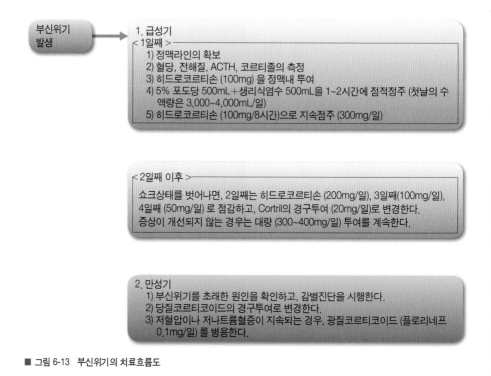

부신위기 발생

1. 급성기
< 1일째 >
1) 정맥라인의 확보
2) 혈당, 전해질, ACTH, 코르티졸의 측정
3) 히드로코르티손 (100mg) 을 정맥내 투여
4) 5% 포도당 500mL + 생리식염수 500mL을 1~2시간에 점적정주 (첫날의 수액량은 3,000~4,000mL/일)
5) 히드로코르티손 (100mg/8시간)으로 지속점주 (300mg/일)

< 2일째 이후 >
쇼크상태를 벗어나면, 2일째는 히드로코르티손 (200mg/일), 3일째(100mg/일), 4일째 (50mg/일) 로 점감하고, Cortril의 경구투여로(20mg/일)로 변경한다. 증상이 개선되지 않는 경우는 대량 (300~400mg/일) 투여를 계속한다.

2. 만성기
1) 부신위기를 초래한 원인을 확인하고, 감별진단을 시행한다.
2) 당질코르티코이드의 경구투여로 변경한다.
3) 저혈압이나 저나트륨혈증이 지속되는 경우, 광질코르티코이드 (플로리네프 0.1mg/일) 를 병용한다.

■ 그림 6-13 부신위기의 치료흐름도

(中野　妙·泉山　肇·平田結喜緒)

환경을 조정하여 여유로운 일상생활을 영위할 수 있도록 지지한다. 복용의 필요성과 부작용에 관하여 설명하고, 지시서를 엄수하여 복용을 계속할 수 있도록 지지한다.

병기·병태·중증도에 따른 케어

- 갑상선기능저하증의 치료초기에는 정신적인 면을 배려하면서, 영양보충이나 배변관리, 환경조정 등을 이행하여 여유로운 일상생활을 할 수 있도록 지지한다. 치료로 갑상선호르몬이 기준치 범위 내가 된 경우는 무리없이 자립적인 일상생활을 할 수 있지만 내복제의 필요성을 충분히 이해할 수 있도록 지지해야 한다.

케어의 포인트

진찰의 지지

- 대사율의 저하로 인한 호흡·순환에 대한 영향을 염두에 두고, 호흡·맥박·체온의 변화를 파악한다. 저체온, 서맥, 혈압저하 또는 고혈압, 호흡곤란을 진찰한다.
- 식욕부진, 복부팽만, 변비증상 등, 소화기증상을 관찰한다.
- 전신권태감이나 피로감, 근력저하, 무기력, 무관심 등 정신상태에 관한 관찰에서 얻은 정보를 간호과정에 적용한다.

일상생활의 지지

- 권태감이 심하고, 활동성이 저하되며, 기력·정신활동도 활발하지 못하므로, 가능한 자립적으로 ADL을 행하도록 격려한다.
- 적극적인 호소가 적으므로, 고통이나 고뇌를 숙지하여 지지한다.
- 저체온, 저혈압, 내한성 저하가 있으므로 보온에 주의하며, 의복과 실온 조정에 유의한다.
- 식욕부진이 강하고 변비경향이 있으므로, 식욕관리와 배변관리를 도모한다.
- 피부가 건조하여 하지경골부에 압흔을 남기지 않는 부종 (정맥수종)이 나타나면 손상이나 감염 등이 일어나기 쉬우므로, 피부를 보호하도록 한다.
- 행동력이나 주의력의 저하가 사고발생으로 연결되지 않도록 주의한다.

복용지도

- 갑상선호르몬제를 장기간 복용하므로, 내복제의 필요성이나 부작용을 잘 이해하고 복용을 계속하도록 지지한다.

환자·가족에 대한 심리·사회적 지지

- 질환에 관하여 환자·가족에게 알기 쉽게 설명하고, 불안을 해소하도록 지지한다.
- 가족의 부담이 적어지도록 불안에 관한 호소를 경청하는 태도를 취한다. 또 사회자원의 활용이 필요한 경우는 필요한 정보를 제공하여 지지한다.

퇴원지도·요양지도

- 적절히 호르몬을 보충하면, 평소처럼 생활할 수 있지만, 경우에 따라서 식사제한이 필요한 경우도 있다(그림 6-14).
- 복용의 필요성과 부작용에 관하여 설명하고, 지시량을 엄수하여 복용을 적절히 계속할 수 있도록 지지한다.
- 증상의 변화, 불안이나 걱정 등은 언제라도 전문가에게 상담하는 것이 중요하다는 점을 이해시킨다.

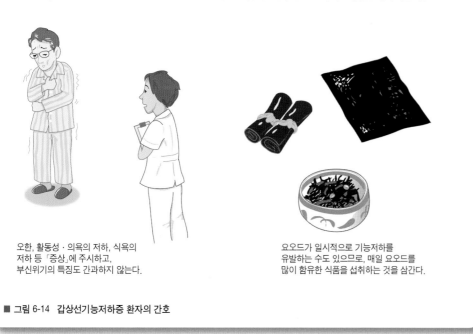

오한, 활동성·의욕의 저하, 식욕의 저하 등 「증상」에 주시하고, 부신위기의 특징도 간과하지 않는다.

요오드가 일시적으로 기능저하를 유발하는 수도 있으므로, 매일 요오드를 많이 함유한 식품을 섭취하는 것을 삼간다.

■ 그림 6-14 갑상선기능저하증 환자의 간호

(磯見智惠·酒井明子)

Memo

빈혈 (anemia)

檀　和夫 / 有田淸子

전체 map

병태생리 map p.78
증상 map p.80
진단 map p.81
치료 map p.82

병인
- 체내의 철 결핍 (철결핍성), 적혈구이상 (용혈성), 조혈모세포의 손상 (재생불량성), 비타민B$_{12}$·엽산의 결핍 (거대적아구성) 등이 병인이다.
- [악화인자] 식생활, 합병증

역학
- 빈혈 중, 철결핍성빈혈이 가장 높은 빈도를 나타난다.
- 재생불량성빈혈의 유병률은 10만명당 2,5~6명이다.
- [예후] 치료법의 발달로 재생불량성빈혈이라도 90%의 환자가 장기 생존이 가능해졌다.

병태생리
- 빈혈이란 체내의 각 조직에 산소를 운반하는 적혈구가 부족한 병태를 가리킨다.
- 빈혈은 적혈구 생산량의 감소, 적혈구의 과잉붕괴, 적혈구의 혈관 외로의 소실에 의해서 일어난다.
- 빈혈의 정의 : 헤모글로빈치가 기준치 (남성 14g/dL, 여성 12g/dL) 보다 낮으면 빈혈이라고 진단한다.
- 빈혈을 일으키는 원인은 여러 가지인데, 원인에 따라서 철결핍성빈혈, 용혈성빈혈, 재생불량성빈혈, 거대적아구성빈혈 등 수십종류로 분류된다.

증상
- 각 조직의 산소부족으로 인한 증상 : 현기증, 기립시 현기증, 두중감, 협심통, 식욕부진, 피로도 증가, 전신권태감
- 산소부족에 대한 보상작용으로 나타나는 증상 : 빈맥, 심계항진, 호흡곤란, 잦은 호흡
- [특이적 증상]
- 철결핍성빈혈(iron deficiency anemia) : Plummer-Vinson증후군
- 용혈성빈혈(hemmolytic anemia) : 담석증 (cholelithiasis)
- 재생불량성빈혈(aplastic anemia) : 감염증, 출혈, 헤모크로마토시스
- 거대적아구성빈혈(megaloblastic anemia) : 아급성연합성척수변성증 (subacute combined degeneration of spinal cord)

진단
- 증상을 보아 빈혈이 의심스러우면 말초혈액검사를 시행한다.
- 말초혈액검사 : 평균적혈구용적과 평균적혈구헤모글로빈농도에 근거하여 소구성저색소성빈혈(microcytic hypochromic anemia), 정구성정색소성빈혈 (normocytic normochromic anemia), 대구성빈혈(macrocytic anemia)로 분류한다.
- 혈액생화학검사 : 혈청철, 총철결합능, 혈청페리틴, 간접빌리루빈, LDH, 하프트글로빈, 비타민B$_{12}$, 엽산치의 이상에 근거하여 철결핍성, 용혈성, 재생불량성, 거대적아구성 등의 빈혈을 감별할 수 있다.
- 특수검사 : 골수검사에서 거대적아구성 변화나 조혈능을 확인한다.

치료
- 철결핍성빈혈 : 철을 보충 (철분제)하고, 원인질환을 치료한다.
- 용혈성빈혈 : 유전성용혈성빈혈에서는 비장적출술이, 자가면역성용혈성빈혈로서 온식항체에 의한 것은 부신피질호르몬제가 제1선택이 된다. 이것이 무효하거나 재발한 케이스에서는 면역억제제, 비장적출술을 적용한다.
- 재생불량성빈혈 : 경증은 단백동화호르몬요법(anabolic hormone), 중등증은 면역억제요법, 중증은 면역억제요법 또는 조혈모세포이식을 적용한다.
- 거대적아구성빈혈 : 비타민B$_{12}$ 결핍례에는 비타민B$_{12}$ 근주, 엽산 결핍례에는 엽산경구투여를 적용한다.

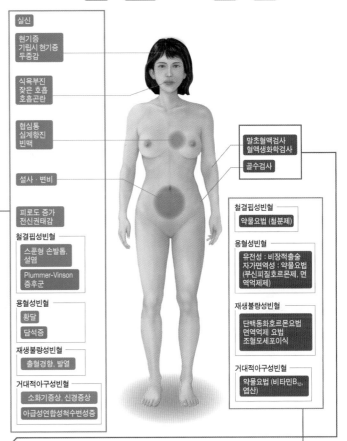

증상　합병증　진단　치료

실신

현기증
기립시 현기증
두중감

식욕부진
잦은 호흡
호흡곤란

협심통
심계항진
빈맥

설사·변비

피로도 증가
전신권태감

철결핍성빈혈
스푼형 손발톱, 설염
Plummer-Vinson 증후군

용혈성빈혈
황달
담석증

재생불량성빈혈
출혈경향, 발열

거대적아구성빈혈
소화기증상, 신경증상
아급성연합성척수변성증

말초혈액검사
혈액생화학검사
골수검사

철결핍성빈혈
약물요법 (철분제)

용혈성빈혈
유전성 : 비장적출술
자가면역성 : 약물요법 (부신피질호르몬제, 면역억제제)

재생불량성빈혈
단백동화호르몬요법
면역억제 요법
조혈모세포이식

거대적아구성빈혈
약물요법 (비타민B$_{12}$, 엽산)

병태생리 map

빈혈이란 질환명이 아니라 「체내의 적혈구가 부족한」 병태를 가리키는 용어이다.

- 빈혈을 일으키는 원인은 여러 가지이며, 그 원인마다 질환명이 있다(표 7-1).
- 건강한 상태에서는 체내의 적혈구량이 적혈구수명에 의한 상실량과, 그에 알맞은 골수에서의 적혈구생산량과 균형을 이루고 있다. 따라서 ① 적혈구생산량의 감소 ② 적혈구의 과잉 붕괴 ③ 적혈구가 혈관 밖으로 소실 중의 원인에 의해서 빈혈이 된다.
- 적혈구의 양을 나타내는 지표에는 적혈구수, 혈색소 (헤모글로빈) 농도, 헤마토크릿치가 있다. 기본적으로 이 지표들은 병행하여 변화하므로, 빈혈인지를 알기 위해서 이 중 어느 지표를 사용해도 차이가 없다. 그러나 폐호흡으로 체내에 흡입된 산소를 헤모글로빈과 결합하여 각 조직에 운반하는 것이 적혈구의 주요기능이라는 점을 생각하면, 헤모글로빈치가 기준치보다 낮은 것이 빈혈증이라고 정의하는 것이 적절하다.
- 헤모글로빈의 기준치는 연령에 따라서 다르지만, 대개 남성은 14g/dL 미만, 여성은 12g/dL 미만을 빈혈증이라고 하는 것이 타당할 것이다.
- 빈혈에는 수십 종류의 질환이 있지만, 본항에서는 주요 빈혈증으로 1) 철결핍성빈혈, 2) 용혈성빈혈, 3) 재생불량성빈혈, 4) 거대적아구성빈혈에 관하여 기술하였다.

병인·악화인자

1) 철결핍성빈혈
- 체내의 철 (헤모글로빈의 재료)이 결핍되면서 발생한다.
- 원인으로 가장 중요한 것은 자궁근종이나 자궁내막증에 의한 과다월경(hypermenorrhea)이나 부정출혈(atypical genital bleeding), 소화관 궤양이나 암 등에서의 만성출혈이다(철을 다량으로 함유한 적혈구가 출혈로 소실된다).
- 사춘기에는 철의 수요는 증가하는 반면 섭취량은 충분하지 않아서 발생한다.

2) 용혈성빈혈
- 용혈성빈혈도 몇 가지 질환군의 총칭이며, 적혈구 자체의 이상에 의한 선천성용혈성빈혈, 적혈구 이외의 이상 (항적혈구 자가항체나 혈관내피의 이상)에 의한 후천성용혈성빈혈이 있다.

3) 재생불량성빈혈
- 면역메커니즘에 의해 조혈모세포가 손상되어 감소된다.

4) 거대적아구성빈혈
- 흡수장애나 수요의 증대로 인한 비타민B$_{12}$ 또

는 엽산의 결핍이 원인이다.

역학·예후

1) 철결핍성빈혈
- 혈액질환 중에서 가장 발병빈도가 높고, 생식연령에 있는 여성에게 가장 호발한다.

2) 용혈성빈혈
- 선천성용혈성빈혈 중에서는 유전성구상적혈구증이 가장 발병빈도가 높고, 후천성용혈성빈혈 중에서는 자가면역성용혈성빈혈이 가장 높다.

3) 재생불량성빈혈
- 유병률은 인구 10만명당 2.5~6명 정도로 추정된다.

■ 표 7-1 빈혈증의 종류

· 철결핍성빈혈	· 면역성용혈성빈혈
· 철아구성빈혈	· 발작성야간헤모글로빈요증
· 지중해빈혈	· 적혈구파쇄증후군
· 이상헤모글로빈증	· 재생불량성빈혈
· 거대적아구성빈혈	· 적아구로
· 유전성구상적혈구증	· 2차성 빈혈
· 적혈구효소이상증	· 골수이형성증후군

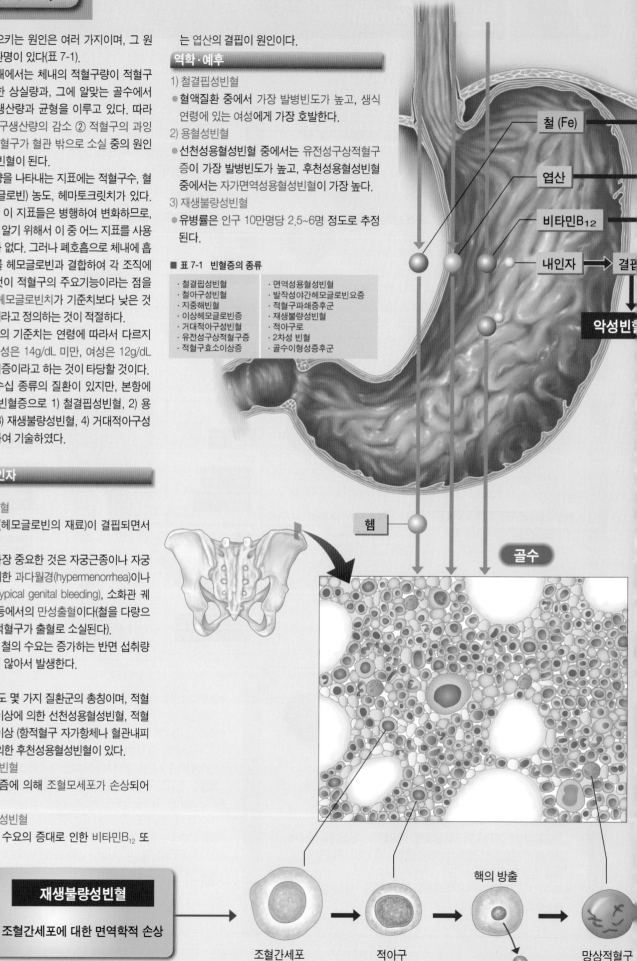

철 (Fe)

엽산

비타민B$_{12}$

내인자 → 결핍

악성빈혈

헴

골수

재생불량성빈혈

조혈간세포에 대한 면역학적 손상

조혈간세포 → 적아구 → 핵의 방출 → 망상적혈구

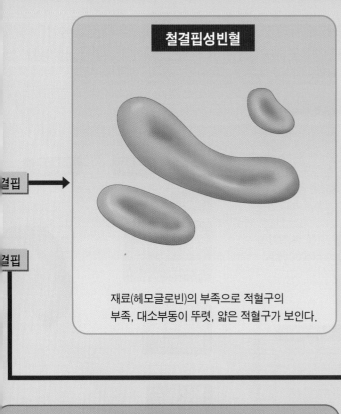

철결핍성빈혈

재료(헤모글로빈)의 부족으로 적혈구의
부족, 대소부동이 뚜렷, 얇은 적혈구가 보인다.

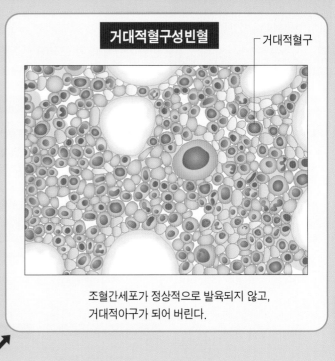

거대적혈구성빈혈

거대적혈구

조혈간세포가 정상적으로 발육되지 않고,
거대적아구가 되어 버린다.

결핍 →

결핍

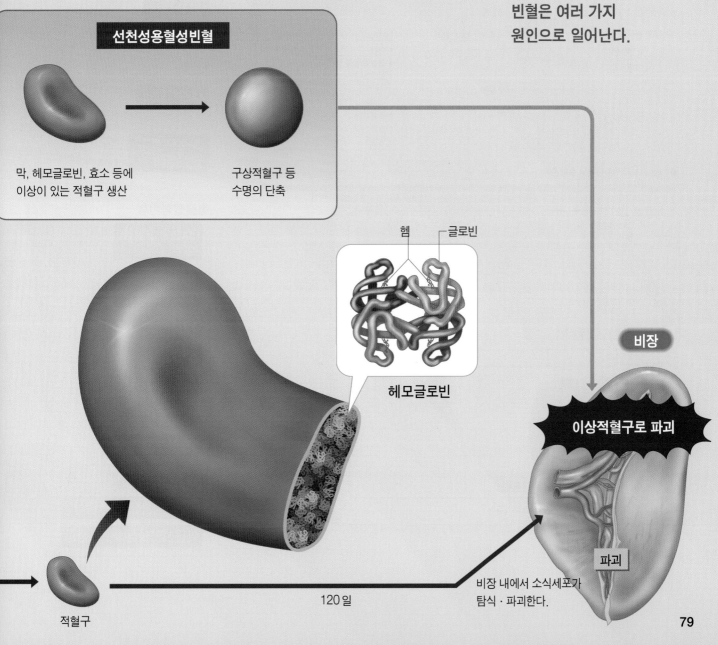

빈혈은 여러 가지
원인으로 일어난다.

선천성용혈성빈혈

막, 헤모글로빈, 효소 등에
이상이 있는 적혈구 생산

구상적혈구 등
수명의 단축

헴   글로빈

헤모글로빈

비장

이상적혈구로 파괴

파괴

적혈구

120 일

비장 내에서 소식세포가
탐식·파괴한다.

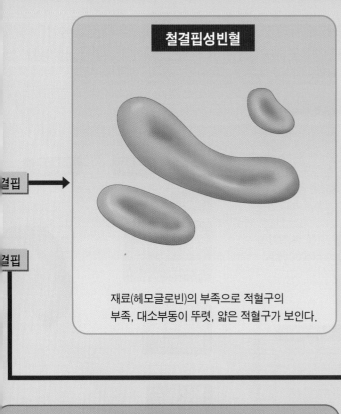

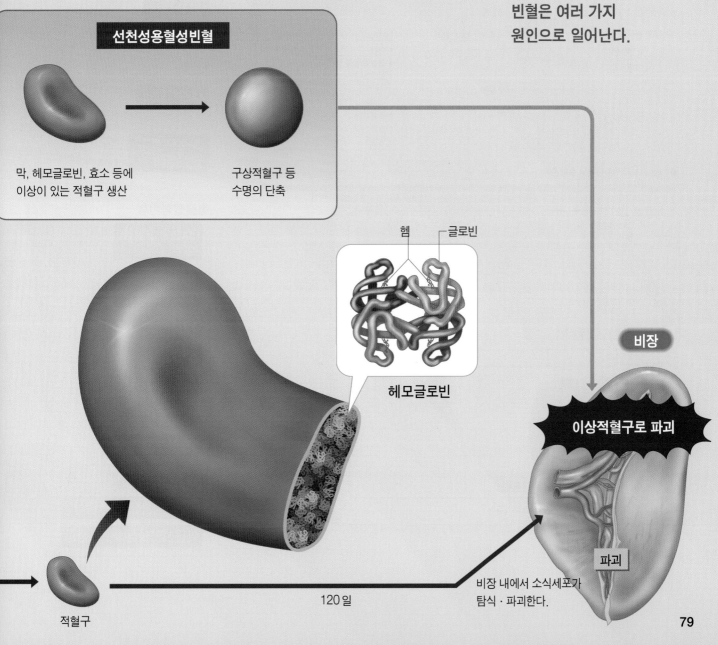

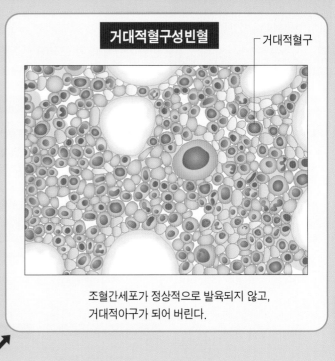

빈혈이란 체내 각 조직에 산소를 운반하는 적혈구 (헤모글로빈) 가 부족한 상태이다. 따라서 빈혈의 기본적인 증상은 조직의 산소부족에 의한 증상이다.

증상

● 빈혈증상에는 조직의 산소부족에 의한 증상 이외에, 신체의 산소부족에 대한 보상작용도 있다. 또 이 빈혈 전체의 공통적인 증상 이외에도, 각 빈혈증마다 특이한 증상이 있다.

● 각 조직의 산소결핍증상으로는 중추신경계에서는 현기증, 기립시 현기증, 두중감, 실신 등, 심장에서는 협심통, 소화관에서는 식욕부진, 설사, 변비 등, 골격근에서는 피로도 증가, 전신권태감 등이 있다.

● 빈혈에 대한 보상작용으로는 심장에서 좀 더 많은 혈액을 내보내기 위한 빈맥, 심계항진, 보다 많은 산소를 흡인하기 위한 잦은 호흡, 호흡곤란 등이 있다.

● 각 빈혈증에서 특이한 징후로는 철결핍성빈혈의 스푼형손발톱(koilonychia)이나 설염, 용혈성빈혈의 황달, 재생불량성빈혈의 출혈경향이나 발열, 거대적아구성빈혈의 소화기증상이나 신경증상 등이 있다.

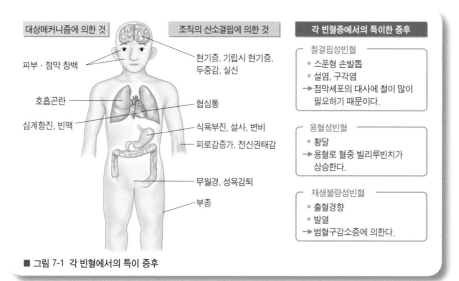

■ 그림 7-1 각 빈혈에서의 특이 증후

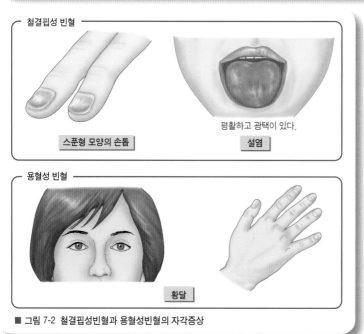

■ 그림 7-2 철결핍성빈혈과 용혈성빈혈의 자각증상

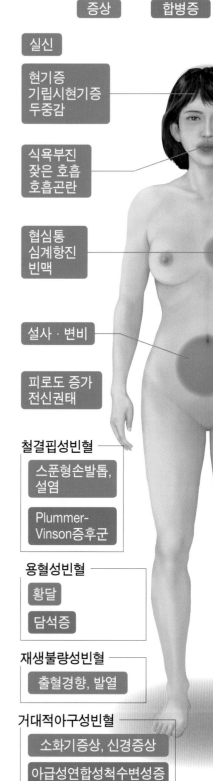

80

진단 map

조직의 산소결핍에 수반하는 증상, 각 빈혈증에 특이한 증상이 보인다면 빈혈증을 의심하여 말초혈액검사를 시행한다.

진단   치료

진단·검사치

- 모든 빈혈증은 적혈구의 크기 (평균적혈구용적) 와 적혈구 중의 혈색소의 농도 (평균적혈구헤모글로빈농도)를 근거로, 소구성저색소성빈혈, 정구성정색소성빈혈, 대구성빈혈 중 어느 하나로 분류된다.
- 철결핍성빈혈은 소구성저색소성빈혈, 용혈성빈혈과 재생불량성빈혈은 정구성정색소성빈혈, 거대적아구성빈혈은 대구성빈혈이다(표 7-2).
- 검사치

1) 철결핍성빈혈
- 말초혈액검사 : 소구성저색소성빈혈.
- 혈액생화학검사 : 혈청철 낮은 수치, 총철결합능 높은 수치, 혈청페리틴 낮은 수치.

2) 용혈성빈혈
- 말초혈액검사 : 정구성정색소성빈혈로서, 망상적혈구 증가가 반드시 나타난다. 말초혈도말표본에서 용혈성빈혈의 각 질환마다 특이한 적혈구 형태이상이 보인다.
- 혈액생화학검사 : 용혈 때문에 간접빌리루빈과 LDH가 높은 수치를, 합토글로빈이 낮은 수치를 나타낸다.
- 그 밖의 특수검사 : 유전성구상적혈구증에서는 적혈구삼투압저항감약이, 자가면역성용혈성빈혈에서는 쿰스테스트가 양성으로 나타난다.

3) 재생불량성빈혈
- 말초혈액검사 : 정구성정색소성빈혈을 나타내는데, 특히 범혈구감소증과 망상적혈구수가 낮은 수치 또는 정상 하한인 것이 중요하다.
- 혈액생화학검사 : 혈청철 높은 수치, 총철결합능 낮은 수치, 혈청페리틴 높은 수치를 나타낸다.
- 그 밖의 특수검사 : 골수검사가 필수이며, 골수저형성 또는 무형성으로 인한 골수거핵구수 감소를 확인한다.

4) 거대적아구성빈혈
- 말초혈액검사 : 대구성빈혈을 나타낸다. 빈혈 뿐 아니라 범혈구감소증(pancytopenia)도 나타내는 경우가 많다.
- 혈액생화학검사 : 무효조혈이 있어서, LDH가 현저한 높은 수치를 나타내며, 간접빌리루빈도 높은 수치를 나타낸다. 비타민B$_{12}$ 결핍증에서는 혈청비타민B$_{12}$가, 엽산결핍증에서는 혈청엽산이 각각 낮은 수치를 나타내는데 이를 통해 감별할 수 있다.
- 그 밖의 특수검사 : 골수검사로 거대적아구성변화를 확인한다(표 7-3).

말초혈액검사
혈액생화학검사

골수검사

철결핍성빈혈
약물요법 (철분제)

용혈성빈혈
유전성 : 비장적출술
자가면역성 : 약물요법
(부신피질호르몬제,
면역억제제)

재생불량성빈혈
단백동화호르몬요법
면역억제요법
조혈모세포이식

거대적아구성빈혈
약물요법
(비타민B$_{12}$, 엽산)

■ 표 7-2 적혈구의 타입에 따른 빈혈의 분류

적혈구 타입	빈혈증
소구성저색소성빈혈	철결핍성빈혈, 지중해빈혈, 철아구성빈혈 등
정구성정색소성빈혈	용혈성빈혈, 재생불량성빈혈, 2차성 빈혈, 실혈성빈혈 등
대구성(정색소성) 빈혈	악성빈혈, 엽산결핍증, 골수이형성증후군 등

■ 표 7-3 각 빈혈증의 특징적인 검사치 이상

	말초혈액검사	혈액생화학검사	그 밖의 특수검사
철결핍성빈혈	소구성저색소성빈혈	혈청철 낮은 수치 총철결합능 높은 수치 혈청페리틴 낮은 수치	
용혈성빈혈	정구성정색소성빈혈 망상적혈구 증가 적혈구 형태이상	간접빌리루빈 높은 수치 LDH 높은 수치 하프토글로빈 낮은 수치	적혈구삼투압저항감약 (유전성구상적혈구증) 쿰스테스트 양성 (자가면역성용혈성빈혈)
재생불량성빈혈	정구성정색소성빈혈 범혈구감소증 망상적혈구저하	혈청철 높은 수치 총철결합능 낮은 수치 혈청페리틴 높은 수치	골수저형성 골수거핵구수 감소
거대적아구성빈혈	대구성빈혈 범혈구감소증	LDH 현저히 높은 수치 간접빌리루빈 높은 수치 비타민B$_{12}$ 낮은 수치 엽산 낮은 수치	거대적아구성골수

Key word
- Plummer-Vinson증후군

철결핍성연하곤란이라고도 한다. 철결핍성빈혈에 연하곤란, 구각염, 혀의 이상을 합병한 것으로, 철결핍성빈혈 환자에게 드물게 나타난다.

Key word
- 헤모크로마토시스 (hemochromatosis)

전신의 세포에 철 (Fe)의 과잉침착이 일어나 장기에 장애를 초래하는 병태이다. 초기에는 증상이 거의 없지만, 장기장애가 진행되면 각 장기에 여러가지 증상이 출현한다.

치료 map

가장 발생빈도가 높은 철결핍성빈혈에는 철분제를 투여하고 원인질환을 치료한다. 약물요법이 중심인데, 사용하는 약제 및 방법은 빈혈의 종류에 따라서 달라진다.

치료방침

- 철결핍성빈혈 : 철을 보충하고 원인을 파악하여 그를 치료한다.
- 용혈성빈혈 : 유전성구상적혈구증에는 비장적출술을, 자가면역성 용혈성빈혈 (온식항체에 의한다)에는 부신피질호르몬요법을 적용한다.
- 재생불량성빈혈 : 중증도에 따라서 치료법이 다르다. 경증은 단백동화호르몬요법, 중등증은 면역억제요법, 중증은 면역억제요법 또는 조혈모세포이식을 적용한다.
- 거대적아구성빈혈 : 비타민B$_{12}$ 결핍례에는 비타민B$_{12}$, 엽산결핍례에는 엽산을 투여한다.

■ 표 7-4 빈혈의 주요 치료제

분류	일반명	주요 상품명	약효발현의 메커니즘	주요 부작용
철분제	구연산 제1철나트륨	Ferromia	헤모글로빈합성	소화기증상
	함당산화철	Fesin		쇼크 철과잉증
부신피질호르몬제	프레드니솔론	Predonine, Predohan, 프레드니솔론	면역억제	위궤양, 고혈압, 당뇨병, 감염증, 정신증상
면역억제제	아자티오프린	이뮤란, Azanin		골수억제
	시클로스포린	뉴오랄		신장애, 간장애, 다모, 치은종창
항암제	시클로포스파미드	엔독산		발암성, 골수억제
단백동화호르몬제	메테놀론초산에스텔	Primobolan	조혈자극	간장애, 애성 (쉰 목소리)
항사람흉선세포 글로불린제	항사람흉선세포토끼면역 글로불린	치모글로불린	T림프구억제	신장애, 혈청병 감염위험 증가
비타민B$_{12}$제	히드록소코파라민초산염	Fresmin-S	엽산대사촉진	과민증
엽산	엽산	Foliamin	DNA합성촉진	

약물요법

1) 철결핍성빈혈

- 철의 보충에 더불어 원인파악과 그 치료가 중요하다.
- 철결핍성빈혈이 발생하는 시점에서 체내의 철은 거의 고갈되어 있으므로, 1개월 정도의 철분제 투여로 빈혈이 개선된 시점에서 치료를 종료하면 단기간에 재발하게 된다. 이 때문에 4~5개월 동안 계속해서 치료해야 한다.

Px 처방례
- Ferromia정(50mg) 2정 分1~2 (식후) ←철분제

Px 처방례 철분제의 부작용 또는 합병증 때문에 복용할 수 없는 경우
- Fesin주(Fe : 40mg/2mL/A) 1회 1~2앰플을 20%포도당액 20mL에 용해하여, 2분 이상을 소요하여 천천히 정주 ←철분제

2) 용혈성빈혈

- 유전성구상적혈구증에서는 비장적출술을 시행함으로써 빈혈이 개선된다.
- 자가면역성용혈성빈혈 중, 온식항체에 의한 경우의 제1선택제는 부신피질호르몬제이며, 무효례에서는 면역억제제를 투여한다. 비장적출술이 행해지기도 한다.

Px 처방례 자가면역성용혈성빈혈인 경우
- Predonine정(5mg) 0.5~1.0mg/kg 分3 (매 식후), 완화되면 점감하여 유지량으로 투여한다. ←부신피질호르몬제

Px 처방례 상기가 무효인 경우, 다음 중에서 이용한다.
- 이뮤란정(50mg) 1~2정 分1~2 (식후) (효능으로 적용외) ←면역억제제
- 엔독산정(50mg) 1~2정 分1~2 (식후) (효능으로 적용외) ←항암제

3) 재생불량성빈혈

- 치료는 중증도에 따라서 달라지며, 경증에서는 단백동화호르몬요법, 중등증에서는 면역억제요법, 경증에서는 면역억제요법 또는 조혈모세포이식이 행해진다.

Px 처방례 경증인 경우
- Primobolan정(5mg) 0.5mg/kg 分2 (식후) ←단백동화호르몬제

Px 처방례 중등증인 경우 다음을 병용한다.
- 치모글로불린주(25mg) 2.5~3.75mg/kg 1일 1회 점적정주 5일간 연속투여 ←항사람흉선세포글로불린제
- ※치모글로불린을 투여할 때는 부신피질호르몬제를 병용한다.
- 뉴오랄갑셀(50mg) 6mg/kg 分2 (식후) 유효하면 연속 투여하다가 점감 ←면역억제제

Px 처방례 중증인 경우도 상기의 중등증인 경우와 마찬가지로 적응한다. 호중구 감소가 고도인 경우, 과립구콜로니 자극인자 (G-CSF) 제를 병용한다.

4) 거대적아구성빈혈

Px 처방례 비타민B$_{12}$ 결핍증에는 비타민B$_{12}$를 근주(筋注)한다.
- Fresmin-S주(1mg) 1회 1mg 근주 ←비타민B$_{12}$제
- ※치료를 시작할 때는 약 14회 연속투여하여 고갈된 비타민B$_{12}$를 보충한다. 그 후는 약 3개월마다 유지량을 투여한다.

Px 처방례 엽산결핍증인 경우
- Foliamin정 (5mg) 3정 分3 (식후) ←엽산

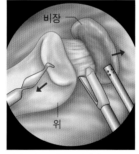

내시경하 수술용 자동봉합기 도입으로 널리 보급되어 있다.

■ 그림 7-3 복강하비장적출술

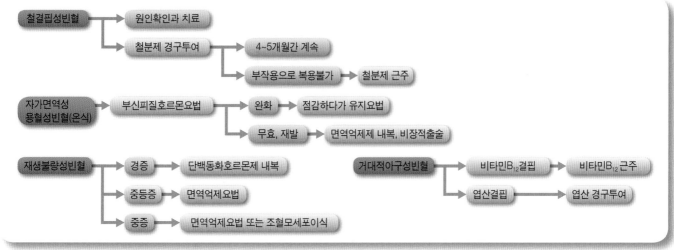

(壇 和夫)

지질이상증 (고지혈증)
환자케어

빈혈의 경과는 질환과 치료에 따라서 달라진다. 자각증상과 혈액검사데이터를 보면서 활동범위를 환자와 상담하여 결정하거나 낙상에 주의하는 등 ADL제한에 대한 지지를 시행한다. 또 계속적인 내복과 식사요법에 관한 지지도 중요하다.

병기·병태·중증도에 따른 케어

【급성기】 적혈구, 헤모글로빈 등이 급속히 저하된 경우에는 심계항진, 호흡곤란, 권태감 등이 강하게 자각되지만, 만성적으로 저하되어 있는 경우에는 자각증상이 약하다. 이 때문에, 혈액데이터, 검사데이터, 자각 · 타각 증상을 종합적으로 판단하고, ADL이나 활동범위 등을 고려하여 케어를 진행한다.

【만성기】 빈혈의 경과는 치료에 따라서 다르다. 일반적으로 철분제 내복으로 상태가 호전되는 경우가 많지만, 2주 정도 경과해도 빈혈이 개선되지 않는 경우는 골수천자, 소화관조영 등을 하여, 빈혈의 원인을 검사해야한다. 검사에 관해서 불안하기 쉬우므로 불안에 대한 케어를 함과 동시에, 철분제의 계속적인 내복과 식사요법에 관한 지지를 제공해야 한다.

【회복기】 계속적으로 철분제의 내복과 식사요법을 할 수 있도록 지지한다.

케어의 포인트

ADL의 제한에 대한 지지
- 자각증상과 혈액검사데이터를 종합적으로 판단하고, 활동범위를 환자와 상담하여 결정한다.
- 동작의 전후에서는 조직의 산소소비량이 증가하고, 현기증이나 실신 등을 일으킬 위험이 있으므로 낙상에 주의한다.
- 일상생활을 제한하는 경우는 신체의 청결이나 배설 및 환자의 기본적 요구가 충족되도록 지지한다.

약물요법의 지도
- 철분제의 내복으로 인한 부작용의 유무를 관찰하고, 필요시에는 의사와 상담하여 철분제의 변경 및 용량을 검토한다.
- 지시받은 약물을 확실히 투여함과 동시에, 퇴원 후에 약물요법을 계속할 수 있도록 약에 관한 환자의 반응을 관찰 · 지도한다.

식사요법의 지도
- 단백질이 부족하면 식사에서 철분을 섭취해도 혈색소의 형성이 지연되므로, 고단백질, 고비타민식이 되도록 지도한다.
- 식물성 단백질을 섭취하기보다 동물성 단백질을 섭취하도록 지도한다.
- 식욕부진일 때는 조리법을 개발한다.

퇴원지도·요양지도

- 약물요법과 식사요법을 계속할 수 있도록 환자 · 가족의 질환에 대한 이해를 확인하고, 그에 부족함이 있으면 보충한다.
- 약물요법의 작용 · 부작용에 관하여 설명한다.
- 식사는 고단백질, 고비타민식을 섭취할 수 있도록 지도한다.
- 빈혈증상으로 현기증, 실신 등이 나타나는 수가 있으므로, 낙상에 주의하도록 지도한다.

(有田清子)

Memo

8 백혈병 (leukemia)

三木　徹/高橋奈津子

전체 map

병인
●후천적인 유전자변이에 의해서 조혈세포가 종양화 (백혈병화)되어 발생한다.
●방사선피폭, 약제, 바이러스감염이 원인이 되는 경우도 있다.

역학
●소아에서 노년까지 폭넓게 분포한다.
●소아에게서는 급성림프성백혈병 (ALL)이, 성인에게서는 급성골수성백혈병 (AML)이 많다.
[예후] 병형이나 연령에 따라서 다르다.

병태생리

●골수에서 조혈세포가 종양화되면서 말초혈액 속에 그 출현이 나타나는 질환의 총칭이다.

●종양세포의 성숙은 정지한 상태로 유약아구가 증식되는 급성백혈병과, 종양세포가 성숙하면서 증식되는 만성백혈병이 있다.

●종양세포의 기원에 따라서 골수성백혈병(myelogenous leukemia)과 림프성백혈병(lymphatic leukemia)으로 분류된다.

●종양세포가 피부, 근육, 비장, 림프절, 수막 등의 장기에 침윤되기도 한다.

병태생리 map p.86

증상 map p.88

증상

●특이증상은 없다.

●감염위험 증가 (폐렴), 빈혈증상 (심계항진, 호흡곤란, 권태감), 출혈증상 (치은·코·피하출혈)이 나타난다.

●종양세포의 침윤으로 간비종, 발진, 치은종창, 림프절종창이 나타난다.

●급성형은 몇 주~몇 개월 만에 증상이 급속도로 진행되어 생명이 위기에 빠지지만, 만성형에서는 무증상인 경우도 있다.

[합병증]

●감염증 (폐렴, 패혈증)

●두개내출혈 (뇌출혈, 지주막하출혈)

증상 합병증 진단 치료

뇌출혈, 지주막하출혈

출혈위험 증가 (치은출혈·비출혈) 빈혈로 인한 호흡곤란 치은종창

폐렴

빈혈로 인한 심계항진

간비종

발열 (감염위험 증가) 빈혈로 인한 권태감 출혈위험 증가 (피하출혈) 림프절종창 발진

패혈증

골수검사

혈액검사

화학요법 동종조혈간 세포이식요법

대증요법

진단

●혈액검사 : 백혈구 증가 (초기에는 감소), 혈소판 감소, 빈혈, LDH 높은 수치가 보인다.

●골수검사 : 진단에는 골수천자가 필수이며, 라이트염색에 의한 형태분석, 페르옥시다제 (MPO) 염색 양성률의 판정, 표면표지자분석, 염색체분석, 유전자분석으로 진단을 확정할 수 있다.

●만성골수성백혈병 (CML) : 필라델피아염색체 양성, BCR/ABL 융합유전자 양성으로 나타난다.

●만성림프성백혈병 (CLL) : 백혈구, 특히 소형성숙림프구가 증가하며, 대부분이 B세포성이고, 일부는 T세포성이다.

진단 map p.89

치료

●화학요법이 원칙이지만, 난치례에서는 동종조혈모세포이식을 고려하기도 한다. 급성백혈병의 경우에는 신속히 입원한 후 강력한 화학요법을 시행해야 한다.

●약물요법 : 완화도입요법을 시행한 후, 완화후요법 (준비요법과 유지요법)을 시행한다. AML에서는 시타라빈과 다우노루비신염산염을, ALL에서는 프레드니솔론과 빈크리스틴유산염을, CML에서는 이마티닙메실염산을 중심을 중심으로 투여한다. 감염증, 빈혈, 출혈에는 지지요법 (항생물질투여, 수혈 등)이 적용된다.

●동종조혈모세포이식 : 골수이식, 말초혈조혈모세포이식, 제대혈조혈모세포이식이 있다.

치료 map p.90

8 백혈병

백혈병

병태생리 map

백혈병이란 골수에서 조혈세포가 종양화되어 말초혈액 속에 출현하는 질환의 총칭이다.

- 조혈 장소인 골수에는 조혈모세포라 불리는 미분화된 세포가 존재하고, 이것이 모든 혈구성분 (백혈구, 적혈구, 혈소판) 으로 분화된다. 조혈세포가 종양화된 것이 백혈병이며, 그 대부분이 백혈구계 종양이다. 드물게 적혈구계나 혈소판계 종양도 존재하지만, 총칭하여 백혈병이라고 한다.
- 종양세포의 성숙이 정지된 결과 유약아구가 증식되는 경우를 급성백혈병, 종양세포가 성숙경향을 유지하면서 증식되는 경우를 만성백혈병이라고 한다. 급성, 만성이라는 말이 반드시 임상경과를 가리키는 것은 아니다.
- 종양세포의 기원에 따라서 골수성백혈병과 림프성백혈병으로 분류된다.
- 골수가 종양세포로 치환되어 조혈작용이 저해되면서 정상 백혈구의 감소로 인한 감염위험 증가, 적혈구 감소로 인한 빈혈증상, 혈소판감소로 인한 출혈증상을 나타낸다.
- 종양세포가 피부, 치은, 간, 비장, 림프절, 수막 등의 장기로 침윤되기도 한다.

병인·악화인자

- 백혈병 중 일부는 방사선피폭, 항암제 등의 약제투여, HTLV-Ⅰ이나 EBV 등의 바이러스감염이 원인이 될 수 있지만, 대부분의 증례에서는 후천적 유전자변이에 의해서 암유전자가 활성화되거나, 암억제유전자가 불활성화되는 것이 종양화의 원인이다.
- 백혈병에서는 특히 염색체의 전좌(轉座)가 종종 보이고, 전좌형에 따라서 증상이나 예후가 결정된다. 또 치료법도 각각 다르다.

역학·예후

- 소아에서 노년까지 폭넓게 분포한다.
- 소아에게는 급성림프성백혈병 (ALL)이 많고, 성인에게는 급성골수성백혈병 (AML)이 많다.
- 예후는 병형이나 연령에 따라서 크게 다르다.

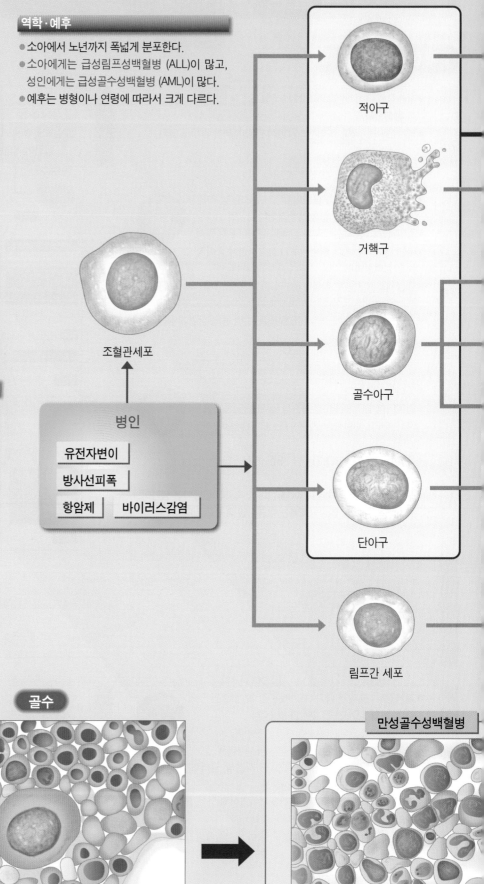

병인

유전자변이
방사선피폭
항암제   바이러스감염

조혈관세포

적아구

거핵구

골수아구

단아구

림프간 세포

골수

만성골수성백혈병

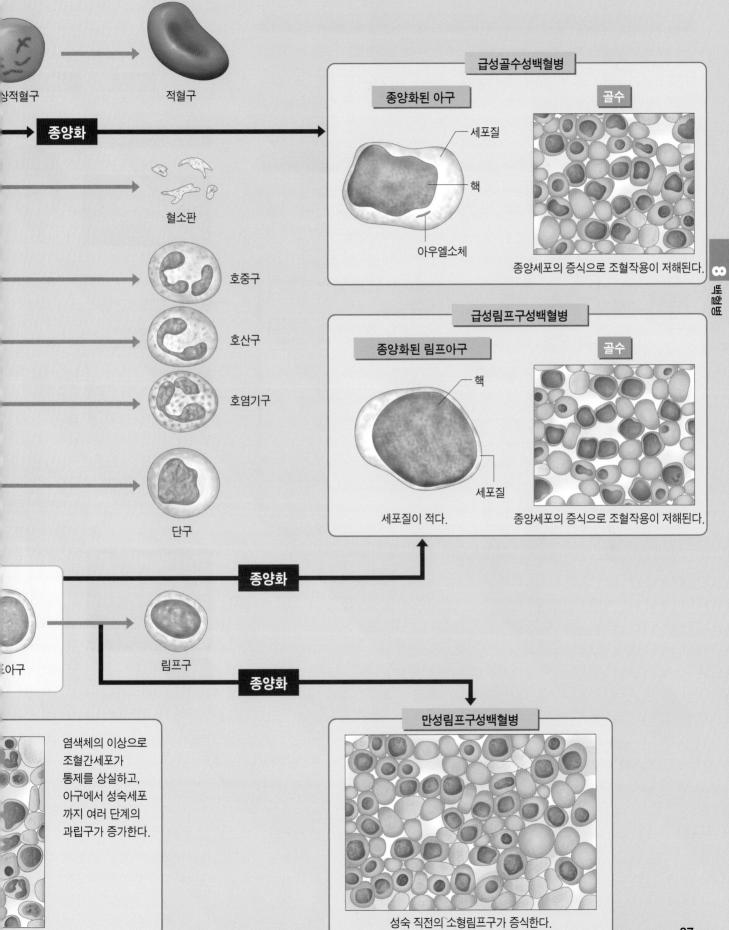

이상적혈구

적혈구

종양화

혈소판

호중구

호산구

호염기구

단구

림프구

급성골수성백혈병

종양화된 아구

세포질

핵

아우엘소체

골수

종양세포의 증식으로 조혈작용이 저해된다.

급성림프구성백혈병

종양화된 림프아구

핵

세포질

세포질이 적다.

골수

종양세포의 증식으로 조혈작용이 저해된다.

염색체의 이상으로
조혈간세포가
통제를 상실하고,
아구에서 성숙세포
까지 여러 단계의
과립구가 증가한다.

만성림프구성백혈병

성숙 직전의 소형림프구가 증식한다.

증상 map

특이증상이 없다.

증상

● 빈혈로 인한 심계항진, 호흡곤란, 권태감, 백혈구 감소로 인한 폐렴 등의 감염증의 합병, 혈소판 감소에 의한 치은출혈, 비출혈, 피하출혈 등의 출혈증상을 나타낸다.
● 종양세포의 침윤으로, 간비종, 발진, 치은종창, 림프절종창 등이 나타나기도 한다.
● 급성형에서는 몇 주간~몇 개월 만에 증상이 급속히 진행되어 생명이 위험에 빠지지만, 만성형에서는 일년여에 걸쳐서 무증상인 경우도 있다.

합병증

● 감염증과 출혈이 가장 중대한 합병증이다. 백혈병 환자의 직접사인의 대부분은 폐렴·패혈증 등의 감염증이나 출혈, 특히 두개내출혈 (뇌출혈, 지주막하출혈)이다. 이 합병증을 어떻게 예방하고, 관리해 가는지가 치료상 매우 중요하다.

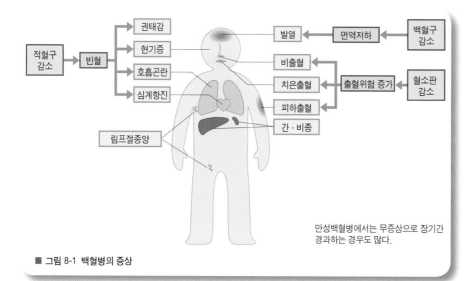

■ 그림 8-1 백혈병의 증상

만성백혈병에서는 무증상으로 장기간 경과하는 경우도 많다.

증상　　합병증

뇌출혈, 지주막하출혈

출혈위험 증가
(치은출혈 · 비출혈)
빈혈로 인한 호흡곤란
치은종창

폐렴

빈혈로 인한 심계항진

간비종

발열 (감염위험 증가)
빈혈로 인한 권태감
출혈위험 증가 (피하출혈)
림프절종창
발진

패혈증

진단 map

일반혈액검사에서 백혈구, 적혈구, 혈소판의 수치가 이상하다면 본증을 의심하고, 골수검사로 진단을 확정한다.

진단 **치료**

- 골수검사
- 혈액검사
- 화학요법
  동종조혈간
  세포이식요법
- 대증요법

진단·검사치

- 백혈구, 적혈구, 혈소판의 수치 이상이 진단의 계기가 되는 경우가 많다. 백혈구수가 항상 증가상태이지는 않고, 정상~낮은 수치인 경우도 있다. 진단에는 골수천자가 필수이다.
- 채취한 골수액은 라이트염색에 의한 형태분석, 페르옥시다아제 (MPO)나 에스테라아제 등의 효소염색, 모노클로널항체를 이용한 표면표지자분석, 염색체분석, 유전자분석 등이 행해진다. 이것으로 백혈병의 최종진단, 병형분류, 치료법이 결정된다.
- 일반혈액검사에서는 특이한 것은 없지만, 종종 유산탈수소효소 (LDH)가 높은 수치로 나타나 병세를 반영한다. 파종성혈관내응고 (DIC)를 합병하는 예에서는 PT연장, APTT연장, 피브리노겐의 저하나 피브리노겐분해산물 (FDP)의 상승이 보인다.
- 만성골수성백혈병 (CML)
- 말초혈에서의 백혈구 증가 (호중구 증가, 호염기구 증가), 혈소판 증가
- 호중구 알칼리포스파타아제 낮은 수치, 비타민B_{12} 높은 수치
- 필라델피아염색체 양성, BCR/ABL 융합유전자 양성 (FISH법, PCR법)
- 만성기는 무증상인 경우가 많지만, 자주 비종(splenomegaly)이 보이기도 한다.
- 만성림프성백혈병 (CLL)
- 말초혈에서 백혈구 증가 (소형 성숙림프구 증가), 림프절종대, 비종이 보인다.
- 대부분은 B세포성으로 CD5$^+$, CD19$^+$ 일부가 T세포성이고, 자주 자가면역성용혈성빈혈이 합병되며 쿰스테스트 결과가 양성이다.

■ 표 8-1 급성백혈병의 FAB분류

병형		형태	MPO양성률	염색체	기타
AML	M0	미분화형, MPO 음성	<3%		세포내 MPO 양성 CD13$^+$, CD33$^+$
	M1	미분화형, MPO 양성			CD13$^+$, CD33$^+$
	M2	분화형	≥3%	t (8 : 21)	예후양호
	M3	전골수구성 (APL)		t (15 : 17)	DIC를 합병, 예후양호
	M4	골수단구성			inv (16)는 예후양호, 리조팀 높은 수치, 치은종창, 피부침윤
	M5	단구성			
	M6	적백혈병			골수중 적아구 ≥ 50%, PAS$^+$
	M7	거핵아구성	<3%		혈소판 MPO$^+$, CD41/42$^+$, 골수섬유화
ALL	L1	소세포, 균일	<3%	때로 t (9 : 22)	CD10$^+$, 19$^+$ 등
	L2	대세포, 불균일			
	L3	Burkitt형		t (8 : 14)	SmIg$^+$

(AML : 급성골수성백혈병, ALL : 급성림프구성백혈병)

Key word

- 호중구알칼리성포스파타아제 (neutrophil alkaline phosphatase)

백혈구, 특히 호중구에 존재하는 효소이다. 이 효소는 포스파솜이라 불리는 소기관에 국재하고, 만성골수성백혈병과 그 밖의 질환 (유사백혈병반응, 진성적혈구증가증)의 감별에 이용된다. 전자에서는 낮은 수치, 후자에서는 높은 수치를 나타낸다.

- 필라델피아염색체 (Philadelphia chromosome)

필라델피아염색체 (Ph염색체)는 제9염색체와 제22염색체의 상호전좌에 의해서 생긴 짧은 이상 제22염색체이다. 이 염색체이상은 만성골수성백혈병의 90% 이상에서 나타난다.

- BCR/ABL 융합유전자

필라델피아염색체에 의해서 ABL유전자와 BCR유전자가 BCR/ABL의 융합유전를 형성하는데, 이에 관해서는 p.210 또는 p.190의 이상융합단백질 부분을 참조하면 된다.

치료 map

원칙적으로 화학요법을 시행한다.

치료방침

- 전신성 질환이므로, 화학요법이 원칙적으로 시행된다. 난치례에서는 동종조혈모세포이식요법 (골수이식, 말초혈조혈모세포이식, 제대혈조혈모세포이식)이 고려된다.
- 한편, 병형에 따라서 적극적인 치료는 하지 않고, 대증요법만으로 경과관찰하는 경우도 있다.
- 급성백혈병에서는 강력한 화학요법이 신속히 필요하므로, 입원하에 치료한다.

Key word

- 분자표적치료제 (molecular target agent)

정상세포에 작용하는 종래형 항암성종양제와는 달리, 종양세포에 특이하게 발현하는 분자를 타겟으로 하여 개발된 의약품을 말하는데, 오늘날은 악성종양 이외의 질환인 경우에도 그에 관여하는 유전자 및 유전자산물을 표적으로 하여 특이하게 작용하는 약제의 총칭으로 사용하게 되었다.

■ 표 8-2 백혈병의 주요치료제

분류		일반명	주요 상품명	약효발현의 메커니즘	주요 부작용
항암제	대사길항제	시타라빈	Cylocide	DNA합성저해	오심, 구토, 골수억제
	항생물질항암제	이다루비신염산염	Idamycin		오심, 구토, 골수억제, 심근장애 (심부전, 부정맥), 탈모
		다우노루비신염산염	다우노마이신		
	알킬화제	시클로포스파미드	엔독산		오심, 구토, 골수억제, 탈모
	알칼로이드계	빈크리스틴염산염	Oncovin	세포분열저해	손발의 저림, 마비성일레우스
	분자표적치료제	이마티닙메실산염	Glyvec	티로신키나아제저해에 의한 증식억제, 아포토시스유도	부종, 오심·구토, 발진
	기타	트레티노인	베사노이드	종양세포의 분화유도, 아포토시스유도	중성지방상승, 간장애, 피부염, ATRA 증후군 (발열, 호흡곤란, 흉수)
부신피질호르몬제		프레드니솔론	Predonine	종양세포 (림프구)의 아포토시스유도	위궤양, 당뇨병, 고혈압, 감염위험 증가, 달덩이얼굴

약물요법

- 우선 골수 속의 종양세포를 5% 이하로 감소시키고 말초혈 소견을 정상화시키기 위해서 완화도입요법을 실시한다. 다음에 잔존하는 백혈병세포를 근절하고 치유하기 위해서 완화후요법 (준비요법 및 유지요법)을 시행한다.
- 급성골수성백혈병에서는 시타라빈 (Ara-C, Cylocide)과 이다루비신염산염 (IDR, Idamycin) 이나 다우노루비신염산염 (DNR, 다우노마이신)의 병용이 흔히 이용된다. 급성전골수구성백혈병 (APL)에서는 트레티노인 (ATRA, 베사노이드)이 유효하다.
- 급성림프성백혈병에는 시클로포스파미드 (CPA, 엔독산), 다우노루비신염산염이나 아드리아마이신 (ADR, Adriacin), 빈크리스틴유산염 (VCR, Oncovin), L-아스파라기나제 (L-ASP, 로이나제), 프레드니솔론 (PSL, Predonine) 등을 사용한다.
- 만성백혈병은 외래에서 경구제를 이용하여 치료한다.
- 만성골수성백혈병에는 이마티닙메실산염 (Glyvec)이 제1선택이며, 대부분의 예에서 장기생존이 가능해지고 있다.
- 만성림프성백혈병은 치료하지 않아도 장기생존하는 예가 많다. 진행례에는 시클로포스파미드 등의 알킬화제를 투여하여 병세를 관리하지만, 치유는 어렵다.
- 어느 병형, 치료법에서나 감염증, 빈혈, 출혈경향에 대한 지지요법이 중요하다. 폐렴 등의 감염증이 합병될 때에는 신속히 항생물질을 투여한다. 또 일반적으로 헤모글로빈치 7g/dL 이상, 혈소판수 (1만~) 2만/μL 이상을 유지하도록 적혈구나 혈소판을 수혈한다. 강력한 화학요법이나 골수이식요법 시행시에는 무균실에서의 관리가 필요하다.

Px 처방례 AML의 완화도입요법 (IDR/Ara-C요법)
- Cylocide 100mg/m^2+생리식염수 500mL 24시간 걸려서 점적, 7일간 ←대사길항제
- Idamycin 12mg/m^2+생리식염수 500mL 30분 걸려서 점적, 3일간 ← 항생물질항암제

Px 처방례 AML의 준비요법 (Ara-C 대량요법)
- Cylocide 2,000mg/m^2+5% 포도당액 300mL 3시간 걸려서 점적, 12시간마다 5일간 ←대사길항제

Px 처방례 APL의 완화도입요법
- 베사노이드캅셀(10mg) 6캅셀 分2 (혈액학적 완화 또는 90일까지) ←그 밖의 항암제
- Idamycin 12mg/m^2+생리식염수 50mL 30분 걸쳐서 점적, 2, 4, 6, 8일째 ←항생물질항암제

Px 처방례 ALL의 완화도입요법
- 베사노이드캅셀 (10mg) 6갭셀 分2 (혈액학적 완화 또는 90일까지) ←알킬화제
- 다우노마이신 45mg/m^2+생리식염수 20mL 정주, 1, 2, 3일째 ←항생물질항암제
- Oncovin 2mg+생리식염수20mL 정주 1, 8, 15, 22일째 ←알칼로이드계
- Predonine정 60mg/m^2 경구 1~21일째 ←부신피질호르몬제
- 로이나제 6,000단위/m^2 근주 또는 4시간 걸려서 점적 5, 8, 11, 15, 18, 22일째 ←기타 항암제

Px 처방례 CML
- Glyvec캅셀(100mg) 4캅셀 分1 (조식후) ←분자표적치료제

Px 처방례 CLL
- 엔독산정(50mg) 1~4정 分1 (조식후) ←알킬화제

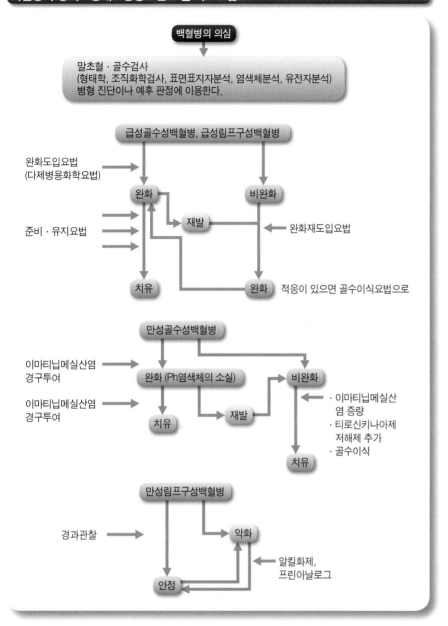

백혈병의 의심

말초혈 · 골수검사
(형태학, 조직화학검사, 표면표지자분석, 염색체분석, 유전자분석)
병형 진단이나 예후 판정에 이용한다.

급성골수성백혈병, 급성림프구성백혈병

완화도입요법
(다제병용화학요법)

완화   비완화

준비 · 유지요법

재발   완화재도입요법

치유   완화   적응이 있으면 골수이식요법으로

만성골수성백혈병

이마티닙메실산염
경구투여

완화 (Ph염색체의 소실)   비완화

이마티닙메실산염
경구투여

치유   재발

· 이마티닙메실산
염 증량
· 티로신키나아제
저해제 추가
· 골수이식

치유

만성림프구성백혈병

경과관찰   악화

알킬화제,
프린아날로그

안정

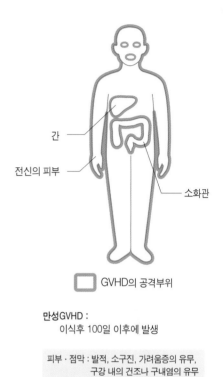

간

전신의 피부

소화관

☐ GVHD의 공격부위

만성GVHD :
　이식후 100일 이후에 발생

피부 · 점막 : 발적, 소구진, 가려움증의 유무,
　　　　　　구강 내의 건조나 구내염의 유무
눈의 건조 · 동통의 유무

급성GVHD :
　이식후 100일 내에 발생

피부 : 발적, 소구진, 가려움증의 유무, 중증화
　　　되면 수포형성, 표피탈락이 나타남
소화관 : 변의 성상 · 양

■ 그림 8-3 GVHD의 관찰포인트

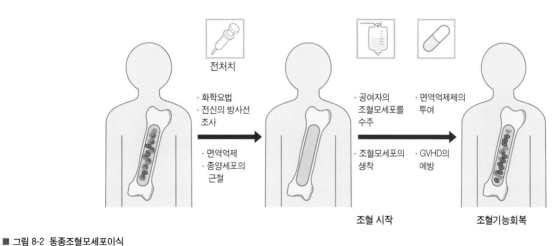

전처치

· 화학요법
· 전신의 방사선
　조사

· 면역억제
· 종양세포의
　근절

· 공여자의
　조혈모세포를
　수주

· 조혈모세포의
　생착

· 면역억제제의
　투여

· GVHD의
　예방

조혈 시작   조혈기능회복

■ 그림 8-2 동종조혈모세포이식

(三木 徹)

화학요법 시행기 및 골수억제기에는 감염·출혈·빈혈의 예방과 조기발견·대처가 중요하다. 장기간에 걸친 화학요법을 극복해 가기 위해서는 환자 자신의 주체적인 셀프케어가 필수적이다. 증상관리 뿐 아니라 환자교육, 정신적 케어도 중요하다.

병기·병태·중증도에 따른 케어

백혈병은 정상 조혈세포의 생산에 장애가 생겨서 골수를 비롯한 전신에 백혈병세포가 침윤되는 질환이다. 치료는 화학요법이 주체가 되지만, 적응조건을 충족시키면 조혈모세포이식이 행해지기도 한다.

【급성기】화학요법 시행기 및 골수억제기는 전신상태가 변화되기 쉬워서, 중증 감염, 출혈로 생명이 위험해지기도 한다. 그 때문에, 특히 감염, 출혈, 빈혈의 예방, 조기발견, 대처가 중요하다. 여러 가지 고통증상의 출현에 수반하여 불안도 증강하므로, 증상을 관리함과 동시에 정신적 케어도 중요하다.

【만성기】화학요법에 의한 골수억제로부터 회복하여, 다음 치료를 위해서 몸 상태를 관리하는 시기이다. 화학요법에 대한 셀프케어를 강화하기 위해서, 환자의 상황에 맞춘 교육적 관계가 요구된다.

【회복기】외래에서 통원하는 시기이다. 사회생활에 서서히 적응할 수 있도록 지지한다.

【말기】화학요법의 효과가 부족하고 치유가 어려운 경우이기에 고통증상의 완화, 환자·가족의 정신적 케어가 중요하다.

케어의 포인트

화학요법에 대한 지지
- 화학요법 시행시에는 약물의 종류, 양, 시간, 스케줄 등에, 실수가 없도록 의사, 간호사에게 확인하고 실시한다.
- 사용하는 약물에서 발생할 수 있는 부작용의 출현시기, 종류를 예측하여 예방, 조기발견, 대처할 수 있도록 한다.
- 특히 감염예방, 출혈, 빈혈시의 대처가 중요하며, 데이터를 파악하고, 감염, 출혈하기 쉬운 부위나 증상, 빈혈증상의 정도를 확인한다.
- 골수억제기에 낙상하면 뇌출혈 등으로 치명적인 상태가 될 가능성이 있으므로 낙상예방이 중요하다.
- 사용하는 항암제로 인해서 오심, 구내염, 설사 등 여러 가지 고통증상이 따르므로, 증상완화를 도모한다.
- 탈모로 신체상이 변화되므로, 환자의 기분을 배려하면서, 용모보정의 방법 등을 설명하여 대처할 수 있도록 한다.

셀프케어에 대한 지지
- 장기간에 걸친 화학요법을 안전하게 극복해 가기 위해서는 환자 자신의 주체적인 셀프케어가 불가결하므로, 화학요법에 수반하는 셀프케어의 필요성을 이해하도록 환자를 교육한다.
- 감염될 경우 치료가 중단될 뿐 아니라 고통증상도 출현하므로, 감염예방이 중요하다.
- 환자의 이해도에 맞추어, 혈액데이터를 보는 법이나 의미를 설명하여 골수억제의 정도를 파악할 수 있도록 한다.
- 환자 자신이 감염, 출혈징후나 빈혈증상에 관하여 조기발견하고, 의료자에게 보고할 수 있도록 한다.
- 환자의 자기관리가 가능한 경우는 그것을 확인하고, 또한 계속할 수 있도록 지지한다.

환자·가족의 심리·사회적 문제에 대한 지지
- 질환, 치료에 어떤 인식을 가지고 있는가 확인한다.
- 환자·가족에게 질환, 치료, 셀프케어에 관하여 알기 쉽게 설명하고, 불안을 경감할 수 있도록 한다.
- 치료가 장기에 걸치므로, 치료상황에 따라서 감정상태가 변하기 쉬운 점을 이해하게 한다.
- 특히 첫 회 치료시, 재발시, 치료효과가 부족한 상황이 되었을 때에는 정신적으로 불안정해지기 쉬우므로, 신뢰관계형성에 노력하여 불안을 경청할 수 있도록 한다.
- 조혈모세포이식을 선택하는 경우나 치료효과가 부족해진 경우, 환자 스스로가 납득한 상태로 치료를 선택할 수 있도록 지도한다.
- 가족·직장 내에서의 역할을 충분히 수행할 수 없어서 갈등이 생기기 쉽다. 가족 내에서의 역할조정을 돕고, 필요하면 사회사업가에게 의뢰한다.
- 환자모임 등의 사회자원을 소개한다.
- 임신을 원할 경우에는 치료상황을 보면서 전문가에게 상담할 기회를 만든다.

퇴원지도·요양지도

- 정기적인 외래진찰을 받도록 지도한다.
- 발열 등의 감염증상, 출혈 등의 증상이 나타나면 진찰받도록 한다.
- 외래에서 화학요법이 시행되는 경우는 특히 감염예방, 출혈예방, 빈혈시 대처 등의 셀프케어를 계속할 수 있도록 설명한다.
- 지시받은 복용을 지키도록 지도한다.
- 가사나 일은 처음에는 체력에 맞추어, 무리하지 않게 하도록 지도한다.
- 성생활은 특별한 제한은 없지만, 감염에 주의하도록 설명한다.

(高橋奈津子)

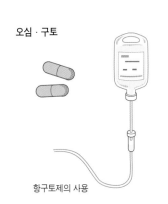

오심 · 구토

항구토제의 사용

감염

마스크를 한다. 손씻기 · 양치질을 한다.
사람이 많은 곳을 피한다.

탈모

모자나 가발을 사용한다.

■ 그림 8-4 화학요법의 주요 부작용 대책

악성림프종 (malignant lymphoma)

福田哲也/片岡 純

전체 map

병인

- 대부분은 원인불명이다.
- EB바이러스, HTLV-I 바이러스, 세균 등이 관여하는 경우도 있다.
[악화인자] 만성염증, 면역부전

역학

- 발생빈도는 10만명당 10~12명이다.
- 악성림프종의 90%가 비호지킨림프종이다.
[예후] 호지킨림프종의 3/4는 치유 가능하고, 비호지킨림프종은 병형에 따라서 다르다.

병태생리

- 림프구가 종양화된 혈액암으로, 하나의 세포에서 유래한 림프구가 모노클로널(monoclonal)로 증식한다.
- 림프구는 전신을 순환하므로, 악성림프종은 전신의 어느 부위에서나 발생할 수 있다.
- 악성림프종은 호지킨림프종 (호지킨병)과 비호지킨림프종으로 분류되며, 비호지킨림프종에는 B세포성과 T/NK세포성이 있다.

병태생리
map
p.94

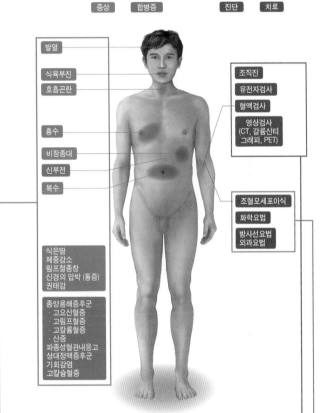

증상 / 합병증 / 진단 / 치료

- 발열
- 식욕부진
- 호흡곤란
- 흉수
- 비장종대
- 신부전
- 복수

- 조직진
- 유전자검사
- 혈액검사
- 영상검사 (CT, 갈륨신티 그래피, PET)

- 조혈모세포이식
- 화학요법
- 방사선요법
- 외과요법

식은땀
체중감소
림프절종창
신경의 압박 (통증)
권태감

종양용해증후군
· 고요산혈증
· 고림프혈증
· 고칼륨혈증
· 산증
파종성혈관내응고
상대정맥증후군
기회감염
고칼슘혈증

증상

- 무통성림프절·장기의 부종이 초발증상이지만, 통증을 수반하는 경우도 있다.
- 흉수·복수를 수반하고, 호흡곤란, 장기침윤으로 인한 증상을 나타내기도 한다.
- 전신증상 (발열, 식은땀, 체중감소)을 초래하기도 한다(Ann Arbor분류의 B증상).
[합병증]
- 버킷림프종 등에서는 종양용해증후군(tumor lysis syndrome)이 합병되기도 한다.
- 병형과 병기에 따라서 파종성혈관내응고 (DIC), 상대정맥증후군(superior vena cava syndrome), 기회감염(opportunistic infection), 고칼슘혈증이 나타날 수 있다.

증상
map
p.96

진단

- 조직진단 : 정확한 진단과 병형분류에는 림프절생검 등에 의한 조직진단이 필요하다.
- 세포표면항원의 검출, 염색체검사, 유전자검사도 진단에 중요하다.
- 혈액검사 : 혈청 LDH·sIL-2R 상승을 확인한다.
- 영상검사 (CT, 갈륨신티, PET) : 전신의 림프종 범위를 검출한다.
- 뇌척수액검사 : 요추천자로 림프종의 침윤 유무를 확인한다.
- 골수검사 : 골수천자 및 골수생검으로, 림프종의 골수침윤의 유무를 확인한다.
- 비호지킨림프종은 저·중·고악성도로 분류한다.
- 병기분류에는 Ann Arbor분류를 사용한다.

진단
map
p.97

치료

- 치료방침은 병형과 병기에 따라서 달라진다.
- 약물요법 (화학요법) : 병용요법이 일반적이다. 호지킨림프종은 ABVD요법 (독소루비신염산염＋블레오마이신염산염＋빈블라스틴유산염＋다카르바진)을, 비호지킨림프종은 CHOP요법 (시클로포스파미드＋독소루비신염산염＋빈크리스틴유산염＋프레드니솔론) 등을 적용한다.
- 방사선요법 : 저악성도 증례에는 단독적용되고, 국한기 증례는 화학요법과 병용한다.
- 외과요법 : 대부분은 근치적 치료법으로 이용되지 않는다.
- 조혈모세포이식 : 재발례나 난치례에 자가말초혈조혈모세포이식이 행해진다.

치료
map
p.98

병태생리 map

악성림프종은 림프구가 종양화된 혈액암이다.

- 림프구는 여러 외래물질 (항원)과 반응하므로, 하나 하나의 세포가 각각 다른 항원인식분자 (면역글로불린이나 T세포수용체)를 가지고 있다. 통상, 바이러스감염 등으로 림프구가 활성화된 경우에는 자극에 따라서 많은 종류의 세포가 동시에 증가하지만 (다세포군), 악성림프종은 하나의 세포에서 유래한 림프구가 종양화되어 증식된 것이다(단세포군). 악성림프종세포가 생산하는 사이토카인 등의 작용으로 정상림프구의 다세포군 증식이나 염증세포의 활성화가 수반되어 발열 등의 증상이 초래된다.

- 림프구는 혈액, 림프관을 타고 흘러서 전신을 순환하며, 림프절, 편도, 비장 등의 2차림프조직에서 자극을 받아서, 분화·증식한다. 이 과정에서 염색체전좌 등의 유전자이상을 일으키면, 림프구가 종양화된다. 그 때문에 악성림프종은 전신의 어느 부위에서나 발생할 수 있다.

- 악성림프종은 호지킨림프종 (호지킨병)과 비호지킨림프종으로 크게 분류된다.

- 호지킨림프종(Hodgkin's lymphoma)은 대부분은 경흉부림프절에서 발생하여, 인접하는 림프절로 전파되는 성질이 있다.

- 비호지킨림프종(non-Hodgkin's lymphoma)은 뇌, 간, 소화관, 폐 등의 림프절 이외의 장기에서도 발생한다. 비호지킨림프종은 조직학적으로 30종류 정도로 분류되지만, 그 기원은 B세포성, T/NK세포성으로 나뉜다.

병인·악화인자

- 대부분의 악성림프종의 원인은 불분명하다.
- EB바이러스 (농흉 관련 림프종 등)나 HTLV-Ⅰ 바이러스 (성인T세포 백혈병/림프종) 등의 바이러스나 헬리코박터 파일로리 (위MALT림프종;gastric MALT lymphoma) 등이 발생에 관여하고 있는 것도 있다.

역학·예후

- 일본인의 발생빈도는 10만명당 10~12명이라고 생각되는데, 최근에는 증가경향에 있다.
- 서구에서는 호지킨림프종 (호지킨병)이 1/3을 차지하지만, 일본에서는 10% 정도이며, 다른 90%는 비호지킨림프종이다. 비호지킨림프종의 90% 정도가 B세포성이다.
- 호지킨림프종의 3/4은 치유 가능하다. 비호지킨림프종의 예후는 병형에 따라서 크게 다르다.
- 진행기 호지킨림프종의 예후인자에는 7가지 인자 (혈중 알부민 < 4g/dL, 헤모글로빈 < 10.5g/

dL, 남성, 임상병기Ⅳ, 연령이 45세 이상, 백혈구 ≥15,000/μL, 림프구수 < 600μL 또는 백혈구수의 8% 미만)가 있으며, 해당되는 인자의 수가 많을수록 예후가 나빠진다.

- 비호지킨림프종의 예후판정에는 국제예후지표 (international prognostic index ; IPI) 가 흔히 이용된다(표 9-1).

- 일반적으로 종양성은 모노클로널(monoclonal) 증식

- 반응성은 폴리클로널(polyclonal) 증식

악성림프종이란 림프구의 종양성 증식이다. 단, 종종 폴리클로널 증식을 수반한다.

■ 그림 9-1 종양성 증식과 반응성 증식

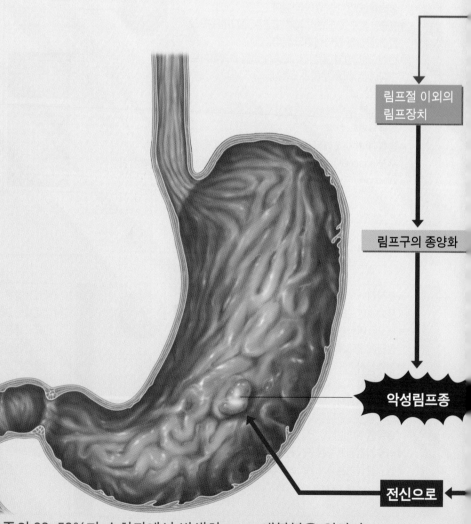

림프절 이외의 림프장치

림프구의 종양화

악성림프종

전신으로

림프절 이외에서 발생하는 절외성림프종의 30~50%가 소화관에서 발생하고, 그 대부분은 위이다.

림프절

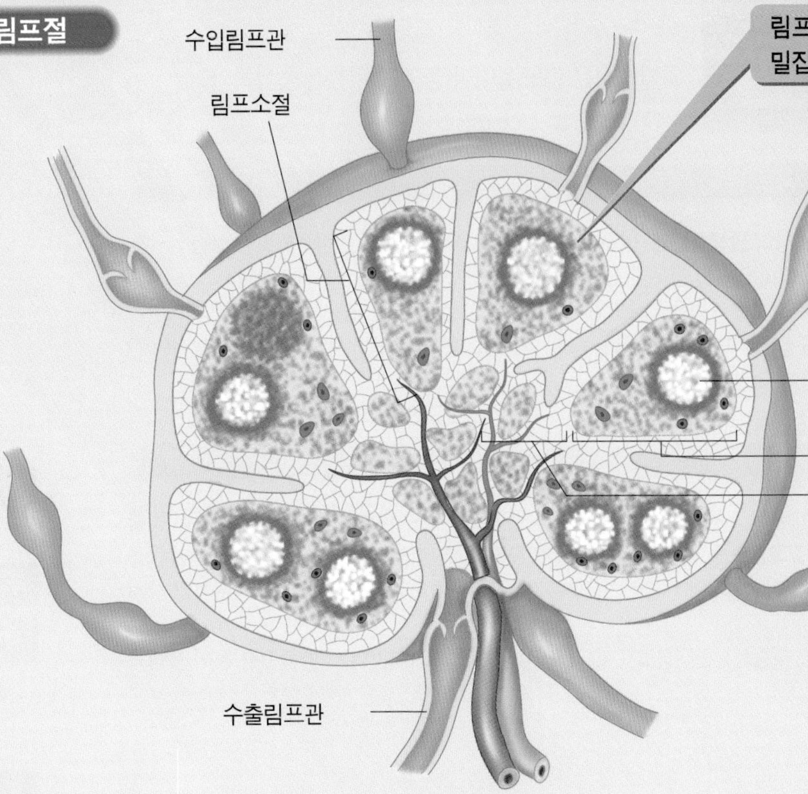

수입림프관

림프소절

림프절에는 림프구가 밀집되어 있다.

배중심

피질

수질

수출림프관

1~10 mm

악성림프종

병인

원인불명

EB바이러스 · HTLV-I 바이러스감염

헬리코박터 파일로리감염

호지킨림프종

리드-슈테른베르크세포의 출현

호지킨세포의 출현

섬유조직의 증식

발열

종양화된 림프구의 증식

정상 림프구의 증식 염증세포의 활성화

비호지킨림프종

종양화된 림프구

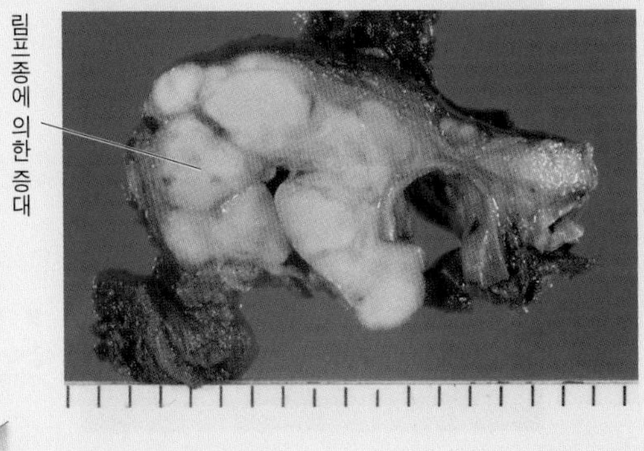

림프종에 의한 증대

95

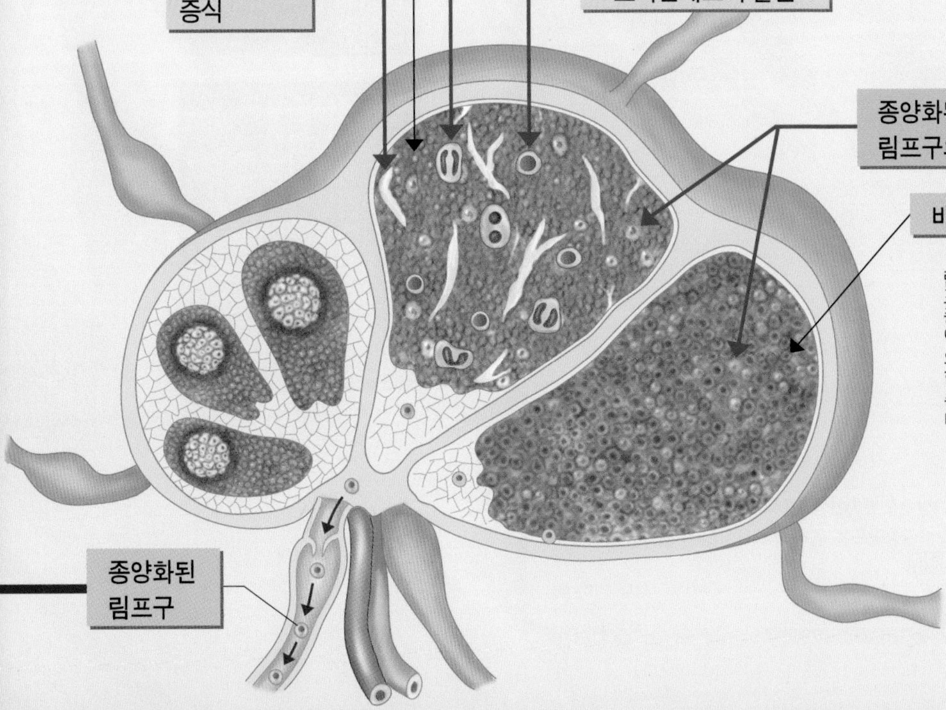

증상

● 림프절이나 장기의 종창이 발생하는데, 이것이 초발증상인 경우가 많다. 일반적으로 무통성이지만, 신경을 압박하거나 종창이 급속인 경우에는 통증을 수반한다.

● 흉수나 복수를 수반하고, 호흡곤란을 일으키거나, 장기침윤으로 인한 증상을 나타내기도 한다.

● Ann Arbor분류의 B증상 (표 9-3)이라고 한다. 발열, 식은땀, 체중감소 등이나 권태감, 식욕부진의 전신증상을 초래하는 경우도 있다.

합병증

● 버킷림프종 등 증식이 빠르고 동시에 세포사가 흔히 일어나고 있는 종양에서는 종양세포에서 방출되는 물질에 의해서 고요산혈증, 고인산혈증 등을 일으키며, 신부전을 유발하는 종양용해증후군을 일으키기도 한다. 특히 치료시작과 더불어 현저해지며, 고칼륨혈증이나 산증 등으로 치명적인 상태가 되는 경우도 있다.

● 병형·병기에 따라서, 파종성혈관내응고 (DIC), 상대정맥증후군, 기회감염, 고칼슘혈증 등이 합병되기도 한다.

| 증상 | 합병증 |

발열

식욕부진

호흡곤란

흉수

비장종대

신부전

복수

식은땀
체중감소
림프절종창
신경의 압박 (통증)
권태감

종양용해증후군
· 고요산혈증
· 고림프혈증
· 고칼륨혈증
· 산증
파종성혈관내응고
상대정맥증후군
기회감염
고칼슘혈증

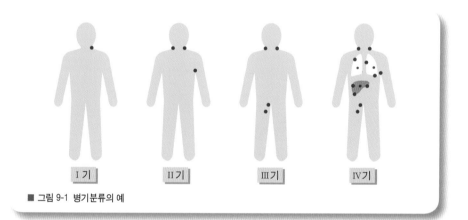

I 기   II 기   III기   IV기

■ 그림 9-1 병기분류의 예

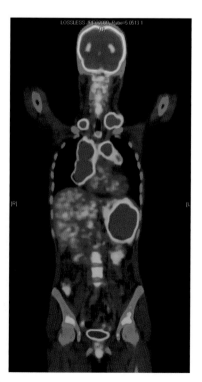

■ 그림 9-2 호지킨림프종의 FDG-PET/CT의 일례
양측 쇄골상림프절, 종격, 비장에서 강한 집적이 확인된다.

(임상병기 III)

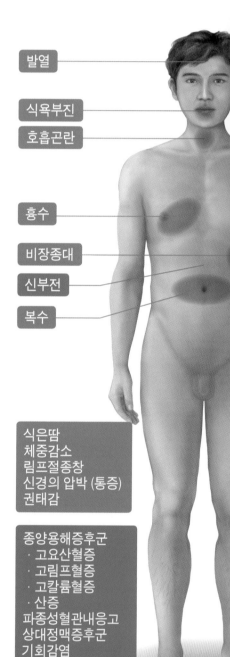

림프절생검 등에 의한 조직진단이 정확한 진단, 병형분류에 필요하다.

진단   치료

- 조직진
- 유전자검사
- 혈액검사
- 영상검사 (CT, 갈륨신티 그래피, PET)
- 조혈모세포이식
- 화학요법
- 방사선요법 외과요법

진단·검사치

- 세포진단으로는 정상 림프구, 특히 활성화된 림프구와 림프종세포의 구별이 어려운 경우가 많다. 또 치료방침을 결정하기 위해서도 림프절생검 등으로 정확한 조직형의 결정이 필요하다.
- Flow cytometry에 의한 세포표면항원의 검출이나 염색체검사, FISH법이나 서던블롯법(southern blot))에 의한 유전자검사 등은 종종 진단에 중요한 소견을 보여준다.
- 비호지킨림프종에서는 그 진행성에 따라서, 연단위로 병상이 진행되는 저악성도군 [indolent lymphoma], 월단위로 진행되는 중악성도군 [aggressive lymphoma], 즉시 치료의 개시가 필요한 고악성도군 (very aggressive)으로 나뉜다 (표 9-2).
- 저악성도인 것도 경과 중에 악성도가 높은 타입으로 변화되는 경우가 있다(형질전환).
- 병기는 표 9-3에 나타낸 Ann Arbor분류가 널리 사용되고 있으며, B증상이 없을 때는 A, 있을 때는 B를 붙여서, 임상병기 (CS)ⅡA 등으로 기술한다.
- 검사치
- 혈청 LDH의 상승, 가용성 인터루킨2 (sIL-2R) 수용체의 상승을 나타내는 경우가 많으며, 치료효과의 판정에도 보조가 된다. CRP나 β_2-마이크로글로불린의 상승이 보이기도 한다.
- CT, 갈륨신티그래피, PET (FDG-PET) 등이 영상검사에서 전신의 림프절, 장기에 대한 림프종의 확대를 검색한다. 더불어 골수천자, 요추천자 (뇌척수액검사)로 림프종의 침윤 유무를 확인하고, 병기를 결정한다.

■ 표 9-1 국제예후지표 (IPI)

① 임상병기	Ⅲ 또는 Ⅳ
② LDH	정상치보다 높은 수치
③ performance status	2 이상 (일상생활에서 도움을 요한다, 낮에 와상이 필요)
④ 림프절 이외의 병변	2가지 이상
⑤ 연령	61세 이상

①~⑤의 해당 항목 수에서 예후 위험도를 판정			60세 이하는 ①~③의 항목수로 판정		
항목수	위험도	5년생존율*	항목수	위험도	5년생존율*
0, 0	저 (L)	73%	0	저 (L)	83%
2	저중 (LI)	51%	1	저중 (LI)	69%
3	고중 (HI)	43%	2	고중 (HI)	46%
4, 5	고 (H)	26%	3	고 (H)	32%

* 5년생존율은 1993년 시점에서의 미만성대세포형에 해당되므로 병형에 따라서 크게 다르며, 현재는 표보다 생존율이 높다고 생각된다.

■ 표 9-1 비호지킨림프종의 악성도 분류

	병세	증상	대표적인 병형
저악성도	연단위로 진행	없는 경우가 많다.	여포성림프종, MALT (점막 관련 림프조직형) 림프종
중악성도	월단위로 진행	때로 수반한다.	미만성대세포형 B세포림프종
고악성도	주단위로 진행	있는 경우가 많다.	버킷림프종 림프아구형림프종

■ 표 9-3 Ann Arbor분류에 의한 병기

Ⅰ기	하나의 림프절영역 또는 림프절외병변 예 : 우경부에 2개가 이어진 림프절이 종창되어 있다.
Ⅱ기	횡격막을 사이에 두지 않은 2영역 이상의 병변 예 : 양경부, 우액와림프절이 종창되어 있다.
Ⅲ기	횡격막의 상하에 걸친 병변 예 : 경부, 액와 및 서경림프절이 종창되어 있다.
Ⅳ기	림프조직 이외에 대한 미만성 내지 파종성병변 예 : 간이나 폐의 다발결절영, 골수, 복수, 흉수 중에 림프종세포를 검출한다.

B증상
반년 사이에 10% 이상의 체중감소, 38℃ 이상의 발열, 식은땀 (잠옷을 갈아입어야 할 정도)
10cm가 넘는 거대한 종괴를 수반할 때는 ×. 림프절 외의 병변을 수반할 때는 E를 부가한다(예 : CS ⅡBX).

9 악성림프종

악성림프종의 병형과 병기에 따라서 치료방침이 달라진다.

치료방침

- 악성림프종은 CT 등에서 국한된 병변으로 다른 병변이 확실하지 않아도, 조기에 전신성으로 확대되는 경향이 강하다. 그 때문에 항암제를 조합한 약물요법이 치료의 주체가 되며, 경우에 따라서는 국소 부위의 관리에 뛰어난 방사선요법을 이용한다.
- 악성림프종의 병형에 따라서 치료법이 다르며, 국한기 (임상병기 Ⅰ, Ⅱ기)인지 진행기 (임상병기 Ⅲ, Ⅳ기)인지에 따라서 치료법의 선택도 다르다.

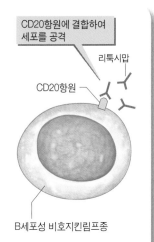

CD20항원에 결합하여 세포를 공격

리툭시맙

CD20항원

B세포성 비호지킨림프종

■ 그림 9-3 리툭시맙의 약리작용

■ 표 9-4 악성림프종의 주요치료제

분류	일반명	주요 상품명	약효발현의 메커니즘	주요 부작용
항생물질항암제	독소루비신염산염	Adriacin	DNA, RNA의 생합성을 억제	심독성
	블레오마이신염산염	Bleo	DNA합성저해, DNA사슬절단작용	알레르기, 간질성폐렴
알칼로이드계 항암제	빈블라스틴유산염	Exal	마이크로튜브기능장애로 인해 유사분열이 중기에서 정지	신경장애, 변비
	빈크리스틴유산염	Oncovin		
알킬화제	다카르바진	다카르바진	알킬화작용으로 항종양효과를 발현	혈관통, 오심
	시클로포스파미드	엔독산	악성종양세포의 핵산대사를 저해	출혈성방광염
부신피질 호르몬제	프레드니솔론	Predonine, Predohan, 프레드니솔론	항염증작용, 림프구의 세포사 유도	고혈당, 고혈압
분자표적치료제	리툭시맙	Rituxan	보체의존성·항체의존성 세포상해작용	저혈압, 혈관부종, 기관지경련

화학요법

- 몇 가지 약제를 조합하여 사용하는 것이 일반적이다.
- 각종 약제에 의한 부작용에 주의해야 하지만, 많은 경우 항암제로 인해 백혈구, 특히 호중구의 감소, 혈소판 감소 등의 골수억제가 일어난다. 항암제 투여 10~14일경에 현저해지는 경우가 많아서, 호중구 500/μL 이하에서는 특히 감염증의 합병에 유의해야 한다. 다음 회 항암제투여 예정일까지 혈구의 회복이 충분하지 않으면, 치료를 연기한다.
- 체중과 신장에서 체표면적 (m²)을 구하고, 그에 따라서 약제의 용량을 결정하는 경우가 많다.
- ABVD요법 (표 9-5) : 호지킨림프종에서는 ABVD요법 (독소루비신염산염＋블레오마이신염산염＋빈블라스틴유산염＋다카르바진)이 일반적이다.
- CHOP요법 (표 9-6) : 비호지킨림프종에서는 CHOP요법 (시클로포스파미드＋독소루비신염산염＋빈크리스틴유산염＋프레드니솔론)이 행해지는 경우가 많다.
- 리툭시맙 (Rituxan) : B세포성 비호지킨림프종의 대부분에서는 그 세포 표면에 CD20이라는 분자가 발현되어 있다. 이 CD20과 결합하는 항CD20 모노클로널항체가 리툭시맙이다. 본제 투여시에 빈발하게 나타나는 주입반응 (발열, 오한전율, 두통 등)을 경감시키기 위해 본제 투여 전에 항히스타민제, 해열진통제 등을 투여한다.
- R-CHOP요법 : 리툭시맙은 골수억제 등의 부작용이 적고, 그 상승효과로 인해 항암제와 병용하여 사용하는 경우가 많아서 CHOP요법과 조합한 R-CHOP요법이 표준치료법이 되고 있다. 리툭시맙은 CHOP요법 전, 같은 날, 후에 언제든 투여해도 되지만, 종양량이 많을 때는 종양용해증후군을 예방하기 위해 CHOP를 선행한다.

Px 처방례) ABVD요법
- Adriacin주 1회 25mg/m² 정주 제1, 15일 ←항생물질항암제
- Bleo주 1회 10mg/m² 점적정주 제1, 15일 ←항생물질항암제
- Exal주 1회 6mg/m² 정주 제1, 15일 ←알칼로이드계 항암제
- 다카르바진주 1회 375mg/m² 점적정주 제1, 15일 ←알킬화제
- ※28일 (4주) 1단위로 하고, 4주마다 반복한다.

Px 처방례) CHOP요법
- 엔독산주 1회 750mg/m² 점적정주 제1일 ←알킬화제
- Adriacin주 1회 50mg/m² 정주 제1일 ←항생물질항암제
- Oncovin주 1회 1.4mg/m² (2mg까지) 정주 제1일 ←알칼로이드계 항암제
- Predonine정(5mg) 100mg 1일 1회 (조식후) 제1~5일 ←부신피질호르몬제
- ※21일 (3주) 1사이클로 하고, 3주마다 반복한다.

■ 표 9-5 ABVO요법

약제	1단위째				2단위째	
	1일째	2~14일째	15일째	16~28일째	29일째	30일째~
Adriacin	○	←휴약→	○	←휴약→	○	←휴약
Bleo	○	←휴약→	○	←휴약→	○	←휴약
Exal	○	←휴약→	○	←휴약→	○	←휴약
다카르바진	○	←휴약→	○	←휴약→	○	←휴약

● Rituxan주 첫 회 투여시는 375mg/m²를 500mL 이상의 생리식염수 또는 5%포도당액으로 희석하여 소량부
터 투여한다. 혈압저하, 기관지경련, 혈관부종 등의 증상이 없으면 25mg/시→100mg/시→200mg/시로 증량
한다. ←분자표적치료제

※부작용은 첫 회 투여시에 심하게 나타나다가, 2회째 이후부터 경감되는 경우가 많다.

■ 표 9-6 CHOP요법

약제	1단위째						1단위째				
	1일째	2일째	3일째	4일째	5일째	6~21일째	1일째	2일째	3일째	4일째	5일째
엔독산	○				—	←휴약→	○				
Adriacin	○				—	←휴약→	○				
Oncovin	○					←휴약→	○				
Predonine	○	○	○	○	○	←휴약→	○	○	○	○	○

■ 표 9-7 R-CHOP요법의 레지먼

약제	1단위째							2단위째				
	-1~0일째	1일째	2일째	3일째	4일째	5일째	6~21일째	1일째	2일째	3일째	4일째	5일째
리툭시맙	○						←휴약→	○				
시클로포스파미드		○					←휴약→	○				
독소루비신염산염		○					←휴약→	○				
빈크리스틴유산염		○					←휴약→	○				
프레드니솔론	○	○	○	○	○		←휴약→	○	○	○	○	○

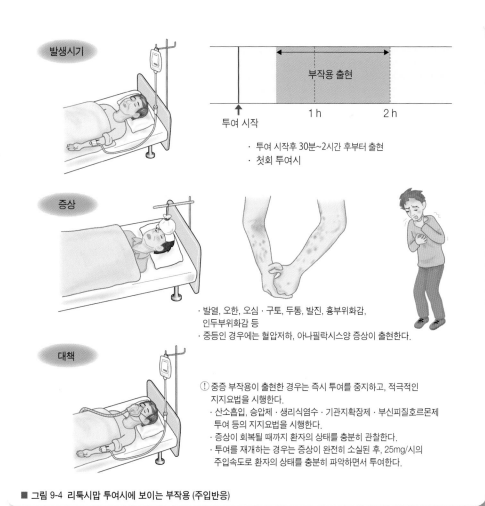

발생시기

부작용 출현

투여 시작 1 h 2 h

· 투여 시작후 30분~2시간 후부터 출현
· 첫회 투여시

증상

· 발열, 오한, 오심 · 구토, 두통, 발진, 흉부위화감,
  인두부위화감 등
· 중등인 경우에는 혈압저하, 아나필락시스양 증상이 출현한다.

대책

① 중증 부작용이 출현한 경우는 즉시 투여를 중지하고, 적극적인
  지지요법을 시행한다.
  · 산소흡입, 승압제 · 생리식염수 · 기관지확장제 · 부신피질호르몬제
    투여 등의 지지요법을 시행한다.
  · 증상이 회복될 때까지 환자의 상태를 충분히 관찰한다.
  · 투여를 재개하는 경우는 증상이 완전히 소실된 후, 25mg/시의
    주입속도로 환자의 상태를 충분히 파악하면서 투여한다.

■ 그림 9-4 리툭시맙 투여시에 보이는 부작용 (주입반응)

방사선요법

- 국한기 림프종의 경우 화학요법과 조합하여 이용한다.
- 저악성도군 림프종에서의 경우는 방사선요법만으로 치유되기도 한다.
- 거대종괴 (bulky mass)에서는 화학요법 후에 추가치료로서 방사선요법이 행해진다.

외과요법

- I기 MALT 림프종 등 극히 일부를 제거하기에 근치적이라고는 볼 수 없다.
- 소화관천공이나 출혈관리나 예방, 척수압박의 해제 등, 대증적으로 행해지기도 한다.

조혈모세포이식

- 비교적 약년 (65세 정도까지)으로서 전신상태가 좋고, 화학요법에 감수성이 있는 재발례나 난치성 증례에는 자가 말초혈조혈모세포이식이 행해지는 경우가 많다.
- 병형 · 병기에 따라서 HLA 일치동포, 골수은행 등의 공여자로부터의 조혈모세포이식이 행해지기도 한다.

방사선요법

- 위MALT림프종에서는 헬리코박터 파일로리의 제균요법이 대부분의 케이스에서 유효하게 적용된다.

악성림프종의 병기 · 병태 · 중증도별로 본 치료흐름도

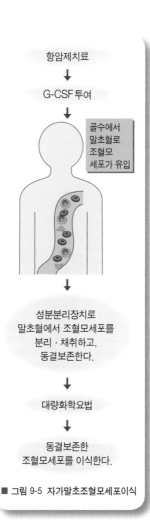

항암제치료

↓

G-CSF 투여

↓

골수에서 말초혈로 조혈모세포가 유입

↓

성분분리장치로 말초혈에서 조혈모세포를 분리 · 채취하고, 동결보존한다.

↓

대량화학요법

↓

동결보존한 조혈모세포를 이식한다.

■ 그림 9-5 자가말초조혈모세포이식

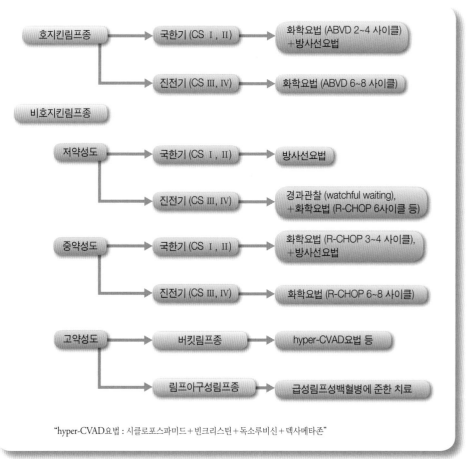

"hyper-CVAD요법 : 시클로포스파미드 + 빈크리스틴 + 독소루비신 + 덱사메타존"

(福田哲也)

이환으로 인한 심리적 충격과 불안이 크다. 주체적으로 치료에 전념하도록, 그 경감을 도모해야 한다. 증상이나 부작용에 대한 고통의 완화, 자기관리의 지지도 중요하다.

병기·병태·중증도에 따른 케어

【치료기】악성림프종 이환에 따른 쇼크를 극복하고 주체적으로 치료에 전념하는 태도가 형성되도록, 환자의 생각을 경청하고 적절한 정보를 제공한다. 또 질환으로 인한 증상이나 치료의 부작용을 완화시키면서, 환자가 자기관리를 할 수 있도록 교육한다. 탈모로 인한 외견의 변화나 외래에서 치료를 받으면서 사회활동·가사활동을 하는 데에 수반하는 심리사회적 고통의 경감을 도모한다.

【완화기】치료 후에도 계속되는 부작용증상 (말초신경장애, 타액분비량저하 등)이나 체력저하에 대처하면서 일상생활로 되돌아갈 수 있도록, 환자가 겪는 생활상의 어려움을 파악하여 대처방법을 교육한다. 또 재발에 대한 불안에 심리적 지지를 제공한다.

【재발기】재발에 대한 걱정에 공감하고, 치료 (구원요법, 이식, 완화적 화학요법)의 선택에 대한 의사결정을 지지한다. 또 안전·안락하게 치료할 수 있도록 부작용의 관리나 일상생활을 지지한다.

【종말기】림프종세포의 침윤·종괴증대로 인한 통증, 출혈, 면역억제 등의 신체증상이나 죽음의 불안 등의 전인적 고통을 완화하고, 남겨진 시간을 그 사람답게 지낼 수 있도록 지지한다.

케어의 포인트

악성림프종 이환으로 인한 심리적 충격과 불안의 경감
- 악성림프종 이환에 따른 쇼크나 죽음에 관한 불안을 경청한다.
- 질환이나 치료에 관하여 알기 쉽게 설명하고, 불안의 경감을 도모한다.

악성림프종에 의한 증상이나 부작용에 의한 신체적 고통의 완화
- 악성림프종에 의한 증상의 정도를 관찰하고, 증상 출현시에는 의사와 상담하여 대응방법을 검토한다.
- 증상에 따라서 영향받는 일상생활을 지지한다.
- 치료에 따른 부작용의 출현시기를 이해하고, 부작용의 출현상황과 정도를 주의깊게 관찰한다.
- 부작용 출현시에는 신속히 의사에게 보고하여 대응을 검토하고, 아나필락시스, 전해질불균형, 마비성일레우스, 중증 감염 등 생명을 위협하는 인자를 예방한다.
- 증상으로 인한 고통을 참지 않아도 되며, 증상 출현시에는 신속히 의료자에게 전달하도록 설명한다.

자기관리에 대한 지지
- 치료나 자기관리에 대한 생각을 경청하고, 환자가 주체적으로 치료에 전념하도록 지지한다.
- 치료내용이나 부작용의 출현시기, 부작용에 대한 대처방법을 알기 쉽게 설명한다.
- 부작용에 잘 대응하고 있는 점을 평가하고, 자기관리에 자신감을 가질 것을 지지한다.
- 치료가 계속되는 점이나 자기관리의 고통을 공유한다.

외래에서의 치료와 지역에서의 생활을 양립시키기 위한 지지
- 치료와 생활의 양립의 어려움, 사회에서의 역할을 제대로 해낼 수 없음에 따른 고민을 경청한다.
- 치료시작 전에 탈모에 대한 대처방법을 검토하고, 외견의 변화를 최소한으로 한다.
- 치료와 사회활동의 양립을 환자와 더불어 생각한다.

퇴원지도·요양지도

- 치료나 부작용, 부작용의 대처방법에 관한 환자의 이해 정도를 파악한다.
- 부작용의 출현시기를 설명한다.
- 오심·구토, 변비, 탈모, 방사선으로 인한 피부장애에 대한 대처방법, 감염예방행동에 관하여 설명한다.
- 38℃ 이상의 발열, 오심·구토나 설사 등으로 경구섭취가 불가능할 때는 병원에 연락하도록 설명한다.
- 장기간 치료로 인한 불안이나 부담감을 경청한다.
- 외래에서 치료를 받음으로써 일상생활에 어떤 영향이 발생하는지를 경청하고 가능한 대응책을 함께 생각한다.

(片岡 純)

Memo

10 다발성골수종 (multiple myeloma)

新井文子/片岡 純

전체 map

병인
- 형질세포로 분화하는 B세포에 유전자이상이 발현되어 암성화된다.

역학
- 이환율은 10만명당 약 3명이고, 전 혈액악성종양의 약 10%를 차지한다.
- 고령자에게 많고, 60대가 최다발생시기이다.
- [예후] 자가말초혈조혈모세포이식의 연명효과는 약 1년이다.

병태생리
- 혈액악성종양의 하나로, 골수 속에서 면역글로불린을 생산하는 형질세포가 종양성으로 증식하는 질환이다. 병태생리 map p.104
- 종양화된 형질세포 (골수종세포)가 파골세포를 활성화하고, 골아세포를 억제하여 골파괴가 일어난다.
- 골수는 조혈장소이므로, 조혈장애도 발생한다.
- 골수종세포가 생산하는 M단백이 조직에 침착되어 신장 등의 장기에 장애가 발생한다.
- 정상 면역글로불린의 생산이 억제되므로 감염증을 일으키기 쉽다.

증상　합병증　　　진단　치료

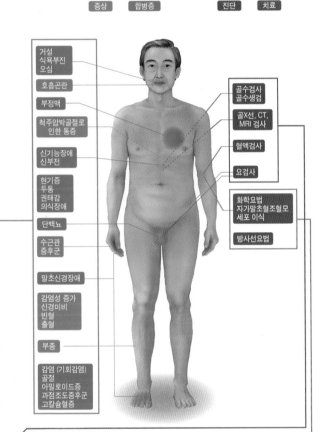

거설
식욕부진
오심
호흡곤란
부정맥
척주압박골절로 인한 통증
신기능장애
신부전
현기증
두통
권태감
의식장애
단백뇨
수근관
증후군
말초신경장애
감염성 증가
신경마비
빈혈
출혈
부종
감염 (기회감염)
골절
아밀로이드증
과점조도증후군
고칼슘혈증

골수검사
골수생검
골X선, CT, MRI 검사
혈액검사
요검사
화학요법
자가말초혈조혈모세포 이식
방사선요법

증상
- 초발증상으로는 압박골절(compression fracture)로 인한 통증이 많다. 증상 map p.106
- 조혈장애로 빈혈, 백혈구·혈소판감소가 일어나면 호흡곤란, 감연성 증가, 출혈이 초래된다.
- M단백에 의한 장기장애에서는 단백뇨, 신기능장애가, 과점조도증후군(hyperviscosity syndrome)을 일으키면 두통, 의식장애가 발생한다.

[합병증]
- 골절
- 감염증 (기회감염증)
- 신기능장애, 신부전

진단
- 증상을 보아 본증이 의심스러우면 아래의 검사를 시행한다. 진단 map p.107
- 전기영동법 : 혈청과 요의 단백전기영동으로 M단백의 존재를 확인한 후, 면역전기영동으로 면역글로불린의 Class와 타입을 결정한다.
- 골수천자·생검 : 골수종세포의 존재와 비율을 확인한다.
- 영상검사 (전신 X선촬영, CT, MRI) : 골병변 (골파괴상)을 평가한다.
- 혈액검사 : 혈청칼슘상승, 크레아티닌상승, 빈혈, β_2 마이크로글로불린상승, 알부민저하를 확인한다.
- M단백혈증을 나타내는 다른 질환을 제외한다.
- 상기 검사결과를 국제골수종워킹그룹 (IMWG)의 진단기준에 근거하여 진단한다.

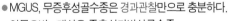

치료
- MGUS, 무증후성골수종은 경과관찰만으로 충분하다. 치료 map p.108
- 약물요법 : 대상은 증후성다발성골수종 (symptomatic multiple myeloma), 비분비형 골수종(nonsecretory myeloma), 다발성형질세포종 (multiple plasmacytoma), 형질세포백혈병(plasma cell leukemia)으로서, 항종양제 (빈크리스틴유산염, 독소루비신염산염, 멜파란, 볼테조밉) 다제병용요법을 적용한다. 재발례, 난치례에는 탈리도마이드, 레널리도마이드의 병용도 유효하다.
- 방사선조사 : 고발성형질세포종, 수외성형질세포종의 경우 병변 부위에 조사한다.
- 조혈모세포이식 : 65세 미만의 증후성다발성골수종은 완화도입요법 후에 대량 화학요법＋자가말초혈조혈모세포이식을 시행한다.

10 다발성골수종

병태생리 map

다발성골수종은 혈액악성종양의 하나로서, 림프구 중 가장 성숙한 B세포에서 면역글로불린 (항체)을 생산하는 기능이 있는 형질세포가 종양성으로 증식되는 질환이다.

- 골수종세포는 골수에서 증식한다. 골수종세포에 의해서 파골세포가 활성화되어 골아세포가 억제된 결과, 골파괴가 일어난다.
- 골수는 조혈장소이므로, 조혈장애, 즉 빈혈, 백혈구나 혈소판의 저하가 일어난다.
- 골수종세포가 생산하는 단클론성면역글로불린 (M단백)이 증가하여 조직에 침착함으로써, 신장 등의 장기에 장애가 발생한다.
- 정상 면역글로불린 (항체)의 생산이 억제되므로, 감염증이 쉽게 일어나게 된다.

- 항암제를 이용하는 화학치료를 시행하지만, 완치 가능한 치료법은 아직까지 발견되지 않고 있다.
- 대량화학요법에 더한 자가말초혈조혈모세포이식은 약 1년의 연명효과를 나타낸다.
- 동종조혈모세포이식이 시도되고 있지만, 그 효과는 아직 확실하지 않다.

병인·악화인자

- 형질세포에 대한 분화가 결정된 B세포에 돌연변이로 인한 유전자이상이 일어난 결과, 세포의 불사화(不死化)나 무질서한 증식, 즉 암성화가 진행되어, 골수종세포로 변화한다. 특징적인 유전자이상으로는 13번 염색체의 결손이나 14번 염색체에 있는 면역글로불린 중사슬유전자와 다른 유전자의 상호전좌 등이 보고되었는데, 이것은 단독이 아니라 몇 가지가 중복된 결과, 세포의 암성화가 일어나는 것이다.
- 골수종세포 주위의 환경, 즉 골수 속의 조혈세포 이외의 지지세포 (스트로마세포;stroma cell)에서 분비되는 사이토카인이나 케모카인이라는 물질 및 그 지지세포나 세포간기질 (피브리노겐;fibrinogen 등)과 골수종세포의 접착 등이 병태의 진행에 매우 중요한 역할을 한다.

역학·예후

- 일본에서는 인구 10만명당 약 3명의 이환율이고, 전체 혈액악성종양의 약 10%를 차지한다. 고령자의 발생이 많고, 최다발생연령대는 60대이다. 남녀차가 거의 없지만, 남성에게 약간 더 호발한다는 보고도 있다.

정상 골수

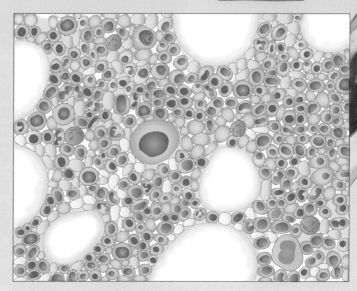

조혈모세포 외에 발생 중인 여러 혈구가 보인다.

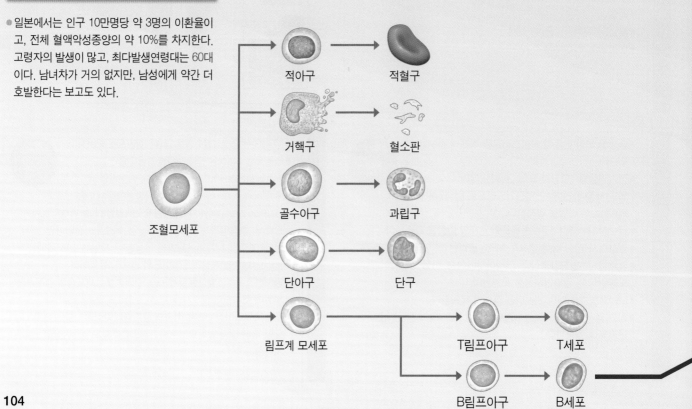

조혈모세포

적아구 → 적혈구
거핵구 → 혈소판
골수아구 → 과립구
단아구 → 단구
림프계 모세포 → T림프아구 → T세포
림프계 모세포 → B림프아구 → B세포

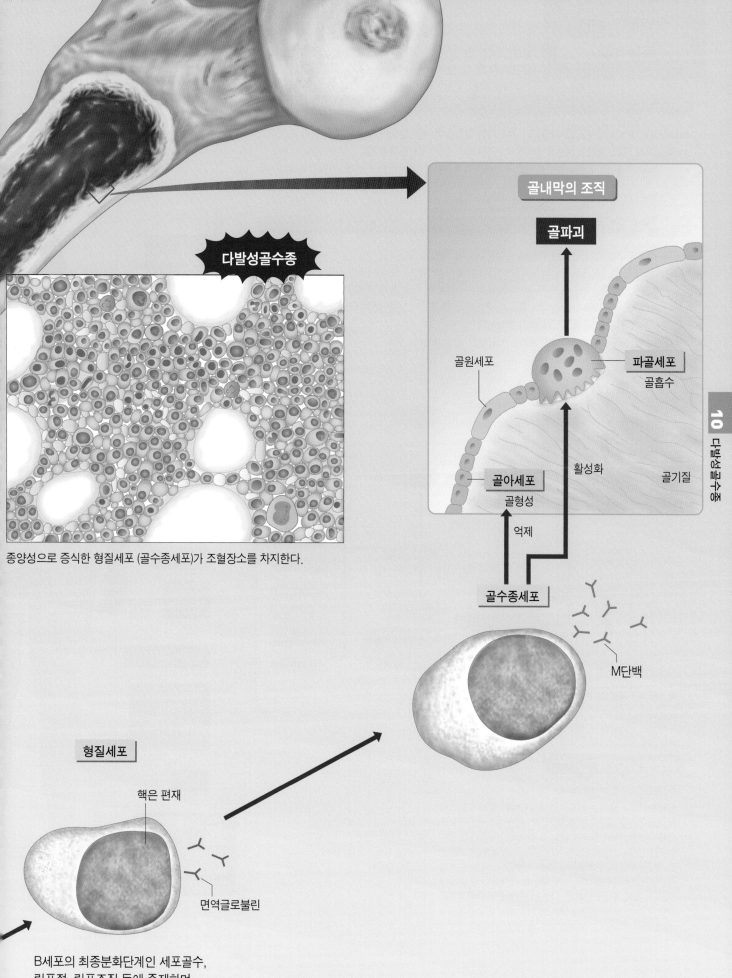

다발성골수종

종양성으로 증식한 형질세포 (골수종세포)가 조혈장소를 차지한다.

골내막의 조직

골파괴

골원세포 — 파골세포
골흡수

골아세포   활성화   골기질
골형성

억제

골수종세포

M단백

형질세포

핵은 편재

면역글로불린

B세포의 최종분화단계인 세포골수,
림프절, 림프조직 등에 존재하며,
면역글로불린을 생산한다.

증상 map

골병변에 의한 골절, 신경마비, 신기능장애에 의한 부종, 권태감, 조혈장애에 의한 빈혈이나 호흡곤란, 감염위험 증가, 출혈경향 등의 증상이 나타난다.

증상 **합병증**

증상

● 골병변은 약 80%의 빈도로 확인된다. 부위로는 척주골이 가장 많으며, 압박골절로 인한 통증이 초발증상으로 많다. 종양이 척수를 압박하여 신경마비가 일어나는 경우가 있다.
● 조혈장애로 빈혈, 백혈구나 혈소판 감소가 발생하면 호흡곤란, 감염위험 증가, 출혈 등의 증상이 나타난다.

합병증

● 골절, 감염증 (기회감염증), 신기능장애, 신부전이 주요 합병증이다.
● M단백에 의한 장기장애로서 단백뇨, 신기능장애가 흔히 확인된다. 또 M단백이 아밀로이드로서 장기에 침착되면, 아밀로이드증에 의해 신기능장애, 수근관증후군, 대설증, 말초신경장애 등이 나타난다.
● 혈액 속의 M단백의 증가로, 혈액의 점도가 증가하여 잘 흐르지 않는 상태 (과점조도증후군)가 되는 수가 있으며, 현기증, 두통, 의식장애가 일어난다.
● 용골과 신장애로 고칼슘혈증이 유발되면 식욕부진, 오심, 부정맥, 의식장애 등이 나타난다.

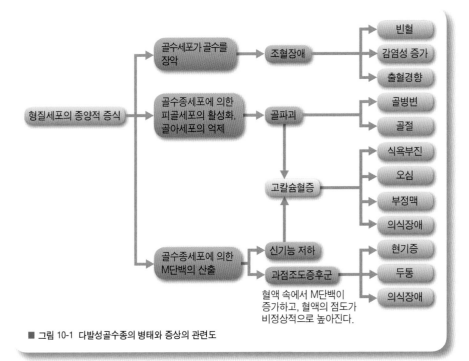

■ 그림 10-1 다발성골수종의 병태와 증상의 관련도

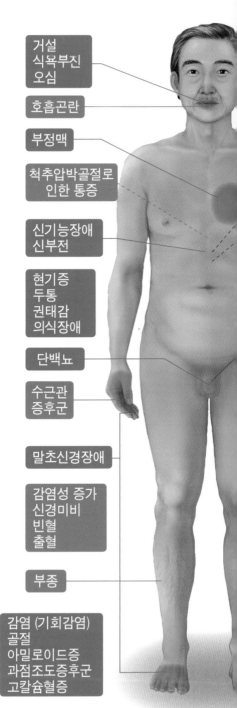

거설
식욕부진
오심

호흡곤란

부정맥

척추압박골절로
인한 통증

신기능장애
신부전

현기증
두통
권태감
의식장애

단백뇨

수근관
증후군

말초신경장애

감염성 증가
신경미비
빈혈
출혈

부종

감염 (기회감염)
골절
아밀로이드증
과점조도증후군
고칼슘혈증

Key word

● 아밀로이드증 (amyloidosis)
아밀로이드라 불리는 섬유상의 이상단백이 장기에 침착하여 기능장애를 일으키는 질환군으로, 전신성과 국한성으로 크게 나뉜다. 특이 증상은 없고 각 장기의 기능장애로 인하여 전신권태감, 신기능장애, 심부전증상 (심계항진, 호흡곤란, 부종), 부정맥, 간종대, 식욕부진, 연하장애, 애성(쉰 목소리), 설사, 변비, 신경장애, 피부궤양 등 다채로운 증상이 나타난다. 거설, 수근관증후군, 다발성신경병증이 초래되기도 한다.

신체증상을 보아 골수종이 의심스러운 경우에, 혈청 또는 요중의 M단백의 존재, 골수 중의 클론형질세포의 증가, 골파괴상 등을 통해 진단한다.

진단·검사치

- 신체증상을 보아 골수종이 의심스러우면 다음 검사를 한다. 건강검진 등의 혈액검사에서, 총단백이 고수치로 나타나서 M단백의 존재를 의심하면서 발견되기도 한다.
- 혈청과 요의 단백전기영동을 시행하고, M단백의 유무를 검사하여 확인되면, 면역전기영동으로 면역글로불린의 클래스 및 타입을 결정한다.
- 골수천자 또는 생검을 통해 골수종세포의 존재와 비율을 확인한다.
- 전신골X선촬영이나 CT, MRI를 하여 골병변을 평가한다.
- M단백혈증을 나타내는 다른 질환 (원발성아밀로이드증, 원발성마크로글로불린혈증, B세포성림프종, 만성림프성백혈병)을 제외한다.
- 진단기준 : 대표적 진단기준인 국제골수종워킹그룹 (International Myeloma Working Group ; IMWG)에 의한 진단기준은 표 10-1에 나타나 있다. 여기에 상기의 여러 검사결과를 적용하여 진단한다.
- 중증도 분류 : 표 10-2에 현재 범용되는 국제병기분류를 기재하였다. 이것은 간단하면서 동시에 예후와도 잘 관련되어 진다.
- 검사치

① 혈청, 요중의 M단백의 존재 (전기영동), ②골수 중의 클론형질세포의 증가 (골수천자, 생검), ③골파괴상 (골X선, CT, MRI), ④혈청칼륨 (Ca) 상승, ⑤혈청크레아티닌상승, ⑥빈혈, ⑦혈청β₂마이크로글로불린상승, ⑧혈청알부민저하

- ①②가 골수종에서 특징적인 검사치이며, ③~⑧을 통해 병형, 병기가 결정된다.

진단　　**치료**

골수검사
골수생검

골X선, CT,
MRI 검사

혈액검사

요검사

화학요법
자가말초혈조혈모
세포 이식

방사선요법

■ 표 10-1 International Myeloma Working Group (IMWG) 진단기준

Monoclonal Gammopathy of Undetermined Significance : MGUS	고발성골형질세포종
혈청M단백 < 3g/dL 골수에서 클론형질세포의 비율 < 10% 다른 B세포증식성 질환이 제외된다. 장기장애*가 없는 것	혈청 및 요에서 M단백이 검출되지 않는다.* 클론형질세포의 증가로 1군데의 골파괴 정상골수 병변부 이외는 정상인 전신골소견 (X선사진 및 MRI) 장기장애*가 없는 것 *소량이 검출되는 경우가 있다.
무증후성골수종 (제자리걸음형 골수종)	수외성형질세포종
혈청M단백 ≥ 3g/dL 그리고/또는 골수에서 클론형질세포의 비율 ≥ 10% 장기장애*가 없는 것	혈청 및 요에서 M단백이 검출되지 않는다.* 클론형질세포에 의한 수외종양 정상골수 정상인 전신골소견 장기장애*가 없는 것 *소량이 검출되는 경우가 있다.
증후성다발성골수종	다발형형질세포종
혈청 그리고/또는 요에 M단백이 검출된다. 골수에서 클론형질세포의 증가 또는 형질세포종 장기장애*의 존재	혈청 및 요에서 M단백이 검출되지 않는다.* 1군데 이상의 클론형질세포에 의한 골파괴 또는 수외종양 정상골수 정상인 전신골소견 장기장애*가 없는 것 *소량이 검출되는 경우가 있다.
비분비형골수종	형질세포백혈병
혈청 및 요에 M단백이 (면역고정법으로) 검출되지 않는다. 골수에서의 클론형질세포의 비율 ≥ 10% 또는 형질세포종 장기장애*의 존재	말초혈 중 형질세포의 비율 > 2,000/㎕ 백혈구분획 중 형질세포비율 ≥ 20%

※장기장애　고칼슘혈증 : 혈청 Ca > 11mg/dL 또는 기준치보다 1mg/dL 이상 상승
　　　　　신부전 : 혈청크레아티닌 > 2mg/dL
　　　　　빈혈 : 헤모글로빈치가 기준치보다 2g/dL 이상 저하 또는 10g/dL 미만
　　　　　골병변 : 용골성병변 또는 압박골절을 수반하는 골다공증 (MRI 또는 CT)
　　　　　기타 : 과점조도증후군, 아밀로이드증, 연 2회 이상의 세균감염

(Br J Haematol 121 : 749-757, 2003)

■ 표 10-3 주요 합병증에 대한 치료

합병증	치료법
감염증	항생물질의 투여
골절	수술
급성신부전	혈액투석
과점조도증후군	중증인 경우는 혈장교환
고칼슘혈증	비스포스포네이트제나 칼시토닌제의 투여와 수액

■ 표 10-2 International Scoring System (ISS) 국제병기분류

병기	기준	생존중앙치
I	혈청β₂마이크로글로불린 < 3.5mg/L 및 혈청알부민 ≥ 3.5g/dL	62개월
II	I 도 III도 아니다.	44개월
III	혈청β₂마이크로글로불린 ≥ 5.5mg/L	29개월

(J Clin Onocl 23 : 3412, 2005)

치료의 대상은 증후성다발성골수종이며, 간세포이식, 화학요법을 실시한다. 자가말초혈조혈모세포이식의 적응대상은 65세 미만이고, 무증후성골수종은 경과관찰만으로 충분하다.

■ 표 10-4 다발성골수종의 주요 치료제

분류	일반명	주요 상품명	약효발현의 메커니즘	주요 부작용
알칼로이드계 항암제	빈크리스틴유산염	Oncovin	종양세포증식억제제	골수억제, 말초신경장애
항생물질항암제	독소루비신염산염	Adriacin		골수억제, 심독성
알킬화제	멜파란	알케란		골수억제
프로데아솜저해제	볼테조밉	벨케이드	종양세포아포토시스항진	골수억제, 말초신경장애
부신피질호르몬제	덱사메타존인산 에스테르나트륨	Orgadrone, Decadron		내당능이상
	덱사메타존	덱사메사존, Decadron		고혈압
	프레드니솔론	Predonine, 프레드니솔론, Predohan		감염
비스포스포네이트제	졸레드론산수화물	조메타	항파골세포	악골괴사
항다발성골수종제	탈리도마이드	Thaled	항혈관신생	졸음, 혈전증, 말초신경장애
	레날리도마이드	Revlimid	항사이토카인생산	골수억제

치료방침

- MGUS (monoclonal gammopathy of undetermined significance), 무증후성골수종은 치료를 하지 않고, 경과만 관찰한다.
- 고발성형질세포종이나 수외성형질세포종에서는 병변부위에 방사선을 조사한다.
- 증후성다발성골수종에 대한 치료는 흐름도와 같다.
- 65세 미만이면 완화도입요법을 시행한 후, 자가말초혈조혈모세포이식 (PBSCT)을 수반하는 대량화학요법을 적용한다. 완화도입요법으로는 VAD요법 (빈크리스틴＋독소루비신＋덱사메타존), 또는 DEX (덱사메타존) 대량요법을 3회 행한다. PBSCT에 수반하는 대량화학요법에는 L-PAM대량요법 (멜파란)이 행해진다.
- 65세 이상 또는 이식을 희망하지 않는 경우는 MP요법 (멜파란＋프레드니솔론)을 행한다.
- 신부전이 합병되어 있는 경우는 VAD요법 또는 DEX대량요법을 시행한다.
- 이상을 시행해도 무효인 경우, 또는 완화 후에 재발, 진행이 확인되는 경우는 구원요법으로 볼테조밉이나 탈리도마이드를 이용하여 치료한다.
- 골병변이 있는 경우는 진행방지를 위해서 비스포스포네이트제를 사용한다.

약물요법

- 항종양제를 이용하여 치료하는 대상은 IMWG의 진단기준 (표 10-1)에 나타낸 것 중 증후성다발성골수종, 비분비형골수종, 다발성형질세포종, 형질세포백혈병이다.

Px 처방례 VAD요법
- Oncovin주 (1mg) 1일 0.4mg 24시간 지속정주 제1~4일 ←알칼로이드계 항암제
- Adriacin주 (10mg) 1일 9mg/m² 24시간 지속정주 제1~4일 ←항생물질항암제
- Orgadrone주 (1.9 · 3.8 · 19mg 0.5 · 1 · 5mL A · A · V) 1일 40mg 제1~4일, 9~12일, 17~20일 ←부신피질호르몬제

Px 처방례 DEX대량요법
- 덱사메사존정 (0.5mg) 1일 40mg 4일간 2주마다 효과를 확인할 때까지 투여, 이후 4주마다 반복한다 ←부신피질호르몬제

Px 처방례 L-PAM대량요법
- 알케란주 (50mg/V) 200mg/m²를 2분간에 나누어 점적, 계속해서 자가말초혈조혈모세포이식을 실시한다 ←알킬화제 (항암제)

Px 처방례 MP요법
- 알케란정 (2mg) 0.25mg/kg 식전 내복 4일간 4~6주마다 반복한다 ←알킬화제 (항암제)
- Predonine정 (5mg) 2mg/kg 分3 4일간 4~6주마다 반복한다 ←부신피질호르몬제

Px 처방례 (항종양작용, NF-KB저해제)
- 벨케이드주 (3mg/V) 1.3mg/m² 1일 1회 1, 4, 8, 11일째에 정주하고 12~20일째는 휴약, 이상을 1코스라고 하고 8단위를 시행한다. 덱사메사존을 병용하기도 한다 ←프로테아솜저해제 (항암제)

Px 처방례 재발 · 난치성골수종
- Thaled 1일 1회 100mg 취침 전에 경구내복한다 ←항다발성골수종제
- Revlimid 1일 1회 10mg 덱사메사존을 병용. 21일간 내복하고, 7일간 휴업을 반복한다 ←항다발성골수종제

Px 처방례 골병변의 예방 (항파골세포작용)
- 조메타주 (4mg/5mL/V) 1일 30~45mg 1일 1회 30분 걸려서 점적정주 1개월마다 점적 ←비스포스포네이트제 (골대사개선제)

다발성골수종의 병기 · 병태 · 중증도별로 본 치료흐름도

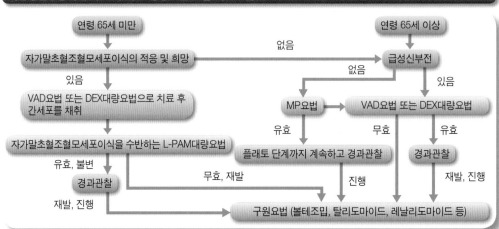

(新井文子)

환자케어

다양한 증상을 수반하므로, 증상과 고통의 완화를 도모해야 한다. 근치적인 치료법이 없기 때문에 증상의 진행이나 전망, 죽음에 대한 불안 등에 대해서 심리·사회적인 지지를 제공한다.

병기·병태·중증도에 따른 케어

【치료기】 다발성골수종은 골병변에 의한 통증이나 골수기능 저하로 인한 빈혈증상, 면역기능 저하로 인한 감염증 등 다양한 증상을 수반하는 것이 특징이다. 증상에 따른 신체적 고통을 완화하고, 여러 제약이 발생하는 일상생활을 지지한다. 주요 치료법은 화학요법이며, 표준적 치료인 MP요법 (멜파란, 프레드니솔론)은 외래통원으로 행해지는 경우가 많다. 부작용의 관찰, 및 감염예방이나 빈혈로 인한 낙상예방 등의 자기관리를 할 수 있도록 교육한다. 또 진행성 질환으로, 병적골절, 고칼슘혈증, 신부전을 일으키는 수가 있으므로, 증상을 신중하게 관찰해야 한다. 근치적인 치료법이 없기 때문에 병상의 진행이나 전망에 대한 불안을 경감하는 것이 중요하다.

【종말기】 병상의 악화에 수반하는 신체적 고통을 완화한다. 또 죽음에 대한 불안 등에 대해서 심리·사회적으로 지지한다.

케어의 포인트

고통증상의 완화
- 다발성골수종의 증상 (통증, 빈혈, 권태감 등) 정도를 관찰하고, 증상의 완화를 도모한다.
- 화학요법의 부작용증상 (오심·구토, 골수억제, 탈모 등)의 정도를 관찰하고, 증상의 완화를 도모한다.
- 증상에 영향을 받는 일상생활을 지지한다.
- 고통을 참지 않아도 되며, 증상 출현시에는 신속히 의료자에게 전달하도록 설명한다.

자기관리에 대한 지지
- 화학요법이나 부작용의 자기관리에 대한 의견을 경청한다.
- 치료내용이나 부작용의 출현시기, 부작용에 대한 대처방법을 알기 쉽게 설명한다.
- 병적골절이나 출혈의 위험성과 일상생활상의 주의사항을 설명한다.
- 자기관리가 잘 되는 점을 칭찬하고, 환자가 자신감을 가질 수 있도록 지지한다.

환자·가족의 심리·사회적 문제에 대한 지지
- 진행성으로서 예후가 불량한 질환이라는 점에서 유발되는 증상이나 앞으로의 전망에 대한 불안을 경청한다.
- 질환이나 치료에 관하여 알기 쉽게 설명하고, 불안의 경감을 도모하도록 한다.

퇴원지도·요양지도

- 자택이나 직장의 환경에 대해 사정하여 병적골절이나 출혈을 예방하기 위한 주의점 등을 함께 생각한다.
- MP요법은 외래에서 행해지는 경우가 많으므로, 치료의 내용과 부작용, 부작용에 대한 대처방법을 설명한다.
- 통증관리를 환자 자신이 할 수 있도록 지도한다.
- 빈혈증상이 심할 때는 안정을 유지하도록 지도한다.
- 감염예방을 위해서 양치질·손씻기의 필요성, 사람이 많은 장소로의 외출을 삼갈 것을 설명한다.
- 신기능장애를 방지하기 위하여 수분을 섭취할 것을 설명한다.
- 부작용이 발현했을 때에는 바로 연락하도록 지도한다.
- 진행성으로서 예후가 불량한 질환이라는 점에서 생기는 증상이나 앞으로의 전망에 대한 불안을 경청한다.

(片岡 純)

● 골절을 예방한다.

무거운 물건을 들어 올리는 등의 동작은 병적골절의 위험을 증가시킨다.

● 감염증을 예방한다.

사람이 많은 곳을 피한다.
손씻기나 양치질, 마스크의 착용을 생활화한다.

● 신기능장애를 예방한다.

수분섭취를 중시한다.

■ 그림 10-3 일상생활에서의 주요 주의점

Memo

11 파종성혈관내응고 (disseminated intravascular coagulation, DIC)

小山高敏/山勢博彰

전체 map

병인	● 기초질환 (특히 조혈기 악성종양, 고형암, 중증 감염증)이 반드시 존재한다. ● 혈구탐식증후군(hemophagocytic syndrome)이 발병하면 중증화된다. [악화인자] 산증, 저산소혈증(hypoxemia), 순환혈액량의 감소, 탈수
역학	● 환자수는 연간 약 73,000명이다. ● 발생빈도는 기초질환에 따라 다르다. [예후] 기초질환에 좌우되긴 하지만, 증상이 발현하면 생명예후가 나쁜 편이다.

병태생리	● 여러 기초질환으로 응고계가 활성화되어, 전신의 세소혈관 내에 피브린혈전이 다발하면서 허혈성장기장애가 초래되는 증후군이다. ● 혈전형성과정에서 응고인자·혈소판이 소비되고, 2차적인 선용항진도 추가되기 때문에 출혈경향을 나타낸다. ● 응고활성물질 (조직인자)의 혈관 내에서의 발현과 염증성사이토카인 (종양괴사인자 등)에 의한 혈관내피세포장애에 의해서 발생한다는 점에서, 전신성응고·염증반응의 이상이라고 생각되고 있다.

병태생리 map p.112

증상 합병증 진단 치료

증상	● 기초질환 증상 ● 출혈증상 : 피하출혈반, 점막출혈, 소화관출혈, 두개내출혈 ● 장기증상 : 피부, 폐, 신장, 부신, 간, 중추신경계의 장기장애 [합병증] ● 혈전색전증 (thromboembolism) ● 쇼크 ● 급성신부전

증상 map p.114

두개내출혈
점막출혈
급성신부전
소화관출혈
복통
하혈
혈뇨
핍뇨
무뇨
피하출혈판
혈전색전증
쇼크

혈액검사 (혈소판, FDP, TAT, PIC 외)
동맥혈가스분석
약물요법 (항응고요법)
보충요법
기초질환 치료

● 기초질환
백혈병
악성림프종
고형암
전격성간염
당뇨병성혼수
열사병
상위태반조기박리
등

진단	● 진단에는 응고활성화, 2차적 선용활성화, 혈소판·응고인자의 소비를 반영하는 데이터가 필요하다. ● 구 후생성 DIC연구반 진단기준 (1988년)은 진단의 정확도가 높은 편이다. ● DIC진단 필수항목 : 기초질환의 확인, 피브린/피브리노겐분해산물 (FDP), 특히 D-dimer의 상승, 혈소판수치의 저하 ● 트롬빈·안티트롬빈복합체 (TAT), 가용성피브린, 플라스민·플라스민인히비터복합체 (PIC)의 상승이 진단에 참고요소가 된다. ● 피브리노겐 저하경향, 프로트롬빈시간 (PT) 연장, 출혈증상, 장기증상이 있으면 중증으로 판단한다.

진단 map p.115

치료	● 원인을 제거하기 위한 기초질환의 치료가 기본이다. 항응고요법도 병용하고, 악화인자가 있으면 그를 시정하고 전신관리를 시행한다. ● 약물요법 (항응고요법) : 헤파린류 (미분획헤파린, 저분자헤파린, 헤파리노이드)가 주가 된다. 안티트롬빈이 저하되면 안티트롬빈 농축제를 보충한다. 출혈경향이 심하면 합성프로테아제저해제를 사용한다. ● 보충요법 : 혈소판·응고인자의 감소가 현저한 경우는 농축혈소판, 신선동결혈장을 수혈한다. ● 외과요법 : 산과적 원인에 의한 DIC, 종양 등 외과적 적출이 가능한 DIC가 대상이 된다.

치료 map p.116

병태생리 map

파종성혈관내응고 (disseminated intravascular coagulation ; DIC) 란 여러 원인에 의해서 응고계가 활성화되면서 주로 전신의 세소혈관 내에 피브린혈전이 다발하고, 그에 근거한 허혈성장기장애가 일어나는 증후군이다.

- DIC에서는 혈전형성에 응고인자와 혈소판이 소비되어 저하되고, 2차적 선용항진 (피브린분해)도 추가되어, 종종 출혈경향이 나타난다.
- 혈액응고인자의 하나인 조직인자 (tissue factor ; TF) 등의 응고활성물질이 혈관 내에 유입되거나, 혈류와 접촉하도록 발현하는 경우 또는 혈관내피세포의 항혈전성에 장애가 발생하는 경우가 DIC발생의 원인이 된다.
- DIC의 병태에는 대부분 혈액응고선용계나 혈소판의 동태에 영향을 미치는 종양괴사인자 (tumor necrosis factor ; TNF) 등의 염증성사이토카인이 중요한 역할을 하고 있으며, 호중구, 단구·대식세포 등도 관여하고 있다. 활성화된 호중구는 엘라스타제 등의 단백분해효소나 활성산소를 방출하여 혈관내피손상을 일으킨다. 활성화된 단구·대식세포는 TNF를 분비한다. 장기나 조직에 장애가 발생하는 경우 각 조직에서 특이적 응고활성물질이나 맥관작동물질 등을 방출하여 혈관내응고가 촉진된다. 이와 같이 DIC는 전신성응고·염증반응의 이상이라고 간주되며, 2001년에 국제혈전 지혈학회의 과학적표준화위원회가 DIC의 개념을 「피브린 관련 산물의 생성과 이것을 반영한 미소혈관의 염증성 내지 비염증성 장애를 특징으로 한다」라고 정의하였다.

병인·악화인자

- DIC에는 기초질환이 반드시 존재한다. 내과·외과·소아과영역에서는 기초질환으로 백혈병이나 악성림프종 등의 조혈기 악성종양, 고형암, 중증 감염증이 가장 중요하다. 조혈기 악성종양이나 감염증에서 대식세포의 활성화를 수반하는 혈구탐식증후군이 합병하면, 중증 DIC가 발생한다. 그 밖에 쇼크, 전격성간염 (fulminant hepatitis), 당뇨병성혼수, 열사병과 산과영역에서의 상위태반조기박리도 기초질환으로서 중요하다.
- 산증, 저산소혈증, 순환혈액량의 감소나 탈수는 DIC의 악화인자가 된다. 대동맥류, 심실류에서는 국소성소비성응고장애로 인해서 DIC와 유사한 검사소견을 나타내지만, DIC와는 병태가 다르다.

역학·예후

- 일본에서의 DIC환자수는 연간 약 73,000명이라는 추정보고가 있으며, 증례수에서는 패혈증, 쇼크가 압도적으로 많지만, 발생빈도는 기초질환에 따라 다르다. DIC 자체에는 후에 기술할 치료법이 있지만, 예후는 대개 기초질환에 따라서 좌우된다. 그러나 일단 DIC상태가 되면 환자의 생명예후도 위험해지기 때문에 기초질환의

치료에도 영향을 미친다. 그 때문에, 조기진단과 조기치료라는 신속한 대응이 필요하다.

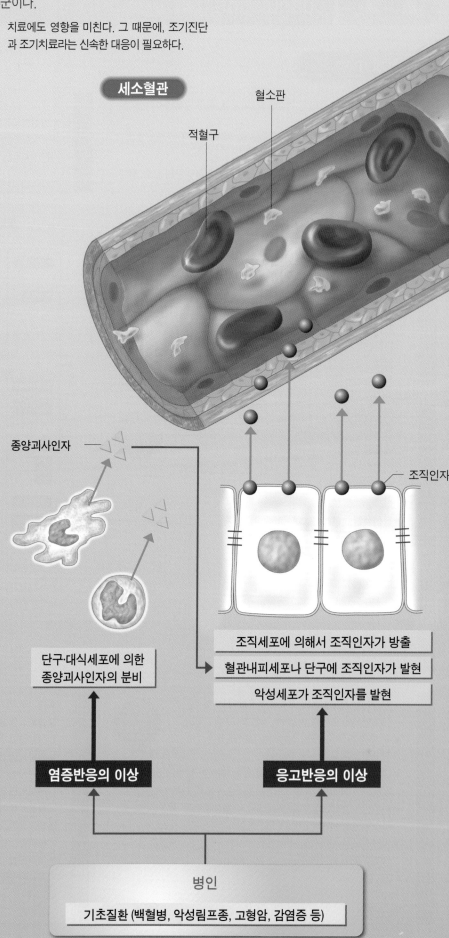

세소혈관

혈소판

적혈구

조직인자

종양괴사인자

조직세포에 의해서 조직인자가 방출

혈관내피세포나 단구에 조직인자가 발현

악성세포가 조직인자를 발현

단구·대식세포에 의한 종양괴사인자의 분비

염증반응의 이상

응고반응의 이상

병인

기초질환 (백혈병, 악성림프종, 고형암, 감염증 등)

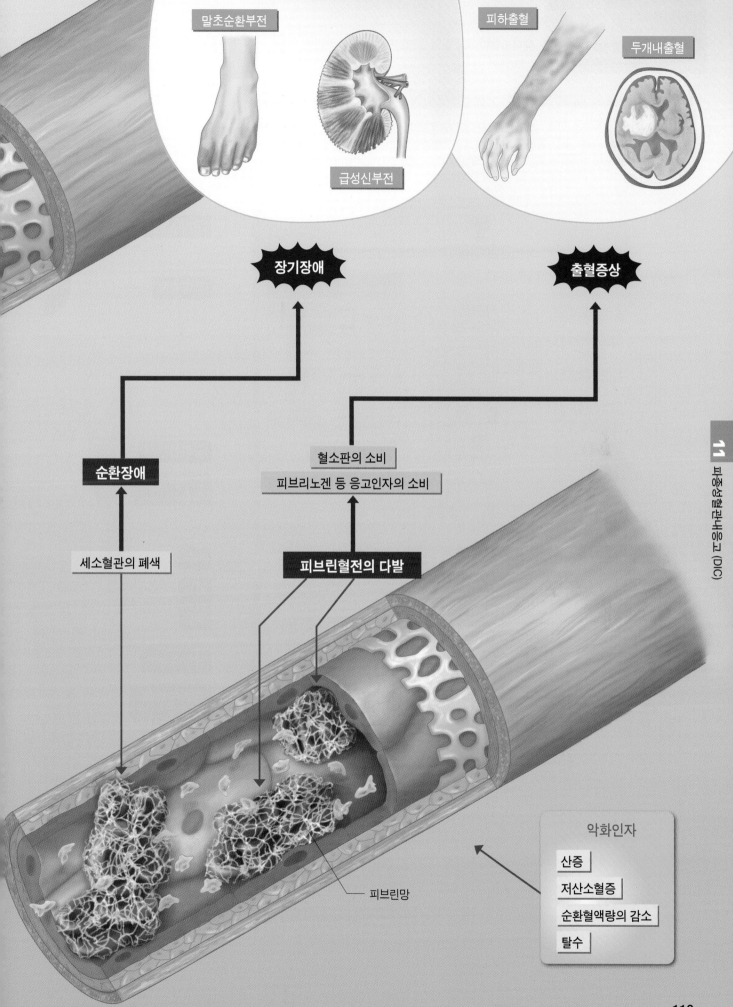

말초순환부전

피하출혈

두개내출혈

급성신부전

장기장애

출혈증상

순환장애

혈소판의 소비

피브리노겐 등 응고인자의 소비

세소혈관의 폐색

피브린혈전의 다발

피브린망

악화인자

산증

저산소혈증

순환혈액량의 감소

탈수

11

파종성혈관내응고 (DIC)

113

피하출혈반이나 점막, 소화관 등에의 출혈경향, 복통, 의식장애 등이 나타난다.

증상·합병증

● 임상상에서 기초질환 증상 외에, 피하출혈반 또는 점막출혈, 소화관출혈, 두개내출혈 등의 출혈증상을 중심으로, 혈전색전증, 쇼크, 급성신부전 등이 여러 조합으로 나타나며, 피부·폐·신장·부신·간·중추신경계 등의 장기에 장애를 일으킨다. 채혈이나 점적에서 주사부 지혈이 어려운 점도 특징적인 증상이다.

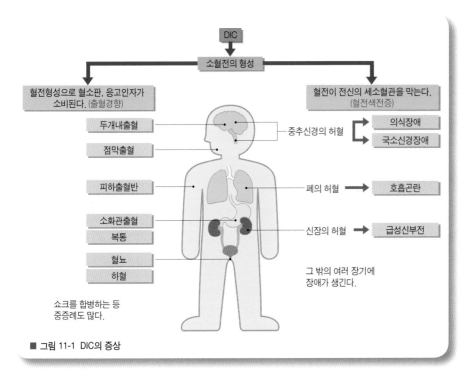

증상　　**합병증**

■ 그림 11-1 DIC의 증상

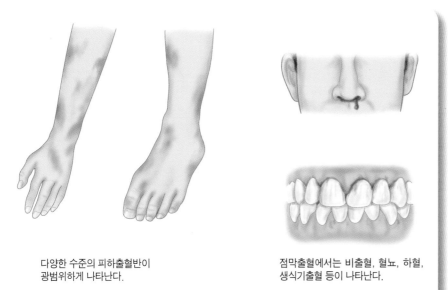

다양한 수준의 피하출혈반이 광범위하게 나타난다.

점막출혈에서는 비출혈, 혈뇨, 하혈, 생식기출혈 등이 나타난다.

■ 그림 11-2 피하출혈, 점막출혈

두개내출혈

점막출혈

급성신부전

소화관출혈
복통

하혈

혈뇨
핍뇨
무뇨

피하출혈반

혈전색전증
쇼크

● 기초질환
백혈병
악성림프종
고형암
전격성간염
당뇨병성혼수
열사병
상위태반조기박리
등

진단에 빠질 수 없는 요소로서, 기초질환의 유무여부와 함께 D-dimer 함유 분해산물의 상승, 혈소판수치의 저하도 확인해야 한다.

진단·검사치

- 임상검사에서 ①응고활성화, ②2차적 선용활성화, ③혈소판·응고인자의 소비를 반영한 데이터를 얻어서 DIC의 진단을 내린다.
- 1988년에 설정된 DIC의 후생성 진단기준은 진단 정확도가 높아서, 국제적으로도 높이 평가받고 있다. 그 진단기준의 요약분이 표 11-1에 나타내져 있다.
- 피브린/피브리노겐분해산물 (FDP)은 선용계 활성화에 의한 피브린분해산물과 피브리노겐분해산물을 포함한다. D-dimer 보유 분해산물은 피브린플라스민에 의한 분해산물만을 반영하므로, DIC진단에서 가장 신뢰할 수 있는 중요한 측정항목이다. DIC진단 필수항목에는 기초질환의 확인, FDP 특히 D-dimer (함유분해산물)의 상승, 혈소판수의 저하경향이 있다. 원질환으로 인해 혈소판수의 저하가 나타나는 예에서는 FDP 및 D-dimer만으로 판정한다. 트롬빈·안티트롬빈복합체 (TAT), 가용성피브린, 플라스민·($\alpha2^-$) 플라스민인히비터복합체 (PIC)의 상승이 참고요소가 되며, 피브리노겐저하경향, 프로트롬빈시간 (PT) 연장, 출혈증상, 장기증상 등의 임상증상이 있으면, DIC가 중증인 것을 알 수 있다.
- 급성기 의료현장에서는 전신성염증반응증후군 (systemic inflammatory response syndrome ; SIRS) 에 수반하여 발생하는 DIC가 많다. 그 때문에 일본응급의학회는 SIRS의 점수를 진단기준에 포함하여 외상 등의 조직손상이나 감염증 등 급성기병태에서 나타나는 DIC의 진단기준 (2007)을 공표하였다.

혈액검사 (혈소판, FDP, TAT, PIC 외)

동맥혈가스분석

약물요법 (항응고요법)

보충요법

기초질환 치료

■ 표 11-1 1988년도 구 후생성 DIC연구반 진단기준 (요약)

Score	0	1	2	3
기초질환	무	유		
출혈증상	무	유		
장기증상	무	유		
FDP (μg/mL)	< 10	10 ≤ < 20	20 ≤ < 40	40 ≤
혈소판 (만/μL)	> 12	12 ≥ > 8	8 ≥ > 5	5 ≥
피브리노겐 (mg/dL)	> 150	150 ≥ > 100	100 ≥	
PT시간비	< 1. 25	1. 25 ≤ < 1. 67	1. 67 ≤	

· [판정] 7점 이상 : DIC, 6점 : DIC 의심, 5점 이하 : DIC의 가능성 적다.
· 백혈병 외에서 골수거핵구 감소가 현저하고 고도의 혈소판 감소가 나타나는 경우는 혈소판수 및 출혈증상인 항은 0점으로 하고, 판정의 총점은 3점씩 낮게 설정한다(4점 이상 DIC 등).
· 본 진단기준은 신생아, 산과영역, 전격성간염의 DIC진단에는 적용되지 않는다.

Key word

- **D-dimer**

피브린이 단백질분해효소인 플라스민에 의해서 분해될 때 생성되는 물질이다. 파종성혈관내응고 (DIC), 혈전성혈소판감소성자반병 (thrombotic thrombocytopenic purpura;TTP), 광범위한 혈전증에서 높은 수치로 나타난다.

- **전신성염증반응증후군 (Systemic Inflammatory Response Syndrome;SIRS)**

SIRS는 생체침습 (수술, 외상, 열상, 감염증 등이 대표적이지만, 종류를 한정하지는 않는다)에 의해서 사이토카인을 중심으로 전신성 면역·염증반응을 일으키는 증상을 가리킨다.
① 체온 < 36℃ 또는 > 38℃
② 맥박 > 90회/분
③ 호흡수 > 20회/분, 또는 PaCO2 < 32Torr
④ 백혈구수 > 12,000/mm^3, 또는 < 4,000/mm^3, 또는 10%를 초과하는 유약구 출현
위의 4항목 중 2항목 이상을 충족시킬 때 SIRS라고 진단한다.

치료의 기본은 원인제거를 위한 기초질환의 치료이다. 산증, 저산소혈증, 순환혈액량의 감소나 탈수는 DIC 악화인자이므로, 그를 시정하면서 행해지는 전신관리도 필요하다.

치료방침

- 기초질환의 치료가 어려운 경우도 있어서, 다음과 같은 항응고요법이 행해진다. 혈소판이나 응고인자의 감소가 현저한 경우에는 항응고요법과 더불어 농축혈소판이나 신선동결혈장 (FFP) 등의 보충요법을 한다.
- DIC 합병시는 혈소판을 2만/μL 이상으로 유지하도록 필요최소한도로 혈소판을 수혈한다. FFP는 피브리노겐치, PT 등을 참고하여 투여한다. 피브리노겐은 100mg/dL 이상을 기준으로 유지한다.

■ 표 11-2 **파종성혈관내응고 (DIC) 의 주요 치료제**

분류	일반명	주요 상품명	약효발현의 메커니즘	주요 부작용
미분획헤파린	헤파린나트륨	헤파린나트륨, Novo-heparin 등	안티트롬빈 등의 생리적 프로테아제 저해제에 의한 항응고작용의 증강	쇼크, 아나필락시스양 증상, 출혈
저분자헤파린	달테파린나트륨	Fragmin		
헤파리노이드 (헤파란유산)	다나파로이드나트륨	Orgaran		
생리적 프로테아제 저해제	건조농축사람안티트롬빈 (III)	Anthrobin P, Neuart, 헌혈nonthron	항응고작용	쇼크, 아나필락시스양 증상
합성프로테아제저해제	가벡세이트메실산염	FOY, Arodate 등	항응고작용·항선용작용	
	나파모스타트메실산염	후탄		

약물요법

- 표 11-2에 나타낸 DIC치료약제가 DIC의 개선에 기여한다는 확실한 증거는 없다. DIC가 합병한 경우 환자가 중증 상태인 경우가 많아 기초질환의 치료도 병행하고 있으므로 이중맹검 및 플라세보대조시험이 어렵기 때문이다. 그러나 이론적으로 다음과 같은 항응고요법이 있으며, 실제 임상에서도 효과를 올리고 있다.
- 패혈증 동물에서 응고활성화를 미분획헤파린이 억제하였다는 동물실험 결과 때문에, 헤파린이 DIC 환자에게 널리 적용하게 되었다. 그러나 과량투여로 인해 출혈증상이 악화되는 수가 있어서, 뇌출혈이나 소화관출혈 등 중증 출혈증상이 있는 예에서는 사용하지 않는다. 미분획헤파린은 저렴하지만, 본래 출혈경향 환자가 많은 혈액내과영역에서는 사용빈도가 줄어들고 있다.
- 한편, 저분자헤파린, 헤파리노이드의 임상적 항혈전성은 종래 미분획헤파린과 동등하다는 것이 일본의 이중맹검시험에 나타나 있다. 항활성화 X인자활성이 유지되고 있지만 항트롬빈 활성이 약하고, 또 개체 간에 미분획헤파린보다 효과가 안정적이어서 출혈을 잘 일으키지 않는다. 통상량 투여시에는 활성화부분트롬보플라스틴시간 (APTT)을 모니터할 필요는 없다. 다나파로이드나트륨 (Orgaran)은 헤바란유산을 주성분으로 하고 반감기가 길어서, IV 슈팅이 가능하다. 저분자헤파린, 헤파리노이드도 포함한 헤파린제의 항응고작용이 안티트롬빈 (AT) (종래의 AT III) 농도에 의존하기 때문에, AT농도를 70% 이상 유지하도록 한다.
- 합성프로테아제저해제는 AT비의존성으로 활성화응고인자, 플라스민 등을 저해하는 일본의 독자적인 약제이다. 부작용으로 가벡세이트메실산염 (FOY, Arodate 등)은 투여부위의 혈관염, 나파모스타트메실산염 (후산)은 K유지성에 수반하는 고칼륨혈증이 있다. 후탄 투여시는 K보충을 삼간다. 백혈병이 원인인 DIC에서는 선용항진이 현저한 경우가 많아서, 가벡세이트메실산염 또는 나파모스타트메실산염을 사용하는 경우가 많다. 상용량으로는 나파모스타트메실산염이 항응고·항선용작용이 모두 강하다.
- 급성전골수구성백혈병 (APL) 에서는 선용항진이 강한 DIC가 거의 반드시 발생한다. 올트랜스레티노인산 (ATRA)의 트레티노인 (베사노이드)을 사용한 APL의 분화유도에 의한 완화도입요법에서는 치료시작 후에 다른 항응고요법을 실시하지 않아도 DIC가 신속히 치유되지만, 혈소판이나 FFP 등의 보충요법을 충분히 해야 한다. ATRA 자체가 백혈병세포나 혈관내피세포의 조직인자 (TF) 발현을 감약시켜서, 항응고당단백질인 트롬보모듈린의 발현을 증강시키는 항응고작용을 하며, 백혈병세포의 선용촉진도 억제한다. 소화관출혈의 존재 등 출혈경향이 강한 경우에는 합성프로테아제 저해제를 병용한다. 또 완화도입에서는 이달비신염산염 등의 항암제를 병용하는 경우가 많아서 DIC가 급속히 악화되는 수가 있으므로, 합성프로테아제 저해제를 병용해야 하는 경우가 많다.
- 혈관내피세포막단백질 트롬보모듈린의 세포외 부분을 가용화분자로 정제한 유전자교환제 (Ricomodulin)도 2008년에 발매되었다. 1일 1회 380U/kg을 10분 점적정주로 투여한다. 트롬빈에 의한 프로테인C 활성화의 보조인자로서 작용하며 항염증작용도 겸비하고 있다고 시사되어 있지만, 타제에 비해 고가인 점이 단점이다.

Px처방례 다음 중에서 사용한다.
- 헤파린나트륨주 (1,000단위) 또는 Novo-heparin주 (5,000단위, 10,000단위)
  5~10단위/kg/시 지속정주 ←항응고제
- Fragmin주 (5,000단위) 75단위/kg/일 지속정주 ←항응고제
- Orgaran주 (1,250단위) 1회 1,250단위 1일 2회 12시간마다 정주 ←항응고제

Px처방례 헤파린·헤파리노이드제 병용 하에 사용한다.
- Anthrobin P주 (500단위) 또는 Neuart주 (500단위) 1회 30단위/kg 1일1회 ←항응고제

※산과적·외과적 DIC 등 응급시는 40~60단위/kg 1일 1회 완만하게 정주 내지 점적정주

Px처방례 다음 중에서 선택한다. 헤파린·헤파리노이드제와의 병용이 일반적으로 필요없다.
- Arodate주 또는 FOY주 (100·400mg) 1~2mg/kg/시 지속정주 ←항응고제·항선용제

- 후탄주 (10 · 50mg) 0.06~0.2mg/kg/시 지속정주 ←항응고제 · 항선용제
- (Px 처방례) APL일 때 사용한다. 항종양작용과 항DIC작용을 겸비하고 있다. 합성프로테아제저해제와의 병용이 흔히 행해진다.
- 베사노이드캅셀 (10mg) 45mg/m² 分3 ←항응고 · 항선용작용을 하는 항종양제

보충요법

(Px 처방례) 다음 중의 하나를 선택하거나 병용한다.
- 농축혈소판 1회 10 (~20) 단위 1일 1회 수주 ←혈소판보충
- 신선동결혈장 1회 3~6단위 1일 1회 수주 ←응고인자, 항응고인자 보충

외과요법

- 환자는 뇌출혈, 소화관출혈, 장기장애 등으로 치명적일 수 있는 상태이기 때문에 기초질환의 치료와 함께 위와 같은 항응고요법, 보충요법이 필요하다는 것을 즉시 설명하고, 조기에 치료를 준비한다. 또 산과적 원인에 의한 DIC이면 즉시 수술을 고려하여 산과를 소개하도록 한다. 종양 등 외과적 적출이 가능한 DIC의 기초질환이 있으면, 외과계 과에 소개한다.

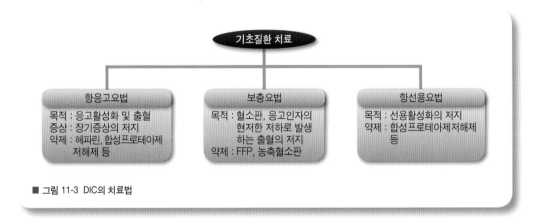

■ 그림 11-3 DIC의 치료법

DIC의 병기 · 병태 · 중증도별로 본 치료흐름도

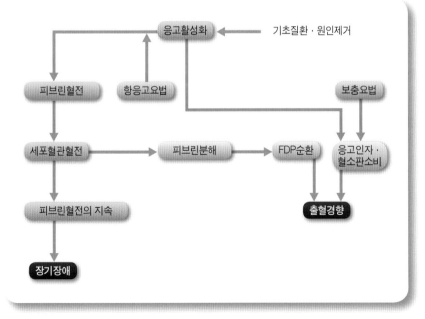

(小山高敏)

예후가 좋지 않고 중증도가 높으므로 주의 깊은 전신관리가 필요하다. 다장기부전 (MOF)으로의 이행이 없이 전신상태가 안정되면, 재발방지에 힘쓰며 원인질환의 치유를 목표로 한다.

병기·병태·중증도에 따른 케어

【급성기】 DIC의 원인질환을 치료 및 관리하면서, 다장기부전 (MOF)으로의 이행을 방지하기 위하여 DIC의 예방과 치료가 집중적으로 행해진다. 예후가 좋지 않고 중증도가 높은 질환이므로, 주의 깊은 전신관리가 필요하다. 증상이 진행되어, 체액량의 상실로 인한 쇼크나 중요장기의 기능부전의 징후가 출현하면, 즉시 필요한 대응을 취한다. 환자·가족은 생명의 위기적 상황에 직면하고, 정신적으로 불안정한 상태가 되므로, 심리적 케어가 중요하다.

【만성기】 MOF로의 이행이 없이, 전신상태가 안정되는 시기이다. 이어서 원인질환의 치료와 관리를 계속하고, 다시 DIC가 발생하지 않도록 힘쓴다. 순조롭게 회복할 수 있도록, 환자의 투병의욕을 높인다.

【회복기】 원인질환의 치료와 더불어, 일상생활의 자립을 촉구한다. 사회생활에 대한 적응이 무리없이 진행되도록 지지한다.

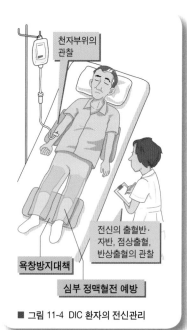

■ 그림 11-4 DIC 환자의 전신관리

천자부위의 관찰
전신의 출혈반·자반, 점상출혈, 반상출혈의 관찰
욕창방지대책
심부 정맥혈전 예방

케어의 포인트

진찰·치료의 지지
- 지시에 따라 합성프로테아제저해제 (가벡사이트메실산염, 나파모스타트메실산염)를 투여한다.
- 지시에 따라 혈액성분 (농축혈소판, 신선동결혈장) 등을 투여한다.
- 지시에 따라 헤파린, AT III제를 투여한다.
- 수액, 수혈 (혈액성분의 투여)의 관리를 확실히 한다.
- 인공호흡을 시행하는 경우는 인공호흡기의 관리를 철저히 한다.

전신상태·주요 장기의 관찰과 모니터링
- 활력징후를 관찰한다.
- 심전도모니터, CVP, 요량·요비중·성상, I/O를 확인한다.
- 호흡상태, SpO_2의 모니터링, 혈액가스데이터를 확인한다.
- 전신의 출혈반·자반, 점상출혈, 반상출혈을 관찰한다.
- 의식수준, 동공, 복부상태를 관찰한다.
- 사지의 냉감, 부종, 욕창을 관찰한다.

출혈경향·혈전형성에 대한 대응
- 정맥라인이나 동맥혈라인의 관리, 드레인의 관리, 신중한 흡인조작에 더하여 구강케어에서는 브러싱을 하지 않는 점, 전신을 닦을 때는 피부를 심하게 문지르지 않는 점, 혈압측정시 커프 감는 법 등에 주의하여, 출혈을 유발하는 자극을 주지 않도록 한다.
- 심부 정맥혈전을 예방한다(압박스타킹이나 압박복대의 장착).
- 욕창대책을 세운다.

MOF 이행의 방지
- 주요 장기의 이상을 조기발견한다.
- 급성호흡곤란증후군 (ARDS), 급성신부전, 의식장애, 소화관출혈 등의 주요 장기장애를 예방하고, MOF로의 이행을 예방한다.
- 피부의 손상, 감염증을 예방한다.

환자·가족의 심리적 문제에 대한 지지
- 불안의 호소를 경청한다.
- 필요한 정보를 알기 쉬운 말로 설명한다.
- 간호사가 정신적 지지를 제공할 수 있는 점을 전달한다.
- 신체적인 안락에 대한 요구를 충족시킨다 : 고통의 완화, ADL의 지지.
- 가족의 불안에 응하고, 여러 요구가 충족되도록 돕는다.

퇴원지도·요양지도

- 원인질환의 치유와 함께, 일상생활의 자립을 촉구한다.
- 원인질환의 관리에 필요한 사항에 관하여 실행 가능한 내용으로 알기 쉽게 지도한다.
- 사회생활에 대한 적응이 무리 없이 진행되도록 지지한다.

(小山高敏)

> **Key word**
>
> - 급성호흡곤란증후군 (acute respiratory distress syndrome)
>
> 폐 이외의 외상·수술, 폐 또는 타부위에서의 감염, 패혈증, 흡인 등을 계기로 발증하는 중증 급성호흡부전을 의미한다. 혈관투과성항진폐수종을 특징으로 한다.

12 신증후군 (nephrotic syndrome)

若林麻衣·佐々木　成/岡美智代·高橋さつき

전체 map

병인

- 1차성 신증후군 : 신장염 등 신장 그 자체의 이상으로 발병한다.
- 2차성 신증후군 : 당뇨병 등의 대사이상, 전신성홍반성낭창 (systemic lupus erythematosus) 등의 교원병, 아밀로이드증, 감염증, 혈액질환, 독물 등에 의한다.
  [악화인자] 비만, 당뇨병, 과도한 음주, 식사

역학

- 1차성 중 난치례는 10~12%이다.
- 1차성의 남녀비는 1.3~1.5 : 1이고, 출혈빈도가 높은 것은 0~10대와 50대이다.
  [예후] 원인질환에 따라서 다르다.

병태생리

- 고도의 단백뇨와 단백뇨에 기인하여 발병하는 저단백혈증, 부종, 지질이상증 (고지혈증)을 나타내는 임상병태이다.
- 사구체의 여과장벽이 파괴되어 요중으로 단백질이 누출되고, 이로 인해 고도의 단백뇨가 초래되면서 저단백혈증이 발생하고 부종이 생긴다.
- 요중으로의 단백질 누출로 혈액 속의 알부민농도가 저하되고, 간에서의 알부민합성이 증대되어 지질이상증 (고지혈증)이 발생한다.
- 단백뇨(proteinuria) 자체가 신장애를 악화시킨다.

병태생리 map p.120

증상

- 부종이 주증상이다.
- 초발증상은 하퇴부종, 안면부종이다.
- 저단백혈증이 악화되면 전신부종, 흉수·복수 저류가 나타난다.

[합병증]
- 고혈압
- 난치례에서는 급성신부전, 혈전증(thrombosis), 감염증
- 지질대사이상
- 심근경색, 관동맥질환
- 내분비 · 골대사이상

증상 map p.122

증상　합병증　　진단　치료

- 안면부종
- 흉수
- 급성신부전
- 복수
- 단백뇨 요량 저하
- 전신부종 체중증가
- 하퇴부종
- 고혈압 혈전증 감염증

- 영상검사 (X선, CT, 에코)
- 혈액검사
- 신생검
- 약물요법
- 혈액정화요법
- 식사요법
- 안정요법
- 요검사

진단

- 혈액검사, 요검사를 시행하고, 성인신증후군의 진단기준에 근거하여 진단내린다.
- 성인신증후군의 진단기준 : ①1일 요단백량 3.5g 이상, ②혈청 총단백량 6.0g/dL 이하 (또는 혈청 알부민량 3.0g/dL 이하), ③혈청 총콜레스테롤치 250mg/dL 이상, ④부종, 이 중 ①②는 진단의 필수조건이다.
- 영상검사 (X선, CT, 초음파)에서 흉수·복수가 확인되는 경우가 있다.

진단 map p.123

치료

- 치료의 기본은 안정요법, 식사요법, 약물요법이다.
- 약물요법 : 부신피질스테로이드요법이 주체가 되고, 여기에 이뇨제, 항혈소판제, 항응고제, 면역억제제, 강압제를 병용한다. 부신피질스테로이드제의 사용방법은 원칙적으로 초기 대량 → 점진적 감량 → 소량유지투여이다.
- 혈액정화요법 : 난치성신증후군 (특히 소상사구체경화증)에는 LDL흡착요법이 시도되고 있다.

치료 map p.124

신증후군

병태생리 map 신증후군은 고도의 단백뇨와 그에 기인하는 저단백혈증, 부종 및 지질이상증 (고지혈증)을 나타내는 임상병태이다.

- 혈액의 여과를 담당하는 신장의 사구체 고리벽 (사구체 모세혈관벽)은 내피세포 · 기저막 · 족 세포로 이루어진다. 사구체에서의 단백여과성 제어에는 사구체 족세포의 족돌기 사이에 있는 세극막(slit membrane)과 사구체 기저막 구조의 2가지 여과장벽 메커니즘이 고려되고 있다.

- 이전에는 사구체 기저막 구조 속에 존재하는 size barrier와 charge barrier에 장애가 생기면서 알부민을 주체로 하는 단백뇨가 출현한다고 생각하게 되었다. 그러나 최근, 세극막구조 내의 네프린이라는 단백질이 중요한 열쇠를 갖고 있는 것이 확실해졌다. 세극막의 여과장벽기능에 장애가 생겨 단백질이 보우만강으로 누출되어 단백뇨가 된다.

- 고도의 단백뇨가 발생한 결과, 저단백혈증이 발생하면 혈관 내의 수분을 유지할 수 없어서 조직간질로 수분이 누출되어 부종이 생긴다.

- 혈액 속의 알부민농도가 감소되면, 간에서의 알부민의 합성이 증대되고, 그에 수반하여 저비중리포단백질 (LDL) 및 초저비중리포단백질 (VLDL)의 생성도 증가되므로 지질이상증 (고지혈증)이 발생한다. 그 밖에 고비중리포단백질 (HDL)의 요중으로의 상실, LDL수용체의 활성저하에 수반되는 LDL 클리어런스 (lipoprotein lipase, 리포단백질 리파아제) 활성의 저하로 인한 중성지방 (TG)의 상승도 지질이상증 (고지혈증)에 관계된다고 생각되고 있다.

- 단백뇨는 사구체장애의 지표일 뿐 아니라, 그 자체가 세뇨관 간질장애를 일으켜서 신장애를 악화시키는 중요한 인자이다.

병인 · 악화인자

- 사구체장애의 원인은 신장염 등 신장 그 자체의 이상 (1차성), 당뇨병 등의 대사이상이나 전신성홍반성낭창 (SLE) 등의 교원병, 아밀로이드증, 감염증, 혈액질환, 독물 (2차성) 등이다.

역학 · 예후

- 1차성 신증후군이 차지하는 비율은 성인의 경우 70~80% 정도이다.

- 1차성 신증후군 성인례에서는 미소변화형신증후군(minimal change nephrotic syndrome)이 약 40%, 막성신증(membranous nephrophropathy)이 약 30%, 메산지움증식성사구체신염(mesangial proliferative glomerulonephritis)이 약 12%, 소상사구체경화증(focal glomerular sclerosis)이 약 8%, 막성증식성사구체신염(membranoproliferative glomerulonephritis)이 약 7%를 차지한다(1990년도 · 1994년도의 전국횡단조사).

- 1차성 신증후군 환자 중에 난치례는 10~12%를 차지한다.

- 성인 난치례의 원인질환으로는 소상사구체경화증, 막성신증, 미소변화형신증후군, 막성증식성사구체신염, IgA신증례를 들 수 있는데, 만성신증이 약 40%, 단상사구체경화증이 약 20%를 차지한다.

- 2차성 신증후군의 원인은 연령에 따라서 다르다. 소아는 자반병성신염, 성인은 당뇨병성신증이나 루프스신염인 경우가 많다.

- 성비 (남/여)는 1.3~1.5로 남성에게 많다.

- 연령분포는 1차성 신증후군에서 0~10대와 50대에 출현빈도가 높다. 그러나 고령층에도 출현한다.

- 예후는 원질환에 따라서 다르다. 단상사구체경화증의 신생존율이 막성신증보다 불량하다.

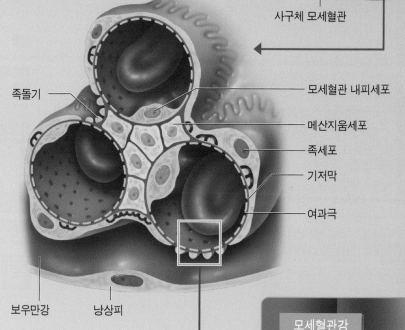

신소체

- 낭상피
- 사구체상피 (족세포)
- 수입세동맥
- 메산지움세포
- 방사구체세포
- 수출세동맥
- 사구체 모세혈관

- 족돌기
- 보우만강
- 낭상피
- 모세혈관 내피세포
- 메산지움세포
- 족세포
- 기저막
- 여과극

- 모세혈관강
- 고분자물질
- 모세혈관 내피세포
- 기저막
- 족돌기
- 세극막
- 보우만강

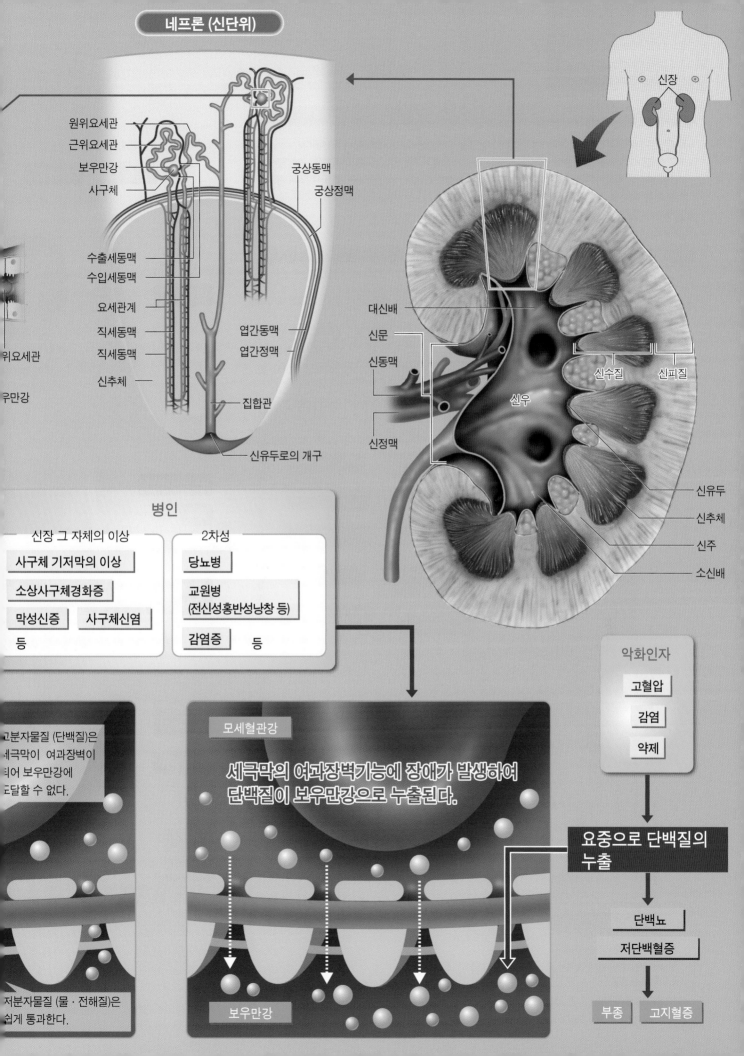

네프론 (신단위)

신장

원위요세관
근위요세관
보우만강
사구체

궁상동맥
궁상정맥

수출세동맥
수입세동맥

요세관계
직세동맥
직세동맥

엽간동맥
엽간정맥

신추체

집합관

신유두로의 개구

위요세관

우만강

대신배
신문
신동맥

신우

신수질   신피질

신정맥

신유두
신추체
신주
소신배

병인

신장 그 자체의 이상

사구체 기저막의 이상

소상사구체경화증

막성신증   사구체신염

등

2차성

당뇨병

교원병
(전신성홍반성낭창 등)

감염증   등

악화인자

고혈압

감염

약제

요중으로 단백질의
누출

고분자물질 (단백질)은
세극막이 여과장벽이
되어 보우만강에
도달할 수 없다.

모세혈관강

세극막의 여과장벽기능에 장애가 발생하여
단백질이 보우만강으로 누출된다.

저분자물질 (물·전해질)은
쉽게 통과한다.

보우만강

단백뇨

저단백혈증

부종   고지혈증

증상

- 주증상은 저단백혈증에 기인하는 부종 (하퇴 · 안면 등)이며, 약 80%의 증례에서 확인된다.
- 저단백혈증이 악화된 경우는 전신부종, 흉수나 복수의 저류가 확인된다. 요량의 저하도 수반되며 체액저류경향이 발생하면 체중증가를 본인이 자각하는 경우도 있다. 또 단백뇨는 배뇨시 요에 거품이 이는 것을 통해 인식되기도 한다.
- 난치례에서는 혈전증, 급성신부전, 감염증도 일어날 수 있다.

합병증

- 고혈압
- 급성신부전 : 체내 순환혈액량이 감소된 결과, 신혈류량도 저하되어 신전성신부전의 상태를 나타내기도 한다.
- 혈전증 (혈액응고능항진) : 심부 정맥혈전증 · 폐색전증 · 심근경색 · 뇌경색 등이 발생한다. 동맥 · 정맥에 모두 생길 위험이 있다. 또 신증후군에서는 혈액 속의 피브리노겐 (응고촉진계에 작용)이 증가되고, 항트롬빈Ⅲ (응고를 저지하는 작용)이 요중으로 소실되므로 혈액이 응고항진상태에 있어서, 혈전이 생기기 쉽다.
- 감염증 : 면역글로불린이나 보체(complement) 등이 요중으로 소실되어 면역능 저하가 나타난다.

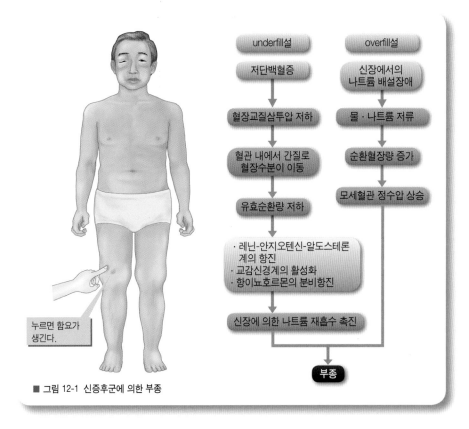

누르면 함요가 생긴다.

■ 그림 12-1 신증후군에 의한 부종

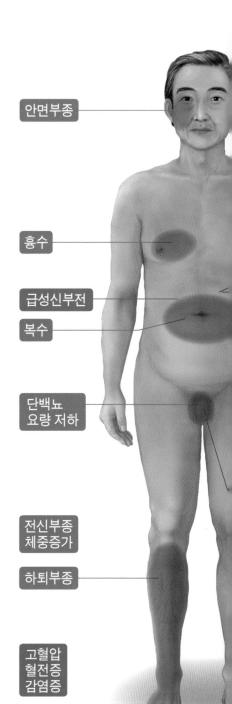

| 증상 | 합병증 |

안면부종

흉수

급성신부전

복수

단백뇨
요량 저하

전신부종
체중증가

하퇴부종

고혈압
혈전증
감염증

Key word

- 항트롬빈Ⅲ (안티트롬빈Ⅲ)

간에서 생산되어, 혈액 속에서 응고저해인자로서 응고반응을 억제하는 물질.

진단 map

주증상을 기초로 하여 진찰하고, 혈액검사나 요검사를 시행하여 성인신증후군의 진단기준에 근거하여 진단한다.

진단 치료

진단·검사치

- 신증후군을 초래하는 질환은 흔히 있으며, 그 병형이나 조직형을 알기 위해서 혈액검사·초음파검사 등이 필요하지만, 그 중에서도 신생검은 병형의 인식과 치료방침을 결정하는 데에 매우 유용하다.
- 검사치
- 진단기준인 1일 요단백 3.5g 이상, 혈청 총단백량 6.0g/dL 이하 (또는 혈청 알부민량 3.0g/dL 이하)를 확인한다. 때로 혈청 총콜레스테롤치 250mg/dL 이상이 확인된다.
- 영상상 (X선·CT·초음파 등) 흉수나 복수가 확인되기도 한다.

영상검사
(X선, CT, 에코)

혈액검사

신생검

약물요법

혈액정화요법

식사요법

안정요법

요검사

■ 표 12-1 신증후군을 일으키는 질환

1. 1차성 신증후군
  1) 미소변화형신증후군
  2) 막성신증
  3) 막성증식성사구체신염
  4) 소상사구체경화증
  5) 메산지움증식성사구체신염
2. 2차성 신증후군
  1) 전신성 질환에 수반하는 신장애 : 당뇨병성신증, 전신성홍반성낭창 (SLE), 루프스신염, 아밀로이드신증, 크리오글로불린신증, 자반병성신염
  2) 유전성 질환 : 선천성신증후군, 알포트(Alport)증후군 등
  3) 간질환 : HBV 또는 HCV 관련 신증
  4) 악성종양 : 각종 고형암, 백혈병, 림프종, 다발성골수종
  5) 감염증 : 세균 (MRSA 등), HIV, 원충
  6) 심질환 : 감염성심내막염, 울혈성심부전
  7) 약제 : NSAIDs, 금제, bucillamine, d-penicillamine 등
  8) 기타 : 임신고혈압증후군, 신정맥·하대정맥혈전증 등

■ 표 12-2 성인신증후군의 진단기준

(1) 단백뇨 : 1일 요단백 3.5g 이상이 지속
(2) 저단백혈증 : 혈청 총단백량은 6.0g/dL 이하
(3) 지질이상증 (고지혈증) : 혈청 총콜레스테롤치 250mg/dL 이상
(4) 부종
주 : (1) (2)는 본 증후군 진단을 위한 필수조건이지만, (3) (4)는 진단 필수조건은 아니다.
    요침사 중, 다수의 난원형 지방체, 중굴절지방체의 검출은 본 증후군 진단의 참고 요소가 된다.

(후생성 특정질환 신증후군 조사연구반, 1973)

12 신증후군

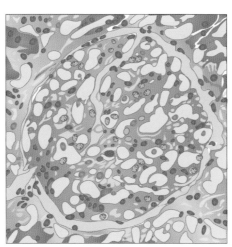

미소변화형신증후군
현미경으로 보아도 정상과 구별이 불가능하다.

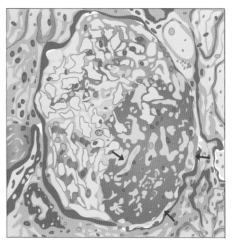

소상사구체경화증
오른쪽 아래 (화살표 부분)가 경화되어 있다.
경화소는 보우만낭과 유착되어 있다.

■ 그림 12-2 신증후군의 병리조직

치료 map

안정을 위해 부신피질스테로이드요법을 중심으로 약물요법을 적용한다.

치료방침

- 안정요법, 식사요법, 약물요법이 기본이다.

안정요법

- 안정을 취하면 단백뇨나 부종이 경감되기도 한다.

식사요법

- 염분제한 (6g 이하), 고칼로리식 (이상체중 1kg당 35kcal 정도), 저단백식 (이상체중 1kg당 0.8~1.0g 정도), 저지방식이 원칙이다. 염분제한이 특히 중요하다.

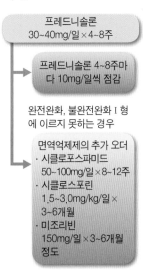

프레드니솔론
30~40mg/일×4~8주

프레드니솔론 4~8주마다 10mg/일씩 점감

완전완화, 불완전완화 I 형에 이르지 못하는 경우

면역억제제의 추가 오더
· 시클로포스파미드 50~100mg/일×8~12주
· 시클로스포린 1.5~3,0mg/kg/일×3~6개월
· 미조리빈 150mg/일×3~6개월 정도

■ 그림 12-3 막성신증, 소상사구체경화증에 대한 스테로이드요법

■ 표 12-3 신증후군의 주요 치료제

분류	일반명	주요 상품명	약효발현의 메커니즘	주요 부작용
부신피질 스테로이드제	프레드니솔론	프레드니솔론, Predonine, Predohan	면역억제작용·항염증작용	감염증, 소화관궤양·출혈·천공, 당뇨병, 정신변화, 골다공증, 골두무균성괴사, 혈전증, 백내장, 녹내장, 근육병증 등
	메틸프레드니솔론호박산에스테르나트륨	솔루메드롤(주사약)		
면역억제제	시클로스포린	뉴오랄, 산디문		감염증, 신장애, 간장애, 중추신경계장애, 급성췌장염, 용혈성빈혈, 혈소판 감소, 횡문근융해증, 악성림프종, 림프증식성질환, 악성종양 (특히 피부)
	시클로포스파미드	엔독산		
	미조리빈	Bredinin		
루프이뇨제	푸로세미드	라식스, Eutensin	헨레의 상행각에서 Cl의 재흡수를 억제	저칼륨혈증, 저나트륨혈증, 저마그네슘혈증, 고요산혈증, 내당능 저하, 광선과민증, 지질 증가
	토라세미드	Luprac		
ACE저해제	에날라프릴말레인산염	Renivace, Enalart	승압계 레닌-안지오텐신 (RA)계 억제와 강압계 카리크레인·키닌-프로스타글란딘계 증강	기침, 발진, 혈관부종, 신부전, 고칼륨혈증, 빈혈, 과도한 혈압저하 등
	이미다프릴염산염	타나트릴		
	테모카프릴염산염	에이스콜		
안지오텐신 II 수용체길항제 (ARB)	발살탄	디오반	A-II수용체에 특이하게 작용하여, A-II의 생리작용 (혈관수축, 체액저류, 교감신경항진작용)을 억제	혈관부종, 간염, 신부전, 고칼륨혈증, 쇼크, 혈소판 감소, 간질성폐렴, 저혈당
	칸데살탄 살렉세틸	Blopress		
	텔미사르탄	미카르디스		
항응고제	헤파린나트륨	Novo-heparin, 헤파린나트륨(주사약)	응고작용을 억제, 항응고작용	출혈, 쇼크, 혈소판 감소, 간기능장애 등
	달테파린나트륨	Fragmin, 달테파린Na (주사약)		
	헤파린칼슘	Caprocin, 헤파린칼슘 (주사약)		
	와파린칼륨	와파린, 와파린칼륨		
항혈소판제	아스피린	Bayaspirin, 버퍼린81mg	혈소판응집억제작용	쇼크, 아나필락스양 증상, 백혈구 감소 등
	디피리다몰	Persantin-L		출혈, 혈소판 감소, 두통, 권태감, 심계항진, 발진 등
지질이상증 (고지혈증) 용제	프라바스타틴나트륨	메바로친, 오리피스내복액	HMG-CoA환원효소 및 콜레스테롤 저하작용	횡문근융해증, 간장애, 혈소판 감소, 근육병증, 말초신경장애, 과민증상 등
	아톨바스타틴칼슘수화물	리비톨		

약물요법

- 치료의 핵심은 부신피질스테로이드요법이며, 이뇨제, 항혈소판제·항응고제 및 면역억제제, 승압제를 병용한다.
- 부신피질스테로이드제의 사용방법은 초기대량, 점감, 소량유지투여가 원칙이다.
- 부신피질스테로이드제나 면역억제제를 장기간 투여하는 경우가 많으므로, 부작용에 세심한 주의가 필요하다. 특히 감염위험 증가는 중요한 부분이기 때문에 기회감염대책이 중요하다.
- 알부민의 고도 저하례에서는 요량 감소시에 알부민제를 투여한다.
- 강압제 (ACE저해제나 ARB)에서는 강압효과 이외에도 신장 등의 장기보호작용이 확인되고 있다. 단백뇨억제효과도 존재한다.

Px 처방례 부종이나 요량감소를 수반하는 경우, 1)~3) 중에서 선택한다.

1) 라식스정(20mg) 1~4정 分1~2 (식후) ←이뇨제 (루프이뇨제)
2) 라식스주(20mg) 1~4앰플 1일 1~2회 점적정주 (내복 무효시) ←이뇨제 (루프이뇨제)
   위의 처방으로 반응뇨가 없는 경우
3) 알부민주(25%) 1회 50mL 점적정주, 종료시 라식스주(20mg) 1~4앰플 점적정주 ←알부민제

※ 이상에 효과가 없는 경우, 체외식한외여과법 (ECUM : extracorporeal ultrafiltration method) 등의 체외순환법을 시행하여 수분을 제거한다.

Px처방례 미소변화군 등 스테로이드 주효형인 신증후군인 경우
- 솔루메드롤주 (500mg) 2앰플 (1,000mg) ←부신피질스테로이드제
  ＋생리식염수 100mL 1일1회 점적정주×3일간
  상기 시행 4일째부터
- Predonine정(5mg) 6~10정 分1~2 (식후) ←부신피질스테로이드제
※초기량으로 4~8주 투여한다. 이후 점감한다.

Px처방례 스테로이드의존성이나 난치성인 경우, 스테로이드와 1)~3) 중에서 병용한다.
1) 뉴오랄캅셀(50mg) 1~4캅셀 分2 (식전) ←면역억제제
※시클로스포린 혈중농도 (복용 전의 트로프치, 또는 내복 2시간후 바로) 를 측정하여 과잉되지 않도록 조정한다.
2) Bredinin정(50mg) 3정 分3 (식후) ←면역억제제
3) 엔독산정(50mg) 2정 分2 (식후) (보험적용외) ←면역억제제

Px처방례 신증후군의 과응고상태에 대한 보조요법으로 1)~4) 중, 또는 1)과 3) 또는 4)나, 2)와 3) 또는 4)를 병용
1) Novo-heparin 10,000~15,000단위/일 생리식염수 등에 추가하여 지속점적정주 ←항응고제
※APTT 1.5~2.0배 연장을 기준으로 투여량을 조절한다.
2) 와파린정(1mg) 2~2정 分1 (식후) ←항응고제
※PT-INR 1.5~2.0을 기준으로 투여량을 조절한다.
3) Bayaspirin정(100mg) 1정 分1 (식후) ←항혈소판제
4) Persantin-L캅셀(150mg) 1~2캅셀 分1~2 (식후) ←항혈소판제

Px처방례 강압 및 단백뇨 감소목적으로 1), 2) 중에서 선택하거나 병용한다.
1) 디오반정(80mg) 1~2정 分1 (식후) ←강압제(ARB)
2) Renivace 정(5mg) 1~2정 分1 (식후) ←강압제(ACE저해제)

Px처방례 지질이상증 (고지혈증)이 현저한 경우 1), 2) 중에서 선택한다.
1) 메바로친정(10mg) 1~2정 分1 (식후) ←지질이상증 (고지혈증) 복용
2) 리비톨정(10mg) 1~2정 分1 (식후) ←지질이상증 (고지혈증) 복용

혈액정화요법

- 스테로이드요법을 실시해도 저항성이나 의존성을 나타내는 경우에는 면역억제제를 병용한다. 그래도 완화되지 않는 케이스는 난치성신증후군이다.
- 난치성신증후군 중에서 소상사구체경화증 (FSGS)에는 LDL흡착요법이나 혈장교환요법, 면역흡착 등의 체외순환을 이용한 혈액정화요법도 시도되고 있다.
- 현시점에서 난치성FSGS의 혈액정화요법에서는 LDL흡착요법이 제1선택으로 여겨지고 있다.

신증후군의 병기·병태·중증도별로 본 치료흐름도

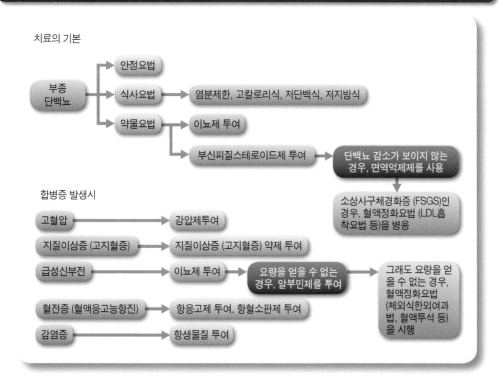

치료의 기본

부종 단백뇨 →
- 안정요법
- 식사요법 → 염분제한, 고칼로리식, 저단백식, 저지방식
- 약물요법 →
  - 이뇨제 투여
  - 부신피질스테로이드제 투여 → 단백뇨 감소가 보이지 않는 경우, 면역억제제를 사용 → 소상사구체경화증 (FSGS)인 경우, 혈액정화요법 (LDL흡착요법 등)을 병용

합병증 발생시
- 고혈압 → 강압제투여
- 지질이상증 (고지혈증) → 지질이상증 (고지혈증) 약제 투여
- 급성신부전 → 이뇨제 투여 → 요량을 얻을 수 없는 경우, 알부민제를 투여 → 그래도 요량을 얻을 수 없는 경우, 혈액정화요법 (체외식한외여과법, 혈액투석 등)을 시행
- 혈전증 (혈액응고능항진) → 항응고제 투여, 항혈소판제 투여
- 감염증 → 항생물질 투여

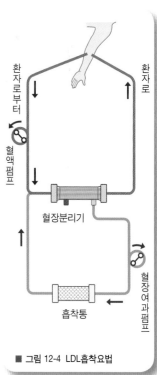

환자로부터 / 환자로
[혈액펌프]
혈장분리기
[혈장여과펌프]
흡착통

■ 그림 12-4 LDL흡착요법

(若林麻衣·佐々木 成)

신증후군 환자케어

급성기에 부종이 수반되는 경우는 안정유지나 보온에 힘쓰고, 감염이나 악화를 예방해야 한다. 증상이 회복되면 퇴원에 맞추어 자기관리를 할 수 있도록 지지한다.

병기·병태·중증도에 따른 케어

【급성기 (핍뇨기)】 부종에 수반되는 고통을 완화시키고, 안정의 유지나 보온에 힘쓴다. 감염이나 악화징후의 조기발견, 요나 부종의 관찰, 약물요법이나 식사요법을 확실히 행하고, 피부·점막의 청결을 유지할 수 있도록 돕는다.

【회복기】 증상에 따라 안정상태를 유지하고, 급성기 관찰을 계속하면서 감염징후·재발징후, 약물요법의 부작용 출현에 유의하여 관찰한다. 또 환자의 수용상태나 이해도를 확인하면서, 퇴원에 맞추어 질환이나 치료를 이해하도록 하고 자기관리를 구체적으로 지도하여 적극적으로 자기관리 할 수 있도록 하는 것을 목표로 한다.

【완화기】 퇴원해도 재발이나 악화의 위험성은 계속 존재하므로 장기에 걸친 자기관리가 필요하다. 정기진찰을 촉구하고, 몸의 상태나 일상생활에 입각한 자기관리방법의 연구나 기준을 제시하여 투병의욕을 유지하기 위하여 지지한다.

케어의 포인트

스테로이드치료를 받는 환자에 대한 지도
- 지시받은 복용량, 정확한 복용의 필요성, 효과와 부작용, 임의의 내복중지의 위험성 등을 지도한다. 함부로 내복을 중지하면, 증상의 재발 (반도감소)이나, 혈압저하, 쇼크 등의 이탈증후군을 일으키는 수가 있다.
- 부작용도 있지만 작용효과가 중요하므로, 지시받은 복용량을 계속 지킬 수 있도록 충분히 지도한다.
- 감염에 대한 저항력이 저하되기 때문에, 피부·점막을 청결히 유지하여 외상이나 호흡기, 요로 등에서의 감염을 피하도록 촉구한다.
- 간식이나 영양균형에 신경을 쓰고, 과식하지 않도록 주의를 촉구한다.
- 장기복용으로 골다공증이나 근력저하가 일어나기 쉬우므로, 낙상이나 골절을 일으키지 않도록 지도한다.
- 스트레스는 체내의 스테로이드 필요량을 증가시키므로, 가능한 스트레스를 받지 않고 휴양·휴식하도록 촉구한다.

신생검을 받는 환자에 대한 간호
- 진단확정이나 치료에 대한 반응 또는 예후를 판정하는 데에 필요한 검사이다. 검사를 안전하게 하기 위해서, 검사의 순서, 천자시에 호흡을 멈추는 연습, 검사 후의 안정유지, 침상 배설 등에 관하여 검사 전에 설명하고, 불안에 대해 표현할 것을 권장한다.

- 검사는 복와위에서 행해진다. 신조직을 천자 채취할 때에, 타장기 손상을 방지할 목적으로 환자에게 호흡을 멈추게 한다.
- 합병증으로 신출혈이나 신피막하혈종 등이 있다. 천자 후는 활력징후가 안정되기까지 15~30분마다 활력징후 측정, 천자부에서의 출혈이나 통증의 유무, 시험지를 이용한 육안적인 혈뇨의 유무 확인 등을 관찰한다.
- 천자시에 신장은 혈관이 풍부하기 때문에 지혈을 확인해야 한다. 천자부위는 신축성반창고를 사용하여 압박고정한다. 검사 후 몇 시간은 천자부에 모래주머니를 대고 앙와위에서 안정을 취한다. 그 후 12~24시간 정도가 지나면 모래주머니를 떼어내고, 침상에서 안정을 취한다.
- 검사 후에는 물을 많이 마시게 하여 배뇨를 촉진한다. 확실한 지혈을 위해서 침상 안정기간 중에는 식사나 배설 등도 모두 침상에서 하도록 필요한 지지를 한다. 장시간의 안정유지에 수반되는 요배부통 등도 생기기 쉬우므로, 안정내에서 완화를 도모한다.

퇴원지도·요양지도

- 정기진찰을 한다. 식사요법의 내용이나 활동량의 제한은 부종이나 신기능의 정도에 따라서 바뀌므로, 진찰 시의 지시에 따른다.
- 폭음폭식이나 결식을 삼가고, 규칙적인 식생활을 하도록 한다.
- 과로는 삼가고 안정을 취할 것을 명심한다. 부종이 있을 때는 특히 안정을 취해야 하며, 하지에 부종이 나타나는 경우는 거상하도록 한다.
- 약물요법의 지속에 관해서는 상기 「스테로이드치료를 받는 환자에 대한 지도」를 참조한다.
- 체중, I/O기록, 필요 시는 자택에서의 검뇨방법을 지도하고, 몸의 상태가 불량하거나 재발·악화라고 느껴질 때는 신속히 진찰받아야 한다.
- 손씻기, 양치질, 마스크착용 등을 하게 하고, 감기 유행시기에는 사람이 많은 곳을 피한다. 특히 구내·음부의 청결에 주의한다.
- 신증후군의 공비부담조성은 각 지방자치체의 기준에 따른다. 난치성신증후군은 특정질환으로 지정되어 있다.
- 위와 같은 지도내용을 실행·계속하기 위해서 환자의 자기효력감을 높이면 효과적이다. 예를 들어, 「이거라면 실행할 수 있다」라고 생각되는 구체적인 작은 목표를 단계적으로 설정하는 방법이 용이하므로, 그 요령을 입원 중에 배우게 한다.

(岡美智代·高橋さつき)

■ 표 12-4 신증후군의 생활지도

병기	신기능		
	정상 내지 경도저하	중등도저하	고도저하
신증후군기(치료도입기)	A	A	A
치료무효 (단백뇨 3.5g/일 이상)	B	B	A
불완전완화 II형 (단백뇨 1~3.5g/일)	C	B	B
불완전완화 I 형 (단백뇨 1g/일 미만)	D	C	C
완전완화	E	D	C
재발시	A	A	A

(신질환환자의 생활지도·식사요법에 관한 가이드라인. 일본신장학회지 39 : 12, 1997)

■ 표 12-5 신증후군의 식사제한

	총에너지 (kcal/kg*/일)	단백 (g/kg*/일)	식염 (g/일)	칼륨 (g/일)	수분
미소변화형신증후군 이외	35	0.8	5	혈청 칼륨치에 따라서 증감	제한하지 않는다**
치료반응이 양호한 미소변화형신증후군	35	1.0~1.1	0~7	혈청 칼륨치에 따라서 증감	제한하지 않는다**

*표준체중 **고도의 난치성부종인 경우에는 수분제한을 요하는 경우도 있다.

(신질환환자의 생활지도·식사요법에 관한 가이드라인. 일본신장학회지 39 : 20, 1997)

전체 map

| 병인 | ●불분명한 경우가 많지만, 용련균 등의 세균감염, 교원병을 포함한 자가면역질환, 약제 등이 병인이다.
[악화인자] 감염 |

| 역학 | ●당뇨병에 이어서 제2위로 투석이 필요한 원질환이다.
●소아부터 고령자까지 폭넓은 연대에 이환된다.
[예후] 완전완화되는 경우에서 투석도입에 이르는 경우까지 예후는 다양하다. |

| 병태생리 | ●주로 면역학적 메커니즘 때문에 사구체에 발생한 염증성병변에 의해서 일어나는 신질환의 총칭이다.
●급성사구체신염 : 용련균 감염 후에 형성된 면역복합체가 사구체 기저막에 침착하여 염증을 일으켜서, 사구체가 종대되고 모세혈관강이 폐색되어, 핍뇨·무뇨화된다. 기저막도 손상을 입어서, 요중으로 단백질이나 적혈구가 누출된다.
●만성사구체신염 : 메산지움영역에 면역복합체가 침착하여 염증을 일으키고 메산지움세포(mesangial cell)가 증식한 결과, 핍뇨·혈뇨가 발생한다. |

병태생리 map p.128

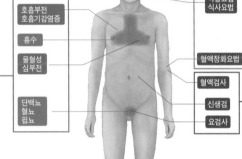

증상　합병증　　　진단　치료

| 증상 | ●요소견 이상 (핍뇨, 무뇨, 단백뇨, 혈뇨), 부종, 고혈압이 주증상이다.
●사구체신염의 종류에 따라서 무증상인 것에서 체액정체소견 (부종, 흉수)이나 고혈압, 발열을 일으키는 것까지 다양하다.
[합병증]
●핍뇨(oliguria)에 의한 울혈성심부전(congestive heart failure)
●흉수(pleural effusion fluid)로 인한 호흡부전, 호흡기감염증
●치료제 (특히 면역억제제)에 의한 합병증 |

증상 map p.130

발열
고혈압
부종

호흡부전
호흡기감염증

흉수

울혈성
심부전

단백뇨
혈뇨
핍뇨

생활지도

약물요법
식사요법

혈액정화요법

혈액검사

신생검

요검사

| 진단 | ●임상증상과 신생검에 의한 조직병형으로 진단한다.
●신생검 : 조직학적 진단, 치료법의 선택, 예후추정이 가능하다. 단, 침습적 검사이므로 출혈경향이나 감염증이 있는 증례, 편신증례, 안정유지가 어려운 증례에서는 삼간다.
●요검사 : 단백뇨, 혈뇨, 요침사이상을 확인한다.
●혈액검사 : 요소질소·크레아티닌상승, 총단백·알부민저하, 보체가저하, 교원병의 특이적 항체의 존재를 확인한다. |

진단 map p.130

| 치료 | ●치료방침은 개개의 임상증상과 신생검의 조직상에 따라서 다르지만, 기본은 안정요법, 식사요법, 약물요법이다.
●안정요법 : 급성기에 필요하다.
●식사요법 : 저단백, 고칼로리, 저식염, 수분제한을 시행한다.
●약물요법 : 면역억제제, 강압제 [안지오텐신변환효소 (ACE)저해제, 안지오텐신 II 수용체길항제 (ARB)], 항혈소판제, 항응고제가 중심이다.
●혈액정화요법 : 혈장교환, 혈액투석 등이 있다. |

치료 map p.131

13 사구체신염

사구체신염
병태생리 map

사구체신염은 주로 면역학적 메커니즘으로 인해 사구체에 생긴 염증성병변에 의해 일어나는 신질환의 총칭이다.

- 원인은 다양하고, 분명하지 않은 경우도 많지만, 면역학적 메커니즘이 관여하는 경우가 대부분이다.
- 급성사구체신염은 용련균 감염 후에 만들어진 항체와 항원 (세균의 일부 등)의 면역복합체가 신장의 사구체 기저막에 침착하여 염증반응을 일으킨 결과, 사구체 종대나 모세혈관강의 폐색이 일어나서 혈액여과가 지체되기 때문에 핍뇨나 무뇨화된다. 또 기저막이 손상을 입어, 단백질이나 적혈구가 요중으로 새어나오게 된다.
- 만성사구체신염은 50~70%가 메산지움영역 (mesangial region)에 면역복합체가 침착되면서 염증이 발생하여 메산지움세포가 증식하는 타입이다. 그 결과, 모세혈관이 압박을 받아서 핍뇨, 혈뇨가 나타난다.
- 그 밖에 면역복합체가 상피세포와 기저막 사이에 침착하거나, 기저막 그 자체에 자가항체가 생기는 병태로 나타나는 것도 있다.

병인·악화인자

- 불분명한 경우도 많지만, 감염, 교원병을 포함한 자가면역이상, 약제 등이 해당된다.
- 감염을 계기로 악화되는 경우가 많다.

역학·예후

- 병인이나 악화인자로 감염이 고려되는데, 최근에는 생활환경의 개선, 항생물질 보급의 영향 때문인지 환자수가 감소되고 있다. 투석도입의 원질환으로 장기간 제1위였지만, 2006년부터 당뇨병에 이어서 제2위 (2%)로 내려간 상태이다.
- 소아가 걸리기 쉬운 미소변화군에서 고령자에게 많은 ANCA관련신염까지, 폭넓은 연대에 이환된다.
- 예후는 적절히 치료하면 완전완화에 이르는 미소변화군과 같은 것에서, 급속히 진행되어 높은 비율로 투석도입이 필요한 반월체형성성신염까지 병태에 따라 다양하다.

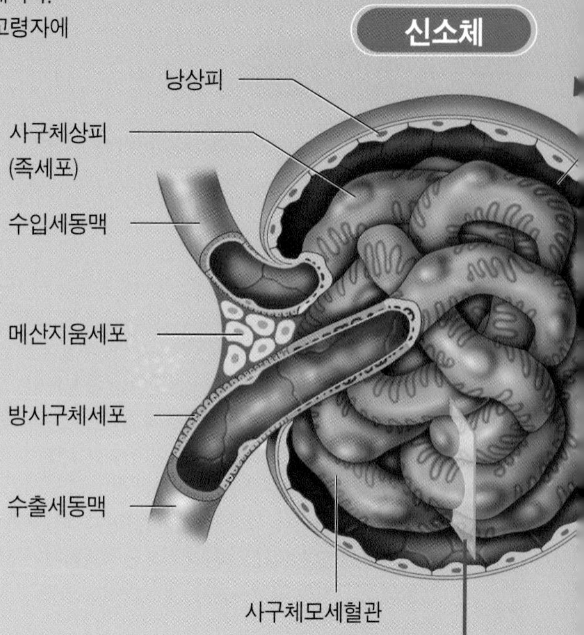

신소체

- 낭상피
- 사구체상피 (족세포)
- 수입세동맥
- 메산지움세포
- 방사구체세포
- 수출세동맥
- 사구체모세혈관

- 족세포
- 족돌기
- 여과극
- 기저막

- 모세혈관 내피세포
- 메산지움세포

- 모세혈관 내피세포
- 기저막
- 상피세포 (족세포의 족돌기

- 면역복합 침착

- 보우만강
- 낭상피

병인
| 감염 | 자가면역이상 | 약제 |

악화인자
| 감염 |

128

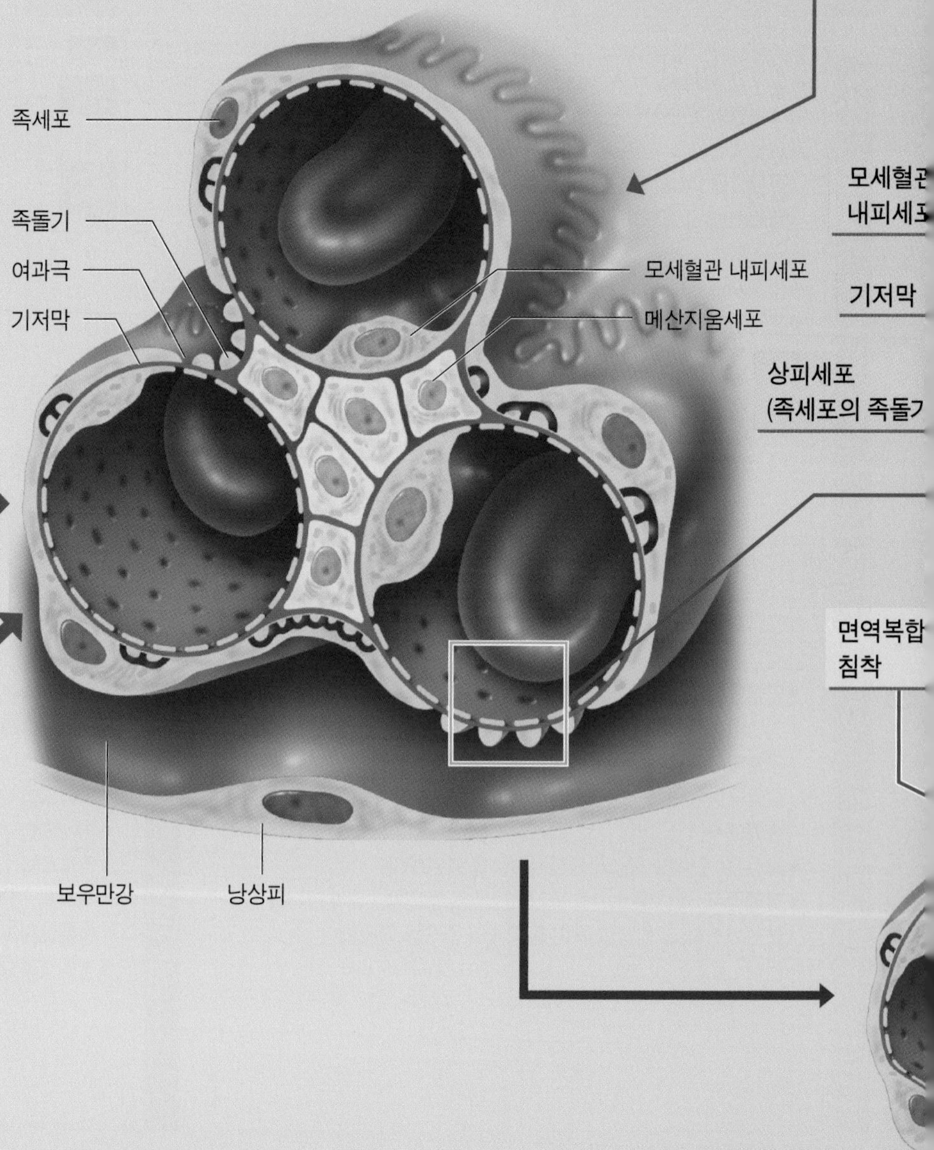

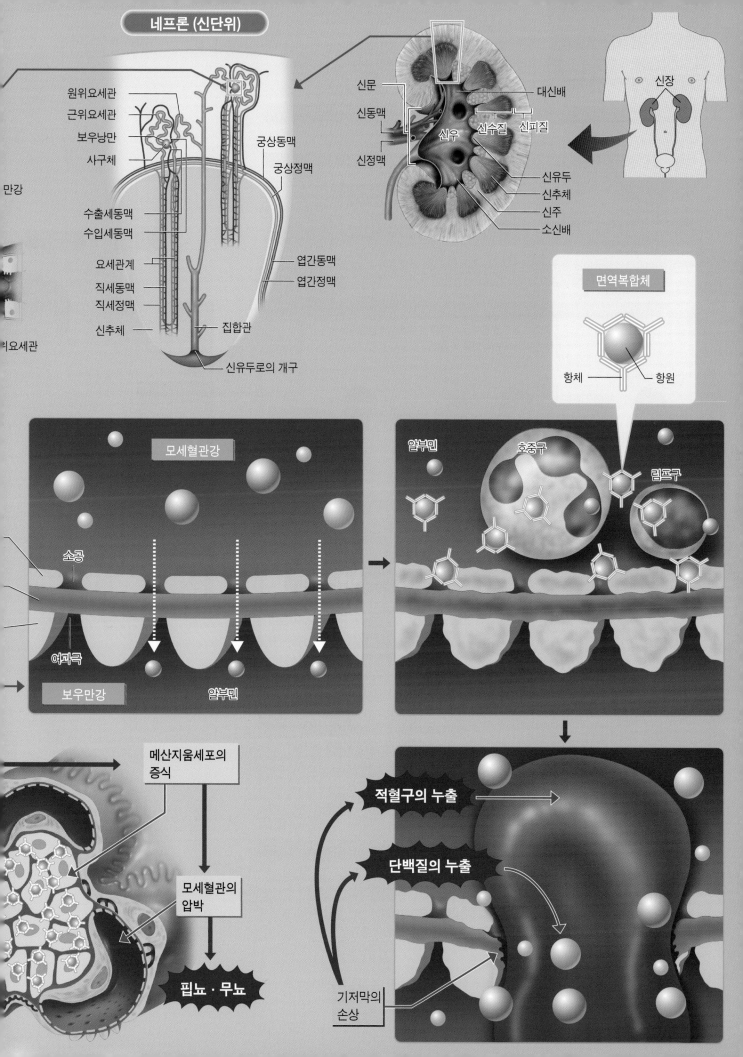

네프론 (신단위)

원위요세관
근위요세관
보우낭만
사구체

만강

위요세관

궁상동맥
궁상정맥

수출세동맥
수입세동맥

요세관계
직세동맥
직세정맥

엽간동맥
엽간정맥

신추체
집합관

신유두로의 개구

신문
신동맥
신정맥
신우
신수질 신피질
대신배

신유두
신추체
신주
소신배

신장

면역복합체

항체
항원

모세혈관강

소공

여과극

보우만강

알부민

알부민
호중구
림프구

메산지움세포의
증식

모세혈관의
압박

핍뇨·무뇨

적혈구의 누출

단백질의 누출

기저막의
손상

증상 map

임상상은 주로 요소견 이상, 부종, 고혈압 등이다.

증상

■ 표 13-1 각종 사구체신염에서 나타나는 증상

	급성사구체신염	IgA신증	미소변화군	급속진행성사구체신염	막성신증
요	단백뇨 혈뇨	혈뇨 단백뇨	단백뇨	단백뇨 혈뇨	단백뇨
특징	선행감염후 2주 정도에 혈뇨·고혈압·부종 발증	혈뇨→단백뇨 인두염 등으로 육안으로 확인 가능한 혈뇨발생	급격한 부종으로 발생	혈뇨, 단백뇨, 고혈압, 부종, 신부전의 급성 진행	단백뇨, 부종이 주증상 비교적 완만한 경과

● 무증상인 것에서 부종이나 흉수처럼 체액정체소견이 있는 것, 고혈압이나 발열을 초래하는 것까지, 표 13-1과 같이 사구체신염의 종류에 따라 증상이 다양하다.

합병증

● 핍뇨에 의한 울혈성심부전이나 흉수에 의한 호흡부전, 호흡기감염증이 합병된다.
● 치료제 (특히 면역억제제) 에 의한 합병증에도 주의를 기울인다.

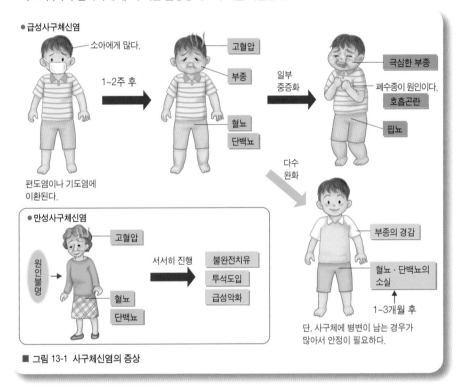

■ 그림 13-1 사구체신염의 증상

증상 　 합병증

발열
고혈압
부종

호흡부전
호흡기감염

흉수

울혈성
심부전

단백뇨
혈뇨
핍뇨

진단 map

가능한 한도 내에서 신생검을 시행한다.

진단·검사치

● 임상상에서 신염이 의심스러우면, 좀 더 조직학적으로 진단하기 위해서 신생검을 시행하는 것이 바람직하다. 신생검으로 진단은 물론, 예후나 치료의 적응에 관해서 어느 정도 예측할 수 있다.
● 신생검은 침습적이기 때문에 신생검을 적응할 때 대상을 제대로 확인해야 한다. 출혈경향이 있는 증례, 감염증의 존재례, 편신례, 안정유지가 어려운 증례 등에는 삼가는 편이 좋다.
● 검사치
● 요소견 : 단백뇨, 혈뇨, 요침사이상.
● 혈액소견 : 요소질소나 크레아티닌 등의 신기능을 나타내는 요소, 총단백이나 알부민의 낮은 수치, 보체나 교원병의 특이적 항체 등.

치료 map

급성기에는 안정이 중요하며, 식사요법과 강압제를 이용한 약물요법을 시행한다.

치료방침

- 치료방침은 개개의 임상증상이나 신생검의 조직상에 따라서 결정된다.
- 치료는 생활지도, 식사지도, 약물요법으로 크게 3가지로 나눈다.

진단　　치료

생활지도

약물요법
식사요법

혈액정화요법

혈액검사

신생검

요검사

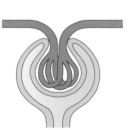

ACE 저해제
ARB

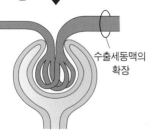

수출세동맥의
확장

■ 그림 13-2 ACE저해제와 ARB의
작용

■ 표 13-2 성인의 생활지도 구분표

지도구분	통근·통학	근무내용	가사	학교생활	가내·여가활동
A : 안정 (입원·자택)	불가	불가 (휴양필요)	불가	불가	불가
B : 고도제한	단시간 (30분 정도) (가능하면 차량 이용)	경한작업 근무시간제한 잔업, 출장, 야근불가 (근무내용에 따른다)	가벼운 가사 (3시간 정도) 쇼핑 (30분 정도)	교실의 학습수업만 가능 체육은 제한 부활동은 제한 극히 가벼운 운동은 가능	산책 체조 정도
C : 중등도제한	1시간 정도	일반사무 일반수작업이나 기계조작의 경우 심야·시간외 근무, 출장은 불가	통상의 가사 육아도 가능	통상의 학생생활 가벼운 체육활동 가능 문화활동 가능	경보 산책 자전거
D : 경도제한	2시간 정도	육체노동은 제한 그 이외는 보통근무, 잔업, 출장 가능	통상의 가사 가벼운 단시간 근무	통상의 학생생활 일부 체육활동은 가능 체육활동은 제한	가벼운 조깅, 탁구, 테니스
E : 일상생활	제한 없음	보통근무 제한 없음	통상의 가사 단시간 근무	통상의 학생생활 제한 없음	수영, 등산, 스키, 에어로빅

혈뇨만, 경도의 단백뇨만 ·········· 지도구분 E
경도의 단백뇨 + 혈뇨 ·········· 지도구분 D
중등도 이상의 단백뇨, 운동이나 상기도염증 출현 후의 단백뇨·혈뇨 증가, 또는 일과성 신기능 저하의 발생 ·········· 지도구분 C

(일본신장학회편 : 신질환의 생활지도·식사요법 가이드라인, p.50, 동경의학사, 1998 일부개편)

■ 표 13-3 사구체신염의 주요 치료제

분류	일반명	주요 상품명	약효발현의 메커니즘	주요 부작용
부신피질호르몬제	프레드니솔론	Predonine, 프레드니솔론, Predohan	사구체장애의 원인인 자기면역이상을 억제	감염위험 증가, 고혈당, 골다공증 등
면역억제제	시클로스포린	뉴오랄, 산디문		감염위험 증가, 신장애
	시클로포스파미드	엔독산		감염위험 증가, 성선장애
	미조리빈	Bredinin		감염위험 증가
안지오텐신변환효소 (ACE)저해제	에날라프릴말레인산염	Renivace, Enalart	사구체수출동맥을 확장하여 사구체내압을 낮춤으로써 요단백의 감소, 사구체장애를 방지 혈압을 관리함으로써 신장 애로의 진행을 방지	기침, 신기능장애, 고칼륨혈증
	이미다프릴염산염	타나트릴		
안지오텐신II수용체 길항제 (ARB)	칸데살탄 실렉세틸	Blopress		신기능장애, 고칼륨혈증
	로사르탄칼륨	뉴로탄		
	텔미사르탄	미카르디스		
	올메사르탄 메독소밀	올메텍		
	발살탄	디오반		
항혈소판제	디피리다몰	Persantin, Persantin-L, Anginal	응고능항진에 의한 혈전형성을 방지. 단, 단일제제로는 무효	두통, 출혈위험 증가, 심근허혈
	딜라제프염산염수화물	Comelian		
항응고제	헤파린칼슘	Caprocin 헤파린칼슘		출혈위험 증가
	헤파린나트륨	Novo-heparin, 헤파린나트륨		
	와파린칼륨	와파린, 와파린칼륨		
루프이뇨제	푸로세미드	라식스, Eutensin	요량을 증가시킴으로써 부종이나 흉수를 경감	전해질이상

생활지도

- 급성기에는 안정이 필요하지만, 만성기에는 필요 이상의 운동제한은 바람직하지 않다.
- 일본신장학회가 생활지도기준을 마련해 놓았다(표 13-2).

식사지도

- 저단백, 고칼로리, 저식염, 수분제한이 필요하지만, 개개의 증상에 맞추어 조절이 필요하다.

13 사구체신염

- 면역억제제, 안지오텐신변환효소 (ACE)저해제, 안지오텐신II수용체길항제 (ARB) 등 신보호작용을 하는 강압제, 항혈소판제 또는 항응고제가 중심이 된다.

Px 처방례 초발례

- Predonine정(5mg) 6~10정 分1~2 (식후) ←부신피질호르몬제

※일정기간 (4~6주) 계속한 후 부작용에 유의하면서 감량, 투여중지를 목표로 한다. 재발시에는 증량하거나 다른 면역억제제를 추가한다.

※위궤양방지을 예방하기 위해서 가스터 (H₂ 블로커)를, 뉴모시스티스폐렴 방지에는 Baktar (ST합제)를, 칸디다식도염 예방에는 Fungizone시럽 등을 투여하기도 한다.

- Renivace정 分1~2 (식후) ←ACE저해제

※기침으로 인해 투여를 중지해야 하는 경우가 있다.

- 뉴로탄정 分1~2 (식후) ←ARB

※혈압은 130/80mmHg 미만, 특히 요단백 1g/일 이상인 경우는 125/75mmHg 미만을 목표로 한다.
  고혈압이 아니라도 신보호를 목적으로 사용하는 경우가 많다.

- Persantin-L캅셀(150mg) 2캅셀 分2 ←항혈소판제

※두통이 생길 때는 소량부터 투여하면 점차 개선될 수 있다.

Px 처방례 부종, 흉수 등 체액정체 소견이 뚜렷한 경우

- 체중측정에서 예측한 음수로 제한해도 관리가 어려울 때는 이뇨제를 사용한다. 장관부종이 심하여 경구제로는 흡수가 나쁜 증례에는 정주로 투여한다.
- 라식스정 · 주 20~200mg 分1~2 (식후) ←이뇨제

※혈관내 탈수를 조장하여 저혈압이나 신부전을 초래하는 수가 있으므로 유의한다.

Px 처방례 부신피질호르몬제로 효과가 불충분한 경우 또는 점감하여 재발한 경우. 1)~3) 중의 면역억제제를 부신피질호르몬제와 병용한다.

1) 뉴오랄 3~5캅셀 分1 또는 분2 (식전) ←면역억제제

※신독성이 있으므로 혈중농도에 주의한다.

2) 엔독산 50~100mg 分1 (식후) ←면역억제제

※골억제제, 출혈성방광염, 성선억제도 있을 수 있기 때문에 총투여량에 유의한다.

3) Bredinin정(50mg) 3정 分3 (식후) ←면역억제제

※부작용이 적어서 고령자에게도 사용하기 좋다.

혈액정화요법

- 면역복합체를 제거하기 위해 혈장을 교환하거나, 신부전이 진행되어 혈액을 투석하기도 한다.

사구체신염의 병기 · 병태 · 중증도에서 본 치료흐름도

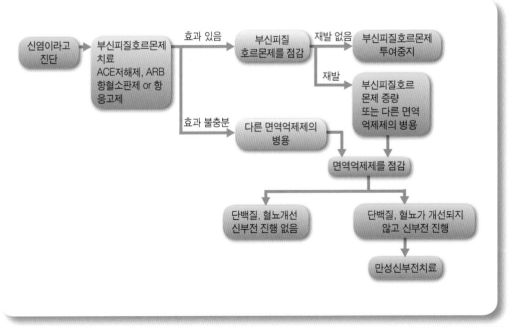

(佐藤文繪·寺田典生)

환자에게 안정과 보온의 필요성을 이해하게 하고, 합병증을 예방하고 증상을 완화시키며 엄격한 식사 제한에 수반하는 고통을 완화하는 것이 중요하다. 투석치료가 필요한 경우나 신생검을 실시할 때에는 그에 대한 간호가 필요하다.

병기·병태·중증도에 따른 케어

【급성기】 상기도감염 등을 원인으로 육안으로 확인 가능한 혈뇨나 급성 신염증후군 등이 발생하는 수가 있다. 발생 초기에는 환자에게 안정과 보온의 필요성을 이해하게 한다. 또 식사제한에 수반하는 고통을 완화하고, 합병증의 예방이나 증상의 완화에 힘쓴다.

【만성기】 단백뇨, 혈압, 신기능의 상태에 따라서 경과가 다르다. 진행되면 고혈압이 나타나며, 만성신부전의 이행에 수반되는 요독증증상에는 투석치료가 필요하다. 우선은 안정, 보온, 식사 (저염식, 저단백식, 고에너지식)·약물치료에 대한 조정과 지도가 필요하다. 또 진단확정에 필요한 신생검에 따른 간호도 필요하다.

케어의 포인트

식사지도에 대한 환자교육
- 환자·가족의 지금까지의 라이프스타일을 존중하면서 지지한다.
- 기본적으로 질환과 증상에 맞추어 『신질환환자의 생활지도·식사요법에 관한 가이드라인』(일본신장학회)에 근거하여 교육한다.
- 식사는 기본적 욕구와 관련된 부분으로, 그 부분을 제한해야 하는 환자의 고충을 우선적으로 이해하는 것이 중요하다.
- 연령이나 성별에 따라서 어디까지 식사제한을 수용할 수 있는지, 또는 실시할 수 있는지 사전에 시도해 본다.
- 급작스레 생활전반에 대해서 행동변화를 지도하는 것이 아니라, 환자가 가능한 것부터, 조금씩 변용할 수 있도록 교육을 실시한다.
- 환자뿐 아니라, 식사를 만들어 주는 가족도 가능한 교육하도록 한다.
- 영양사와 협력하여 통일된 지도가 행해지도록 한다.

생활지도에 대한 환자교육
- 그 사람의 지금까지의 라이프스타일을 존중하는 지지를 제공한다.
- 기본적으로 질환과 병상에 맞추어 『신질환환자의 생활지도·식사요법에 관한 가이드라인』(일본신장학회)에 입각하여 교육한다.
- 갑자기 생활전반에 대해서 행동변화를 지도하는 것이 아니라, 환자에게 가능한 것부터 조금씩 교육을 실시한다.
- 환자 뿐 아니라, 가족도 가능한 교육하도록 한다.

환자·가족의 심리·사회적 문제에 대한 지지
- 질환에 관하여 환자·가족에게 알기 쉽게 설명하고, 불안을 해소하도록 지지한다.
- 경제적 부담에 관한 고민이나 불안도 있으므로, 우선 그 기분을 타인에게 전달할 수 있도록 돕는다. 그 후 필요하면 의료사회사업가에게 상담한다.
- 환자모임 등을 소개하고, 고민을 얘기하거나 생활상의 요령을 배울 수 있는 모임을 제공할 수 있도록 지지한다.

퇴원지도·요양지도

- 환자와 더불어 객관적으로 평가할 수 있고, 또 자기효력감을 확인할 수 있는 셀프모니터링을 활용한다.
- 큰 목표를 갑자기 설정하는 것이 아니라, 단계마다 (step by step법) 조금씩 목표를 달성함으로써 자기효력감을 높인다.
- 환자모임 등, 같은 질환을 가진 환자끼리 고민이나 생활상의 요령을 나눌 기회 (peer learning)를 소개한다.
- 환자·가족 모두 안정된 가정생활을 영위할 수 있도록, 환경의 정비나 생활의 재조정에 맞추어 지지한다.
- 규칙적으로 복용하도록 지도한다.
- 부작용이 발현했을 때에는 바로 의료기관에 연락하도록 지도한다.
- 장기간 경과를 보아야 하는 질환인 점을 이해하고, 계속적으로 내원할 수 있도록 격려한다.
- 질환이 진행되어 약의 효과가 약해지면, 사회생활이나 일상생활에 자신감을 잃게 되므로, 할 수 있는 일에 눈을 돌리도록 촉구하고, 심리적인 지지를 제공한다.
- 사회와의 접점을 여러 형태로 계속 유지하도록 촉구하고, 증상을 감안하여 그에 맞게 신체활동도 가능하도록 지도한다.
- 재택요양시 사회자원을 활용할 수 있는 경우에는 지역과의 연계 및 조정을 시도한다.
- 환자가 가지고 있는 힘을 믿고, 그 힘을 이끌어내면서 (empowerment) 생활할 수 있도록 조정해 간다.
- Readiness (학습준비상태)에 따라 지도한다.
- 환자의 내발적 동기부여를 격려한다. 즉, 환자 자신이 실현 가능하다고 여길 수 있도록 정보를 제공하거나 지도한다.

(岡 美智代·恩幣宏美)

Key word

● 자기효력감
어느 과제를 달성하기 위해서 필요한 행동에 관하여, 그것이 효과적이라는 신념을 가지고 실제로 자신이 그 행동을 실시할 수 있다는 확신을 가지는 것.

● 셀프모니터링
환자가 자신의 변화를 관찰하고, 그 변화를 파악하여 대처법을 결정해 가는 것. 자신의 변화를 객관적으로 이해함으로써, 행동변화에 따른 효과를 자각할 수 있다.

● Step by step법
한 번에 높은 목표를 세우는 것이 아니라, 소목표를 세우고, 단계에 따라서 실시해 가는 행동변화의 한 방법. 조금씩 반복적인 성공을 체험함으로써 실현 가능성을 높이고, 무력감의 증강을 방지할 수 있다.

● Peer learning
같은 입장인 사람들끼리 문제해결이나 목표달성에 몰두하는 방법. 동료끼리 학습하므로 받아들이기가 쉽다는 효과가 있다. 또 경쟁의식을 환기시키는 효과도 있다.

● Empowerment
사회적으로 불리한 상황에 놓인 사람들의 자기실현을 위해서 그들의 장점·힘·강도에 착안하여 지지한다는 개념.

● Readiness
어느 특정 내용을 학습할 때, 그 학습이 성립되기 위해서 필요한 준비 (지식·경험, 태도, 신체적·심리적 준비 등)가 갖추어져 있는 상태

Memo

14 급성신부전 (acute renal failure)

柿添　豊·富田公夫/齊藤しのぶ

전체 map

병인
- 신전성 : 신혈류의 감소가 원인이다.
- 신성 : 신장 그 자체의 병변이 원인이다.
- 신후성 : 신장에서 생산된 요의 배설장애가 원인이다.
- [악화인자] 약제, 조영제, 악성종양의 침윤, 감염증

역학
- 전체 입원환자의 약 5%에서 발생하고, 중증 입원환자의 경우에는 약 15%에게서 발생한다.
- [예후] 급성신부전 전체의 사망률은 50%이다. 고령자의 사망률은 더욱 높으며, 핍뇨성은 예후가 불량하다.

병태생리
- 신장의 기능 (노폐물의 배설, 물·전해질 조절, 산염기평형의 유지)이 급속히 저하되어 요독증(uremia) 증상을 나타내는 상태이다. 병태생리 map p.136
- 신기능장애의 원인에 따라서 신전성(prerenal), 신성(renal), 신후성(postrenal)의 3가지로 크게 나뉜다.
- 핍뇨 (400mL/일 이하)의 유무에 따라서 핍뇨성과 비핍뇨성으로 나뉜다. 무뇨(100mL/일 이하)인 경우도 있다.
- 가역성으로서 치료로 신기능의 회복을 기대할 수 있다.

증상
- 신장애가 발생하면 24시간 이내에 핍뇨가 출현한다. 증상 map p.138
- 수분·Na저류에 의한 증상 : 체중증가, 부종, 고혈압, 폐울혈
- BUN상승 (고질소혈증) 에 의한 요독증증상 : 소화기증상 (식욕부진, 오심·구토, 복통), 신경·근증상 (전신권태감, 혼수, 근경련)
- [합병증]
- 감염증
- 폐수종(pulmonary edema), 울혈성심부전, 고혈압
- 소화관출혈
- 빈혈
- 신경증상

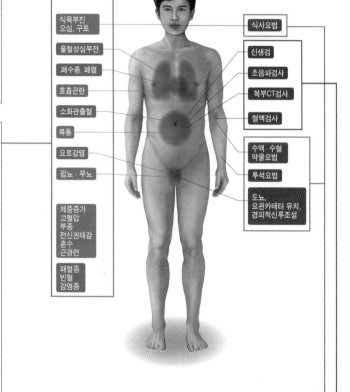

증상　합병증　진단　치료

의식장애 / 식욕부진 오심, 구토 / 울혈성심부전 / 폐수종, 폐렴 / 호흡곤란 / 소화관출혈 / 복통 / 요로감염 / 핍뇨·무뇨 / 체중증가 고혈압 부종 전신권태감 혼수 근경련 / 패혈증 빈혈 감염증

식사요법 / 신생검 / 초음파검사 / 복부CT검사 / 혈액검사 / 수액·수혈 약물요법 / 투석요법 / 도뇨, 요관카테터 유치, 경피적신루조설

진단
- 신전성, 신성, 신후성의 감별이 중요하다. 진단 map p.138
- 혈액검사 : 혈청크레아티닌 (Cr)치와 BUN의 상승. 혈청요산 상승, 크레아티닌클리어런스 (Ccr) 저하를 확인한다.
- 신전성 : 체중감소, 혈압저하, 빈맥 등의 신체소견. 요삼투압 높은 수치, 요나트륨 (Na) 농도 낮은 수치. 수액으로 신기능의 회복이 확인되면 진단을 확정한다.
- 신성 : 요삼투압 낮은 수치, 요나트륨농도 높은 수치. 진단확정에는 신생검이 필요하다.
- 신후성 : 초음파·CT로 신우·신배·요관의 확장을 확인하고, 경피적신루조설로 신기능이 개선되면 진단을 확정한다.

치료
- 신전성 : 수액, 수혈, 승압제 등을 통해 신기능의 회복을 도모한다. 치료 map p.140
- 신성 : 원인을 제거하고, 신부전이나 합병증을 관리하면서 신기능의 회복을 기다린다.
- 신후성 : 도뇨, 요관카테터 유치, 경피적신루조설 등으로 요로의 폐색을 치유한다.
- 식사요법 (영양관리) : 저단백·고칼로리식을 섭취한다.
- 약물요법 : 합병증에 대한 보존적 치료로 루프이뇨제, 칼슘 (Ca) 보충제, 산증치료제, 혈청칼륨억제제를 사용한다.
- 투석요법 (혈액투석, 복막투석) : 적응대상은 폐수종, 현저한 고칼륨혈증, 요독증성심외막염 등이다.

병태생리 map

급성신부전은 노폐물의 배설, 물·전해질 조절, 산·염기평형의 유지를 담당하는 신장기능이 급속히 저하되고, 그에 수반하여 요독증증상을 나타내는 상태를 의미한다.

- 신기능장애의 원인은 ①신혈류의 감소로 인한 신전성, ②신장 그 자체의 병변에 의한 신성, ③신장에서 생산된 요의 배출장애로 인한 신후성의 3가지로 크게 나뉜다.
- 핍뇨 (1일 요량 400mL 이하)의 유무에 따라서 핍뇨성과 비핍뇨성으로 나뉜다. 무뇨 (1일 요량 100mL 이하)인 경우도 존재한다.
- 불가역적인 만성신부전과 달리, 치료로 신기능의 회복을 기대할 수 있다.

병인·악화인자

- 신전성급성신부전은 신장 그 자체에는 이상이 없지만, 신혈류량이 감소하여 요의 생산이 저하된 상태이다. 원인으로 ①구토·설사, 출혈 등으로 인한 체액량의 감소, ②신증후군, 간경변, 심부전 등의 부종을 일으키는 질환에 의한 유효 순환혈장량의 감소, ③심근경색 등에 의한 심박출량의 감소 등이 있다.
- 신성급성신부전은 ①교원병, 혈관염, 급속진행성사구체신염 등으로 사구체에 장애가 생긴 경우, ②신혈류량의 감소나 신독성 물질로 세뇨관에 장애가 생긴 급성세뇨관괴사 (협의의 급성신부전), ③페니실린이나 비스테로이드성 항염증제 (NSAIDs)에 대한 알레르기반응에 의한 급성간질성신염으로 나뉜다.
- 급성세뇨관괴사를 일으키는 신독성 물질로는 체외에서 투여되는 것으로 항균제 (아미노배당체계), 항악성종양제 (시스플라틴), 면역억제제 (시클로스포린), 중금속 (수은), 조영제 등이 있으며, 체내에서 생산되는 것으로는 적혈구 파괴로 인한 헤모글로빈, 근육의 파괴로 인한 미오글로빈이 있다.
- 신후성급성신부전은 신장에서 요가 생산되고 있지만, 요로가 폐색되어 배출되지 않는 상태이다.

원인으로, ①악성종양의 골반내 침윤이나 요관결석 등에 의한 양측 요관의 폐색, ②전립선비대나 방광암에 의한 방광·요도의 폐색이 있다.

역학·예후

- 급성신부전은 수술·약제투여 등의 의료행위가 원인으로 발생하는 경우가 많아서, 전체 입원환자의 약 5%에서 발생하고, 특히 중증 입원환자의 경우에는 약 15%에서 발생한다.
- 예후는 연령, 원인, 합병증, 치료시작까지의 기간이나 치료법 등에 크게 영향을 받으며 고령자의 경우 사망률이 높다.
- 핍뇨성은 비핍뇨성에 비해서 예후가 나쁘며, 조기에 투석요법을 시작하면 예후가 양호하다.
- 만성신부전과 달리 신기능의 회복을 기대할 수 있지만, 투석을 유지하거나 불완전한 신기능의 회복에 머무는 경우도 있다.
- 급성신부전 전체의 사망률은 50% 이상이며, 혈액정화요법의 진보에도 불구하고 30년 이상 큰 변화가 없다. 그 이유는 고령환자의 증가나 다장기부전의 합병례가 증가했기 때문이다.
- 사인으로는 감염증 (패혈증, 호흡기감염증, 요로감염증)이 많고, 이어서 심부전, 출혈, 고칼륨혈증 등이 있다.

신장

요관

방광

악화인자

| 약제 | 조영제 | 악성종양의 침윤 |

| 감염증 |

병인

신전성

| 체액량의 감소 | 신증후군 | 간경변 | 심부전 | 심근경색 | 등 |

신성

| 교원병 | 혈관염 | 급속진행성사구체신염 | 급성세뇨관괴사 |

| 급성간질성신염 | 등 |

신후성

| 요관의 폐색 | 방광·요도의 폐색 |

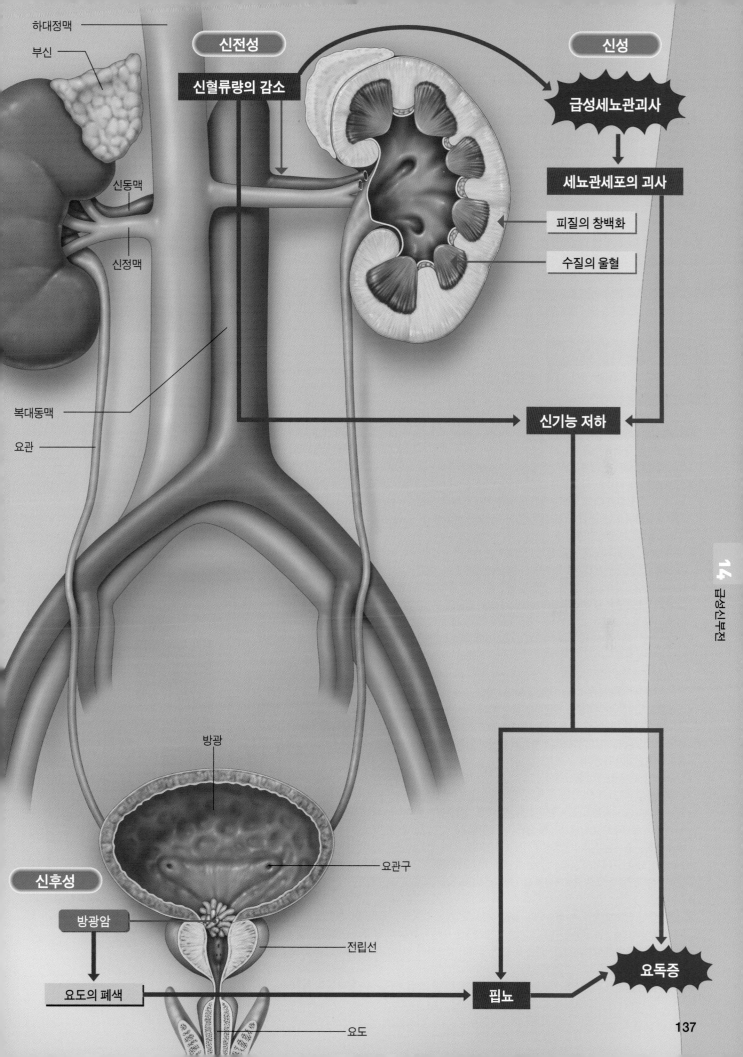

하대정맥

부신

신전성

신성

신혈류량의 감소

급성세뇨관괴사

신동맥

세뇨관세포의 괴사

신정맥

피질의 창백화

수질의 울혈

복대동맥

요관

신기능 저하

방광

요관구

신후성

방광암

전립선

요도의 폐색

핍뇨

요독증

요도

핍뇨가 출현하면 급성신부전을 반드시 의심해야 한다. 신장애로 인해 24시간 이내에 핍뇨화되는 경우가 많으며, 핍뇨는 1~3주 가량 지속되는 경우가 많다.

증상

- 수분 · 나트륨의 저류로 체중증가, 부종, 고혈압, 폐울혈이 초래된다.
- 혈중요소질소 (BUN) 의 상승 (고질소혈증) 으로 식욕부진, 오심 · 구토, 복통 등의 소화기증상이나 전신권태감, 혼수, 근경련 등의 신경 · 근증상이 출현한다 (요독증증상).

합병증

- 감염증 : 도뇨나 혈관내 카테터 유치 등과 면역력의 저하로 패혈증, 요로감염, 폐렴 등이 초래되기 쉽다.
- 폐수종, 울혈성심부전, 고혈압 : 물 · 나트륨의 저류에 의해 발생한다.
- 소화관출혈 : 고질소혈증으로 인한 구토, 스트레스로 인한 소화성궤양, 혈소판기능저하 등에 의해 발병한다.
- 빈혈 : 신장에서의 에리트로포이에틴 생산저하나, 적혈구 수명의 단축, 출혈 등에 의해 발생한다.
- 신경증상 : 요독증증상인 의식장애, 경련 등이 일어난다.

신전성, 신성, 신후성의 감별이 중요하다.

증상　　　합병증

| 의식장애 |
| 식욕부진 오심, 구토 |
| 울혈성심부전 |
| 폐수종, 폐렴 |
| 호흡곤란 |
| 소화관출혈 |
| 복통 |
| 요로감염 |
| 핍뇨 · 무뇨 |
| 체중증가 고혈압 부종 전신권태감 혼수 근경련 |
| 패혈증 빈혈 감염증 |

진단 · 검사치

- 신기능의 급속한 저하를 확인함으로써 진단한다. 혈청크레아티닌 (Cr)치나 BUN의 상승으로 진단하므로, 임상증상에서 급성신부전의 발생을 의심하여 혈액검사를 실시해야 한다.
- 신기능장애의 경과가 확실하지 않은 경우는 만성신부전과의 감별이 필요하다. 만성신부전은 단백뇨, 혈뇨, 고혈압, 당뇨병 등의 기왕력이 있는 경우가 많다. 만성신부전은 신장이 위축되고, 급성신부전은 종대되어 있는 경우가 많으므로, 영상진단으로 신장의 사이즈를 평가해야한다.

【신전성급성신부전의 진단】
- 구토, 설사, 발열, 이뇨제 사용 등의 기왕력이 존재하거나 혈압저하, 빈맥, 체중감소 등의 순환혈액량 감소를 시사하는 신체소견이 보이면 신전성급성신부전을 의심한다.
- 순환혈액량이 감소되면 생체는 신장에서의 물 · 나트륨의 재흡수를 항진시켜서 체액량을 유지하려고 한다. 이 때문에 요의 삼투압이 높아지고 요와 혈청의 크레아티닌 (Cr)비나 요소질소비 수치가 높아진다. 또 요나트륨농도, 나트륨배설률 (fractional sodium excretion ; FENa)이 낮은 수치가 된다.
- 생리식염수 등의 수액을 투여했을 때 신혈류량이 개선되면서 신기능이 회복되면, 신전성신부전의 진단을 확정한다.

【신성급성신부전의 진단】
- 항생물질이나 항암제 투여 중, 수술, 외상이나 열상 후에 발생한 경우에는 신성급성신부전을 의심한다.
- 신성급성신부전의 대부분을 차지하는 급성세뇨관괴사에서는 세뇨관의 장애로 요의 농축이나 Na재흡수에 문제가 생기므로 요삼투압의 수치는 낮아지고 요나트륨은 높아지게 된다. 또 세뇨관장애가 반영되어 요중의 β_2마이크로글로불린이 현저히 증가되고, 혈중 및 요중의 호산구 증가나 혈중 IgE 증가가 확인되기도 한다.
- 진단확정에는 신생검이 필요하다.

【신후성급성신부전의 진단】
- 골반강내 수술 기왕력이 있는 환자나 골반강내에 악성종양이 존재하는 환자에게 급성신부전이 발생한 경우나 육안적으로 확인 가능한 혈뇨, 배뇨곤란, 24시간 이상의 완전무뇨, 다뇨와 핍뇨의 반복 등을 확인하는 경우는 신후성급성신부전을 의심한다.
- 초음파검사나 CT에서의 신우 · 신배 · 요관의 확장소견으로 진단한다.
- 경피적신루조설 등으로 요로폐색을 해소하고 신기능이 개선되면 진단이 확정된다.
- 검사치
- 혈청Cr이나 BUN이 반드시 상승하여, 혈청요산치도 상승한다. 크레아티닌클리어런스 (Ccr)는 저하된다. 통상적으로 1일 BUN은 10~20mg/dL, 혈청Cr은 0.5~1.0mg/dL 정도 상승하지만, 발열, 감염, 저영양상태 등의 단백이화항진시에는 BUN이 급격히 상승한다. Na에 비해서 물이 상대적으로 과잉되면서 저나트륨혈증이 되는 경우가 많다.
- 혈청칼륨은 상승하고, 심전도에서 텐트상 T파의 출현, P파의 소실, QRS폭의 확대 등이 확인되며, 심

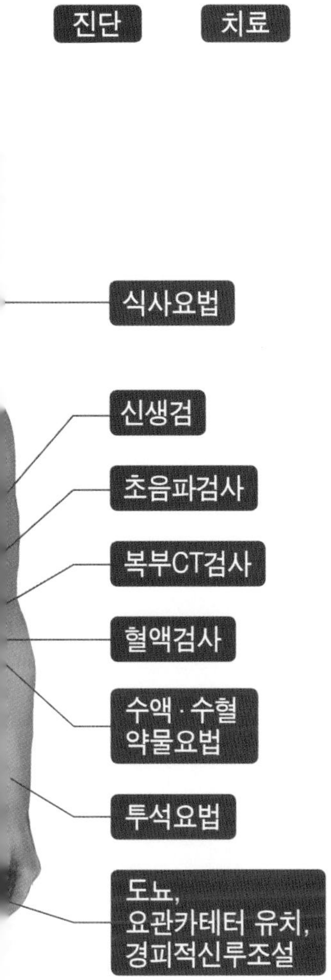

실세동 때문에 사망에 이르기도 한다(그림 14-1).
- 불휘발성산의 배설이 저하되고 대사성산증이 초래된다.

■ 표 14-1 급성신부전의 원인감별

		병력	신체소견	검사치
	신전성	구토, 설사, 다량발한, 발열, 이뇨제 사용 등으로 인한 체액량 감소	체중감소, 혈압저하, 빈맥, 기립성저혈압	혈액농축 (혈청 총단백, 헤마토크릿상승)
		신증후군, 간경변 등의 유효 순환 혈장량 감소	부종	혈중요소질소 (BUN)/혈청크레아티닌 (Cr) > 15~20
		심근경색·심부전 등의 심박출량 저하	흉통·호흡곤란, 기좌호흡	
	신성 (사구체질환)	전신성홍반성낭창 (SLE) 등의 전신성 질환을 시사하는 병력·신체소견	원질환으로 인한 발열, 발진, 근육통·관절통 등의 전신증상	단백뇨, 혈뇨, 요원주, 자가항체의 상승 신생검에서의 사구체병변 확인
	신성 (급성세뇨관괴사) 협의의 급성신부전	수술, 약제투여, 외상 신전성에서의 이행		
	신성 (간질성신염)	약제복용 발열, 요통, 관절통	발진	요 β_2마이크로글로불린 증가, 혈중·요중의 호산구 증가, 혈중 IgE 증가 신생검에서 간질로의 현저한 세포침윤 확인
	신후성	육안으로 확인 가능한 혈뇨, 배뇨 장애, 무뇨, 핍뇨·다뇨의 반복, 골반강내 수술, 골반강내 악성종양		초음파검사, CT로 신우, 신배, 요관의 확장 확인

■ 표 14-2 신전성과 신성 (급성세뇨관괴사, 협의의 급성신부전)의 감별

	신전성	신성 (급성세뇨관괴사, 협의의 급성신부전)
요소견	경도의 변동	요단백, 혈뇨, 원주 등
요삼투압 (mOsm/kg H₂O)	> 500	< 350
요중 Na (mEq/L)	< 20	> 40
%Na배설률 (FENa)*	< 1	> 1
요/혈청 Cr비	> 40	< 20
요/혈청 요소질소비	> 20	< 20

*FENa(%)=(요Na×혈청Cr)/(요Cr×혈청Na)×100

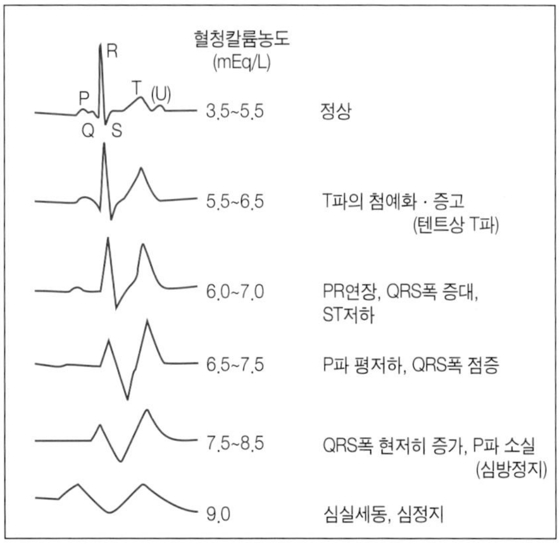

진단 치료

식사요법

신생검

초음파검사

복부CT검사

혈액검사

수액·수혈 약물요법

투석요법

도뇨, 요관카테터 유치, 경피적신루조설

혈청칼륨농도 (mEq/L)

3.5~5.5	정상
5.5~6.5	T파의 첨예화·증고 (텐트상 T파)
6.0~7.0	PR연장, QRS폭 증대, ST저하
6.5~7.5	P파 평저하, QRS폭 점증
7.5~8.5	QRS폭 현저히 증가, P파 소실 (심방정지)
9.0	심실세동, 심정지

■ 그림 14-1 고칼륨혈증의 심전도 변화
(日野雅像, 要 伸也 : 고·저칼륨혈증, 下條文武, 외 편 : 전문의를 위한 신장병 학. p.111, 의학서원, 2002 일부 개편)

Key word

● 불휘발성산 (nonvolatile acid)

세포에서는 영양소 대사에 수반하여 산이 생산되는데, 이 산의 대부분을 구성하는 것이 이산화탄소 (CO_2)와 물 (H_2O)이다. 이것은 휘발성 (기체가 되기 쉽다)으로, 폐에서 호흡으로 배출된다. 한편, 일부의 산은 불휘발성으로 (피르빈산, 유산, 인산, 유산, 케톤체) 신장에서 배설된다.

신전성 · 신후성급성신부전에서는 원질환 및 원인병태의 치료가, 신성인 경우에는 원인이나 악화인자의 제거 및 합병증 예방이 기본이다.

치료방침

- 신전성 · 신후성에서는 원질환 및 원인병태의 치료가 기본이다. 전자에서는 수액, 수혈, 승압제 등으로 신혈류를 개선함으로써 신기능의 급속한 개선을 기대할 수 있다. 후자에서는 도뇨, 요관 카테터 유치, 경피적신루조설 등으로 요로의 폐색을 해소하면 신기능이 신속히 개선된다.
- 신성을 대표하는 급성세뇨관괴사에서는 신부전의 정도를 가볍게 하거나 기간을 짧게 하기 위한 근본적인 치료법이 없다. 원인이나 악화인자를 제거한 후 (신독성 약제의 투여중지, 탈수 · 출혈의 시정 등), 신부전이나 합병증으로 인한 증상의 예방 · 치료를 하면서 신기능이 회복되는 것을 기다린다.
- 교원병, 혈관염, 급속진행성사구체신염 등에 의한 사구체장애가 원인인 경우, 스테로이드, 면역억제제, 혈장교환을 적용한다.
- 알레르기성급성간질성신염에서는 원인약제의 투여중지에 더불어 스테로이드를 사용하기도 한다.

■ 표 14-3 급성신부전의 합병증에 사용되는 주요 치료제

분류	일반명	주요 상품명	약효발현의 메커니즘	주요 부작용
루프이뇨제	푸로세미드	라식스, Eutensin	신세뇨관에서의 Na, Cl, K의 재흡수를 억제하므로써 이뇨를 촉진	저나트륨혈증, 저칼륨혈증, 저칼슘혈증, 고요산혈증, 고혈당증, 난청
칼슘보급제	글루콘산 칼슘	Calcicol	심근독성의 경감	고칼슘혈증, 결석증
산증치료제	탄산수소나트륨	Meylon, Jutamin, 탄산수소나트륨	산증을 교정하고, 세포내로의 K이행을 촉진	알칼리증, 고나트륨혈증, 부종
혈청칼륨억제제	폴리스티렌설폰산칼슘	칼리메이트, 아가메이트젤리	장관 내에서 K를 흡착하여 분변으로 배설	장관천공, 장폐색, 변비

식사요법 · 영양관리

- 생체 내에 단백이화 · 고질소혈증을 예방하기 위해서 저단백 · 고칼로리식 섭취가 기본이 된다(단백 0.5~1.0g/kg/일, 에너지 35g/kg/일). 또 고칼륨혈증이나 체액과다로 인한 부종 · 고혈압 예방을 위해서 칼륨제한, 염분제한(6g/일 이하), 수분제한(요량＋300~500mL/일)이 필요하다.

Px 처방례 경구섭취가 불가능한 경우, 고칼로리수액을 투여
- 50% 포도당주 800mL＋네오아미유주 400mL＋10% NaCl주 60mL＋네오라민 · 멀티V주 1바이알 이상을 혼합하여 중심정맥에서 지속투여한다.
- ※혈청칼륨치, 인치에 따라서 KCL주나 Conclyte-PK로 보정한다.

합병증에 대한 보존적 치료

Px 처방례 체액정체 · 부종
- 라식스주 1회 40~100mg 완만하게 정주 ←루프이뇨제
- ※2시간 관찰하고 적정 이뇨 (40mL/시 이상) 를 얻지 못하면 좀 더 증량 (100~200mg)하고, 적정 이뇨를 얻게 되면 동량을 6~8시간마다 반복하여 투여한다.

Px 처방례 고칼륨혈증에는 다음 중에서 적당히 조합하여 사용
- Calcicol주 (85%), 1회 10~20mL 서서히 정주 (보험적용외) ←칼슘보충제
- Meylon주 (7%) 1회 50~100mL 점적정주 ←산증치료제
- 10% 포도당주 500mL＋휴물린R주 10단위 점적정주 (보험적용외) ←글루코스 · 인슐린(GI) 요법
- 칼리메이트가루 1회 5~10g을 물 30mL에 풀어 1일 2~3회 복용 또는 30g을 미온수에 풀어서 주장 ←혈청칼륨억제제
- ※위쪽 처방일수록 작용발현까지의 시간이 짧고, 아래일수록 효과의 지속시간이 길다.

Px 처방례 대사성산증
- Meylon주 (7%) 1회 50~100mL 점적정주 ←산증치료제

투석요법

- 보존적 치료로 신부전을 관리할 수 없는 경우에는 투석요법을 시작한다.
- 폐수종, 현저한 고칼륨혈증 (6mEq/L 이상), 요독증성심외막염, 오심 · 구토 등의 소화기증상, 중주신경증상, 출혈경향 등이 출현하면, 투석요법을 시행한다. 임상증상이 없어도, 혈청 Cr 7mg/dL · BUN70mg/dL 이상이면 투석요법을 시작한다.
- 투석요법은 혈액투석, 복막투석으로 크게 나뉜다. 복막투석(peritoneal dialysis)은 출혈의 염려가 적고, 순환동태에 대한 영향도 적지만, 투석효율이 불충분한 경우가 있다. 혈액투석(hemodialysis)은 투석효율이 좋지만, 심부전이나 패혈증 등으로 저혈압을 나타내는 경우에 순환동태에 미치는 영향이 커서 시행할 수 없는 경우가 있다. 순환동태가 불안정한 환자에게는 지속적혈액여과투석법 (continuous hemodialysis filtration ; CHDF)을 고려한다.
- 신부전이 발생한 때로부터 며칠~몇 주만에 신기능이 서서히 개선되어, 다뇨가 발생하는 이뇨기에 접어든다. 이뇨기에는 물 · 전해질의 배설증가로 인해서 탈수, 저나트륨혈증, 저칼륨혈증 등을 일으키는 수가 있어서, 필요에 따라서 경구섭취를 증가시키거나 수액을 투여한다.
- 이뇨기에 접어들어도 BUN이나 혈청Cr치의 회복에는 시간이 걸리는 경우가 많다.

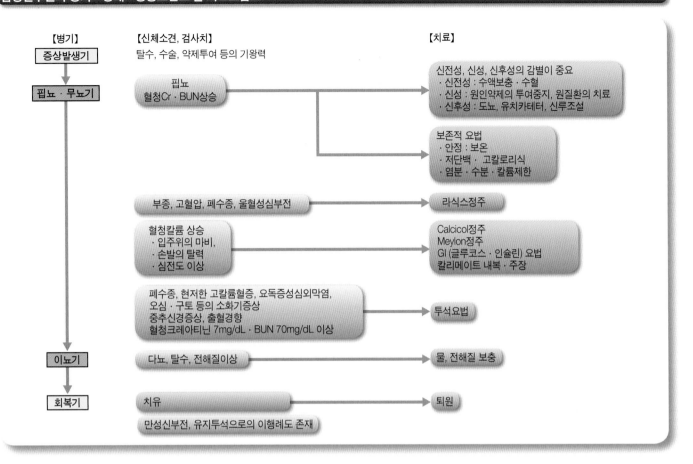

【병기】

증상발생기

↓

핍뇨·무뇨기

↓

이뇨기

↓

회복기

【신체소견, 검사치】

탈수, 수술, 약제투여 등의 기왕력

핍뇨
혈청Cr·BUN상승

부종, 고혈압, 폐수종, 울혈성심부전

혈청칼륨 상승
· 입주위의 마비,
· 손발의 탈력
· 심전도 이상

폐수종, 현저한 고칼륨혈증, 요독증성심외막염,
오심·구토 등의 소화기증상
중추신경증상, 출혈경향
혈청크레아티닌 7mg/dL·BUN 70mg/dL 이상

다뇨, 탈수, 전해질이상

치유

만성신부전, 유지투석으로의 이행례도 존재

【치료】

신전성, 신성, 신후성의 감별이 중요
· 신전성 : 수액보충·수혈
· 신성 : 원인약제의 투여중지, 원질환의 치료
· 신후성 : 도뇨, 유치카테터, 신루조설

보존적 요법
· 안정 : 보온
· 저단백 · 고칼로리식
· 염분·수분·칼륨제한

라식스정주

Calcicol정주
Meylon정주
GI (글루코스·인슐린) 요법
칼리메이트 내복·주장

투석요법

물, 전해질 보충

퇴원

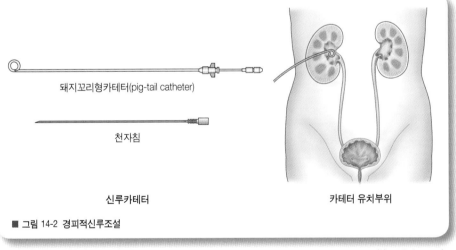

돼지꼬리형카테터(pig-tail catheter)

천자침

신루카테터

카테터 유치부위

■ 그림 14-2 경피적신루조설

(柿添 豊·富田公夫)

급성신부전

환자케어

증상발생기 · 핍뇨기에는 보온이, 이뇨기에는 전해질의 불균형상태가, 회복기에는 재발을 예방하는 생활조정이 간호의 중점이 된다.

병기 · 병태 · 중증도에 따른 케어

【증상발생기 · 핍뇨기】 이 시기에는 사구체의 염증상태가 계속되어, 사구체 여과량이 급격히 감소되고 있다. 네프론의 손상을 최소한도로 억제하기 위해서는 네프론의 작용에 부하가 가해지지 않게 혈류량을 확보하고, 보온에 힘써야 한다.

【이뇨기】 신기능이 회복되기 시작하는 시기로, 요량이 2~3L가 되는 경우도 있다. 수분, 노폐물, 전해질이 배설되어, 탈수나 저나트륨혈증, 저칼륨혈증 등 전해질이 불균형상태가 되지 않도록 관찰 · 간호에 임한다. 또 회복되고 있는 단계라는 점을 환자 · 가족이 이해하게 하여, 안정을 유지하도록 한다.

【회복기】 신기능이 거의 정상으로 되돌아오는 시기로 내부환경의 평형상태가 정비된다. 환자가 신장에 부하를 가하지 않는 생활을 수용하고, 신장애가 반복되지 않게 생활을 조정할 수 있도록 지지한다.

케어의 포인트

진찰 · 치료의 지지
- 관찰은 정시에 정확히 한다.
- 이상의 조기발견에 힘쓰고, 이상을 발견하면 의사에게 신속히 보고한다.
- 시간마다 약물의 효과를 확인한다.
- 핍뇨기가 지나고 이뇨기가 되면 한 번에 과하게 배설하는 상태가 된다. 매일 요량이나 활력징후의 변화에 주의하여 신기능이 악화되지 않도록 조정한다.
- 욕창이나 감염증 예방을 위해서 피부나 점막을 청결히 하도록 지도 · 지지한다.
- 가족의 부담이 경감되도록, 사회자원의 활용 등 필요한 지지를 제공한다.
- 소아 등인 경우, 발달과제를 달성하도록 지지한다.

환자 · 가족의 심리 · 사회적 문제에 대한 지지
- 질환에 관하여 환자 · 가족에게 알기 쉽게 설명하고, 불안을 해소하도록 지지한다.
- 환자 · 가족의 의사소통을 도모하고, 구체적인 생활조정에 관하여 함께 생각해 간다.
- 적절히 스트레스를 발산할 수 있도록 지지한다.

퇴원지도 · 요양지도

- 생활을 함께 반추하고 증상발생의 원인을 인식하여 예방수단을 마련할 수 있도록 한다.
- 신기능이 완전히 회복되기까지 정기적으로 진찰받도록 격려한다.

■ 표 14-4 신루조설 후의 주의점

주의점	증상
응고혈에 의한 카테터의 폐색	· 요유출 현상 · 카테터 삽입부위에서의 요누출 · 발열 · 등통증, 측복부통
감염	· 카테터 삽입부위의 발적 · 종창 · 통증 · 삼출액 · 악취 · 요의 혼탁 · 발열
카테터의 발관	

(齊藤しのぶ)

15 | 만성신부전 (chronic renal failure)

黑木亞紀·秋澤忠男 / 齊藤しのぶ

전체 map

병인
- 만성으로 경과하는 모든 신질환 (만성사구체신염, 당뇨병성신증, 신경화증 등)이 원인이다.
- [악화인자] 감염, 과로, 조영제, 약제, 생활습관병, 흡연, 빈혈

역학
- CKD 환자수는 수백만명으로 추정된다.
- 투석환자수는 100만명당 2,200명이다.
- [예후] 투석시작 후의 5년생존율은 약 60%이고, 10년생존율은 40%이다.

병태생리
- 신장의 배설기능, 내분비기능이 월·연단위 진행성으로 저하되는 불가역적 신질환이다.
- 사구체여과수치 (GFR)가 정상의 50% 이하이고, 혈청 크레아티닌 (Cr)치는 2.0mg/dL 이상으로 유지된다.
- 최근 들어 만성신부전을 대신해서, 만성신장질환 (CKD)이라는 개념이 확대되고 있다.
- CKD의 정의 : 신장의 장애 (경도의 단백뇨 등) 또는 GFR 60mL/분/1.73m² 미만의 신기능 저하가 3개월 이상 지속되는 상태

병태생리 map p.144

증상
- 증상은 병기 (Ⅰ~Ⅳ기)에 따라서 다르다.
- Ⅰ기 (신예비능저하) : 무증상
- Ⅱ기 (신기능부전) : 요농축력 저하로 인한 야간다뇨
- Ⅲ기 (비대상성신부전) : 권태감, 쇠약감, 고혈압
- Ⅳ기 (요독증) : 요독증증상, 폐수종
- [합병증]
- 심혈관병변
- 투석아밀로이드증
- 2차성 부갑상선기능항진증

증상 map p.146

증상 합병증 진단 치료

빈혈
권태감
쇠약감
고혈압

보존기
혈압관리
식사요법
약물요법

말기
투석요법
신장이식

심혈관병변

폐수종

혈액검사

신기능검사

요검사

야간다뇨

요독증증상

투석아밀로이드증
부갑상선기능항진증
감염증
신성골이영양증

진단
- 요검사 : 단백뇨, 혈뇨의 유무를 확인하여 조기발견에 유효하다.
- 혈액검사 : Ⅲ기 이후에는 혈중 요소질소 (BUN), Cr 상승, 혈청칼륨 (K) 상승, 혈청칼슘 (Ca) 저하, 혈청 인 (P) 상승, 적혈구·헤모글로빈·헤마토크릿 저하가 나타난다.
- 신기능은 혈청Cr치를 근거로 한 추산식 (추정 GFR)으로 평가한다.
- 추정 GFR=$0.741 \times 175 \times$ 연령$^{-0.203} \times$ Cr$^{-1.154}$
  (여성은 여기에 $\times 0.742$)

진단 map p.147

치료
- 보존기 신부전 : 혈압관리, 식사요법, 신부전의 진행억제와 만성신부전 증상에 대한 약물요법을 시행한다.
- 말기 신부전 : 투석요법 또는 신장이식을 적용한다.
- 약물요법 : 강압제 [안지오텐신Ⅱ수용체길항제 (ARB), 안지오텐신변환효소 (ACE) 저해제]로 혈압관리를 엄격히 하고, 증상에 따른 대증요법을 시행한다.
- 투석요법 : 혈액투석이 널리 행해지고, 복막투석은 전체 투석환자의 약 5%에게서 시행되고 있다.
- 신장이식 : 일본에서는 생체신이식이 대부분이다.

치료 map p.148

병태생리 map

만성신부전은 월·연의 단위로 신기능이 진행성으로 저하되는 불가역적 질환으로, 신장의 배설기능, 내분비기능이 저하됨으로써 생체의 내부환경의 항상성 유지가 불가능해 진다.

- 일반적으로 사구체여과치 (GFR)가 정상의 50% 이하, 혈청크레아티닌치가 2.0mg/dL 이상으로 지속되고 있는 상태를 의미한다.
- 초기에는 자각증상이 부족하고, 단백뇨 등의 요이상으로 시작되어 서서히 신기능이 저하되어 말기신부전으로 진행된다.
- 신기능의 저하에 수반하여, 야간다뇨, 빈혈, 전해질이상 (고칼륨혈증, 저칼슘혈증, 고인산혈증, 대사성산증 등), 고혈압, 부종 등이 출현한다. 또 말기신부전이 되면, 순환기, 소화기증상을 비롯한 전신증상이 출현한다.
- 최근, 만성신부전을 대신해서, 만성신장질환 (chronic kindney disease ; CKD)이라는 개념이 확대되고 있다. CKD란 종래의 만성신부전에 경도의 신장애가 추가된 견해로, 경도의 단백뇨 등의 신장장애, 또는 GFR 60mL/분/1.73m^2 미만의 신기능 저하가 3개월 이상 지속되는 상태이다. 보다 조기에 신장애를 인식함으로써, 신기능 저하의 진행을 방지하는 것이 CKD 개념의 기반이 되고 있다.

병인·악화인자

- 병인 : 만성사구체신염, 당뇨병성신증(diabetic nephropathy), 신경화증(nephrosclerosis), 다발성낭포신(polycystic kidney) 등 만성으로 경과되는 모든 신장질환이 원인이 될 수 있다.
- 악화인자 : 감염, 과로 등의 스트레스로 신기능이 한층 더 저하될 수 있다. 조영제, 소염진통제, 항생물질 등의 약제는 신장애로의 진행을 초래한다. 생활습관과 관련된 악화인자에는 고혈압, 비만, 내당능이상, 지질대사이상, 흡연이 있다. 그 밖에 빈혈도 악화인자가 된다고 알려져 있다.

역학·예후

- 역학 : 혈청크레아티닌치 2.0mg/dL 이상은 1,000명에 2명 정도이다. 한편, CKD 환자는 수백만명에 이른다고 추정된다.
- 예후 : 신기능이 저하되어 말기신부전이 되면, 투석 또는 신이식요법이 필요하다. 만성신부전은 심혈관병변의 위험인자이며, 말기신부전에 이르기 전에 심혈관병변으로 사망할 확률이 높다. 2009년의 투석환자수는 37,000명, 2009년말의 투석환자수는 인구 100만명대 2,200명이 되어, 국민 약 500명 중에 1명에게 투석요법이 시행되고 있다.
- 투석도입의 원질환으로는 당뇨병성신증, 만성사구체신염, 신경화증 순으로 빈도가 높다. 투석도입후 5년생존율은 약 60%, 10년생존율은 36%이다. 투석환자의 사망원인은 심혈관병변이 제1위를 차지하고, 이어서 감염증, 악성종양의 순이다.

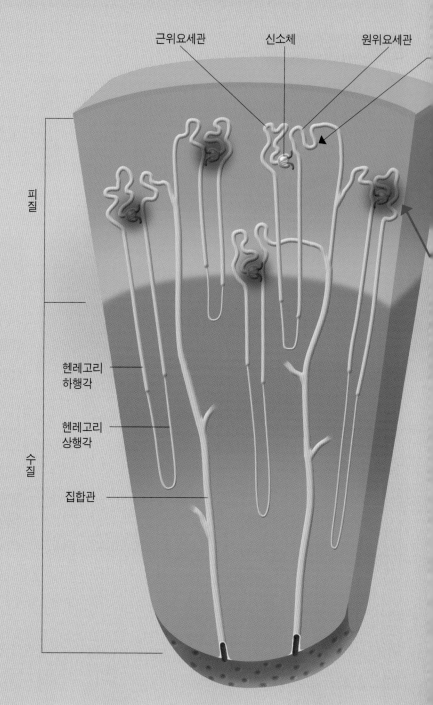

근위요세관   신소체   원위요세관

피질

수질

헨레고리 하행각

헨레고리 상행각

집합관

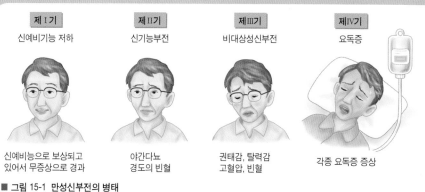

제 I 기	제 II 기	제 III 기	제 IV 기
신예비기능 저하	신기능부전	비대상성신부전	요독증
신예비능으로 보상되고 있어서 무증상으로 경과	야간다뇨 경도의 빈혈	권태감, 탈력감 고혈압, 빈혈	각종 요독증 증상

■ 그림 15-1 만성신부전의 병태

잔존 네프론

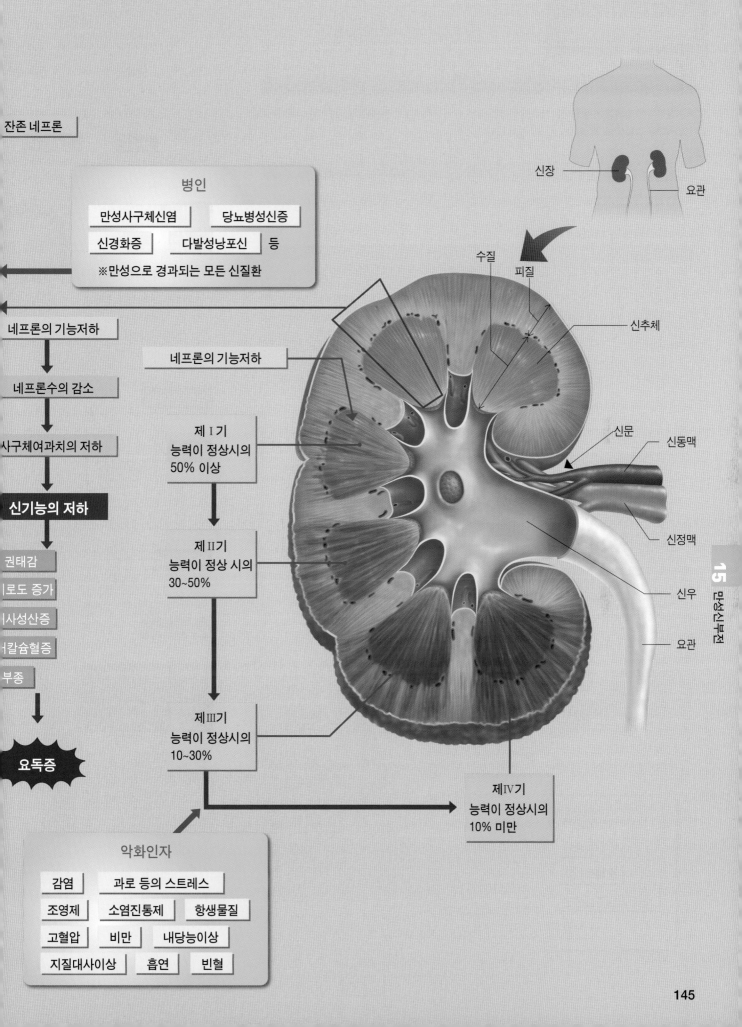

병인

| 만성사구체신염 | 당뇨병성신증 |
| 신경화증 | 다발성낭포신 | 등 |

※만성으로 경과되는 모든 신질환

네프론의 기능저하

네프론수의 감소

사구체여과치의 저하

신기능의 저하

권태감

요로도 증가

대사성산증

고칼슘혈증

부종

요독증

네프론의 기능저하

제Ⅰ기
능력이 정상시의
50% 이상

제Ⅱ기
능력이 정상 시의
30~50%

제Ⅲ기
능력이 정상시의
10~30%

제Ⅳ기
능력이 정상시의
10% 미만

악화인자

감염	과로 등의 스트레스
조영제	소염진통제	항생물질
고혈압	비만	내당능이상
지질대사이상	흡연	빈혈

신장
요관

수질
피질
신추체
신문
신동맥
신정맥
신우
요관

만성신부전

증상 map

II기 이후, 신기능의 저하로 야간다뇨, 빈혈, 권태감, 고혈압 등의 증상이 나타난다.

증상

● 만성신부전의 병기는 무증상인 I기부터 요독증인 IV기까지 4기로 분류된다(그림 15-1, 표 15-1).
요독증은 그림 15-2에 나타낸 전신증상을 유발한다.

합병증

● 주요 합병증에는 심혈관병변, 투석아밀로이드증, 2차성 부갑상선기능항진증 등이 있다(표 15-3).

■ 표 15-1 만성신부전의 병기분류와 증상

	사구체여과치 (mL/분)	임상소견	검사소견
I기 신예비능 저하	50 이상	무증상	거의 정상범위 요검사 이상이 확인되는 경우도 존재
II기 신기능부전	30~50	요농축력 저하로 인한 야간다뇨	경도의 BUN · 크레아티닌의 상승
III기 비대상성신부전	10~30	권태감 · 쇠약감, 고혈압	BUN · 크레아티닌의 상승, 빈혈, 대사성산증, 전해질이상
IV기 요독증	10 미만	요독증증상, 폐수종	III기에서 확인한 검사소견의 악화

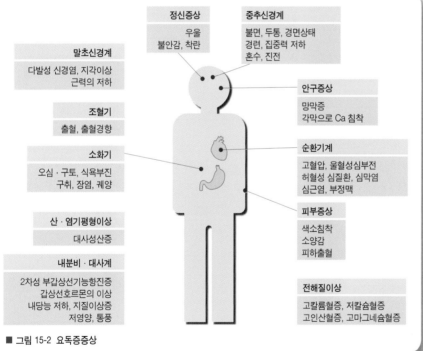

■ 그림 15-2 요독증증상

정신증상
우울
불안감, 착란

중추신경계
불면, 두통, 경면상태
경련, 집중력 저하
혼수, 진전

말초신경계
다발성 신경염, 지각이상
근력의 저하

안구증상
망막증
각막으로 Ca 침착

조혈기
출혈, 출혈경향

순환기계
고혈압, 울혈성심부전
허혈성 심질환, 심막염
심근염, 부정맥

소화기
오심 · 구토, 식욕부진
구취, 장염, 궤양

피부증상
색소침착
소양감
피하출혈

산 · 염기평형이상
대사성산증

내분비 · 대사계
2차성 부갑상선기능항진증
갑상선호르몬의 이상
내당능 저하, 지질이상증
저영양, 통풍

전해질이상
고칼륨혈증, 저칼슘혈증
고인산혈증, 고마그네슘혈증

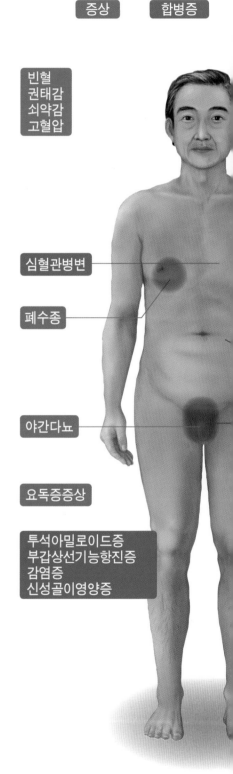

증상　　　합병증

빈혈
권태감
쇠약감
고혈압

심혈관병변

폐수종

야간다뇨

요독증증상

투석아밀로이드증
부갑상선기능항진증
감염증
신성골이영양증

Key word

● 보존기 신부전
I ~III기의 신부전으로서 약물 · 식사요법으로 증상을 관리
할 수 있는 시기를 말한다.
● 말기 신부전
IV기 이후의 신부전으로서 약물 · 식사요법만으로는 신부전
증상을 관리할 수 없는 시기를 말한다.

진단 map

BUN, 크레아티닌클리어런스, 혈청크레아티닌치, 추정 GFR치를 근거로 신기능을 평가한다.

진단 치료

진단·검사치

- 조기발견에는 검뇨 (단백뇨, 혈뇨)가 유효하다.
- 신기능은 크레아티닌클리어런스, 혈청크레아티닌치로 구하는 추정 GFR치를 이용하여 평가한다.
- 검사치
- 만성신부전의 Ⅲ기 이후에는 표 15-3에 나타낸 검사치의 이상을 확인하게 된다.

보존기
혈압관리
식사요법
약물요법

말기
투석요법
신장이식

혈액검사

신기능검사

요검사

■ 표 15-2 만성신부전의 주요 합병증

	원인 · 메커니즘	증상 · 소견 · 진단	대책 · 치료
심혈관병변	만성신부전에 합병하는 고혈압, 지질이상증, Ca, P의 이상에 의한 동맥경화의 진행, 빈혈	심부전, 허혈성 심질환, 뇌혈관장애, 말초혈관장애	혈압관리, 지질이상의 개선, Ca, P의 관리, 빈혈교정
감염증, 악성종양	면역능 저하	원인불명의 발열 결핵, 신세포암	특히 결핵에는 유의 악성종양의 조기발견에 힘쓴다.
2차성 부갑상선기능항진증	지속적인 저칼슘혈증, 고인산혈증에 의한 부갑상선호르몬 (PTH)의 분비항진	관절, 혈관에의 Ca침착 (이소성석회화), 신성골이영양증, 피부가려움증	Ca, P의 관리, 활성형 비타민D_3제에 의한 PTH의 분비억제, 부갑상선적출술
신성골이영양증	지속적인 저칼슘혈증, 고인산혈증, 2차성 부갑상선기능항진증에 의한 골대사의 이상	골통, 골절, 골의 변형	Ca, P의 관리, 활성형 비타민D_3제에 의한 PTH의 분비억제, 부갑상선적출술
투석아밀로이드증	투석으로 충분히 제거되지 않은 β_2 마이크로글로불린의 혈액속 농도가 상승하여 관절, 골 등에 침착	수근관증후군, 관절통, 골낭포, 파괴성척추관절증	β_2 마이크로글로불린의 제거효율이 좋은 투석기를 사용, 투석량을 증가시킨다. 발생한 병변에는 대증요법 시행

■ 표 15-3 만성신부전의 주요 검사치 이상

검사치	만성신부전에서 확인되는 이상	메커니즘
요비중	등장뇨 (비중 1.010)	요농축력, 희석력의 저하
질소대사물 (BUN, 크레아티닌 등)	상승	신장에서의 배설장애
혈청 K	상승	신장에서의 배설장애
혈청 Ca	저하	비타민D_3 (장관, 신장에서 Ca흡수를 촉진한다) 의 신장내 활성화장애
혈청 P	상승	신장내 배설장애, 저칼륨혈증
산염기평형	대사성산증	신장내 산의 배설장애
적혈구수, 헤모글로빈, 헤마토크릿	저하	적혈구 합성에 필요한 에리트로포이에틴의 신장내 합성 저하

Key word

- 추정 GFR치 (eGFR)

계산식은 다음과 같다.
$$eGFR = 0.741 \times 175 \times 연령^{-0.203} \times Cr^{-1.154}$$
(여성은 여기에 ×0.742)
효소법으로 측정한 혈청크레아티닌치 (Cr, mg/dL)와 연령, 성별, 일본인용 계수 0.741을 곱한 개정 MDRD간이식을 이용하여 계산한다.

15
만성신부전

치료 map ①

보존기에는 혈압관리, 식사요법을 통해 신부전의 진행을 억제하고, 만성신부전에 적응하는 약물요법이 행해진다.

보존기의 치료방침 (그림 15-3)

- 혈압관리를 엄격히 하여, 130/80mmHg 미만을 목표로 한다. 강압제 중에 신장보호작용이 확인되는 안지오텐신Ⅱ수용체길항제, 안지오텐신변환효소 (ACE) 저해제를 적극적으로 사용한다.
- 식사요법은 충분한 에너지섭취, 저단백, 저염분이 기본이다.
- 만성신부전에서 확인되는 증상에는 표 15-4에 기술된 약제로 대응한다.

보존기의 약물요법

- 고혈압은 신부전을 악화시키기 때문에 강압제로 엄격하게 혈압을 관리해야 한다. 그 밖에는 증상에 따른 대증요법을 한다.

Px 처방례 고혈압
- 디오반정(80mg) 1정 分1 (식후) ←안지오텐신Ⅱ 수용체길항제
- 타나트릴정(5mg) 1정 分1 (식후) ←ACE저해제
- 암로딘정(5mg) 1정 分1 (식후) ←Ca길항제

※안지오텐신Ⅱ수용체길항제나 ACE저해제로 고칼륨혈증이 확인되는 경우는 다른 강압제를 사용한다.

Px 처방례 고칼륨혈증
- 아가메이트젤리 (25g) 3개 分3 (매 식직후) ←혈청칼륨억제제

Px 처방례 저칼슘혈증
- 알파롤캅셀 (0.25μg) 1캅셀 分1 (식후) ←활성형 비타민D_3제

Px 처방례 고인산혈증
- Caltan정 (500mg) 6정 分3 (매 식직후) ←고인산혈증치료제

Px 처방례 신성빈혈
- Espo피하용 (12,000단위) 1회 12,000단위 2주마다 피하주 ←에리트로포이에틴제

Px 처방례 대사성산증
- 탄산수소나트륨가루 2g 分3 (매 식후) ←산증치료제

Px 처방례 요량저하
- 라식스정 (40mg) 1정 分1 (조식후) ←루프이뇨제

Px 처방례 신부전의 진행억제
- 크레메진세립 (2g) 3포 分3 (식간) ←흡착제

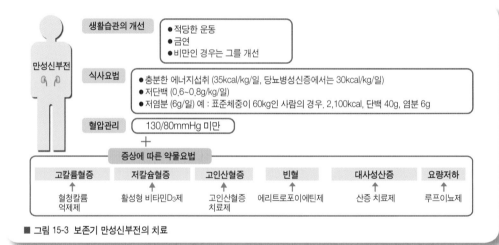

■ 그림 15-3 보존기 만성신부전의 치료

■ 표 15-4 만성신부전의 합병증에 사용되는 주요 치료제

분류	일반명	주요 상품명	약효발현의 메커니즘	주요 부작용
안지오텐신Ⅱ수용체길항제	발살탄	디오반	승압계로 안지오텐신Ⅱ에 길항함으로써 강압작용을 발현	고칼륨혈증
ACE저해제	이미다프릴염산염	타나트릴	안지오텐신Ⅱ의 합성을 저해함으로써 ACE활성을 저해하여 강압작용을 발현	
칼슘길항제	암로지핀베실산염	암로딘, 노바스크	세포 내로의 Ca유입을 감소시켜서, 혈관평활근을 이완	심계항진
혈청칼륨억제제	폴리스티렌설폰산칼슘	칼리메이트, 아가메이트젤리	장관 내에서 K을 흡착	장관천공, 장폐색
활성형 비타민D_3제	알파카르시돌	알파롤, 원알파	Ca · 골대사개선작용	고칼슘혈증
	칼시트리올	로칼트롤		
고인산혈증치료제	침강탄산칼슘	Caltan	장관 내에서 P을 흡착	고칼슘혈증
	세벨라머염산염(투석환자만)	레나젤, Phosblock		변비, 복부팽만, 장관천공, 장폐색
에리트로포이에틴제	에포에틴알파	Espo	적혈구의 분화 · 증식을 촉진	혈압상승 · 혈아구로
	에포에틴베타	Epogin		
산증치료제	탄산수소나트륨	탄산수소나트륨, Meylon	탄산수소의 보충	Na축적에 의한 부종
루프이뇨제	푸로세미드	라식스	이뇨작용	저칼륨혈증
경구흡착제	구형흡착탄	크레메진	장관 내에서 요독증 물질을 흡착	소화기증상

말기신부전에는 투석요법 (혈액투석, 복막투석) 또는 신장이식이 행해진다.

말기 치료방침

● 말기신부전에는 혈액투석, 지속 휴행복막투석 (CAPD : 일반적으로 말하는 복막투석) 등의 투석 요법 또는 신장이식이 필요하다. 투석도입시에는 투석도입기준 (표 15-5)을 참고한다.

■ 표 15-5 만성신부전의 투석도입기준

Ⅰ. 임상증상

1. 체액저류 (전신성부종, 고도의 저단백혈증, 폐수종)
2. 체액 이상 (관리가 불가능한 전해질·산염기평형이상)
3. 소화기증상 (오심·구토, 식욕부진, 설사 등)
4. 순환기증상 (중증 고혈압, 심부전, 심낭염)
5. 신경증상 (중추·말초신경장애, 정신장애)
6. 혈액이상 (고도의 빈혈증상, 출혈경향)
7. 시력장애 (요독증성망막증, 당뇨병성망막증)
1~7의 소항목 중 3개 이상인 것을 고도 (30점), 2개를 중등도 (20점), 1개를 경도 (10점) 라고 한다.

Ⅱ. 신기능

혈청크레아티닌 (mg/dL)
(크레아티닌클리어런스 mL/분)　　점수
8 이상 (10 미만)　　　　　　　30
5~8 미만 (10~20 미만)　　　　20
3~5 미만 (20~30 미만)　　　　10

Ⅲ. 일상생활 장애도

요독증증상 때문에 기상할 수 없는 경우를 고도 (30점), 일상생활이 현저하게 제한받는 경우를 중등도 (20점), 통근, 통학, 또는 가정내 노동이 어려워진 경우를 경도 (10점)라고 한다.

Ⅳ. 투석도입기준

(Ⅰ) 임상증상
(Ⅱ) 신기능　　　　합계 60점 이상에는 투석도입이 필요하다.
(Ⅲ) 일상생활 장애도
주) 연소자 (10세 이하), 고령자 (65세 이상), 전신성 혈관합병증이 있는 증례에 관해서는 10점을 가산한다.

(川口良人, 외 : 만성신부전의 투석도입 가이드라인의 연구. 1991년도 후생과학연구 신부전의료연구사업연구보고서, 1992)

Key word

● 혈액투석 (hemodialysis)
혈액투석은 현재 일본에서 가장 널리 행해지고 있는 방법으로, 혈액을 체외로 유도하여 투석기 내의 반투막을 통해서 확산과 여과로 혈액과 투석액간 물질교환하고, 혈액성분을 생리적 상태까지 개선한 후에 신체로 되돌리는 방법이다.

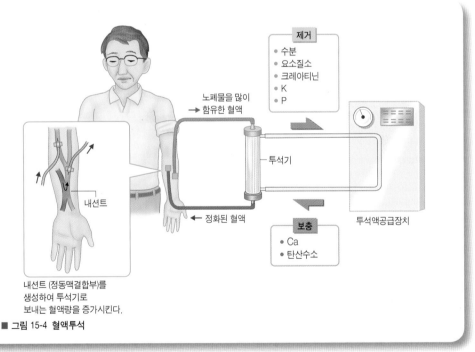

내션트 (정동맥결합부)를 생성하여 투석기로 보내는 혈액량을 증가시킨다.

■ 그림 15-4 혈액투석

■ 표 15-6 혈액투석과 복막투석의 비교

	혈액투석	복막투석
투석장소	의료시설	자택, 직장
통원	주에 3회	일반적으로 월에 1~2회
투석효율	소분자의 제거효율이 뛰어나다.	중분자의 제거효율이 뛰어나다.
잔존 신장기능의 유지	나쁘다.	좋다.
식사제한	엄격하다.	혈액투석에 비해서 단백질, K제한이 완화된다.
혈액량·용질농도	간헐적으로 크게 변동한다.	거의 불변이다.
비적응례	심·순환기계 기능이 나쁜 환자	광범위한 복부수술력이 있는 환자
대표적인 합병증	불균형증후군	복막염

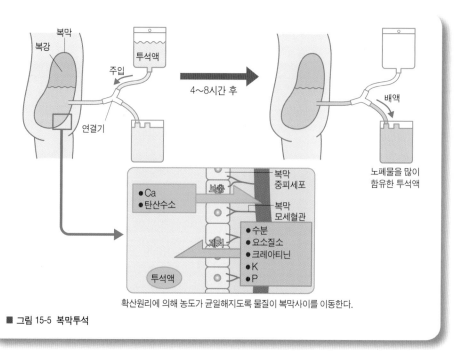

■ 그림 15-5 복막투석

■ 표 15-7 투석에서 나타나는 합병증

혈액투석	복막투석
불균형증후군 · 급격한 수분제거 : 요독증의 농도가 높은 상태인 뇌와 투석으로 　농도가 낮아진 혈액과의 농도교차에 의해 발생 혈압저하 · 급속·과잉 수분제거 순환혈액량의 감소 근경련 · 과잉 수분제거 · 혈청Na치, K치의 저하 부정맥 · 과잉 수분제거 · 전해질의 급격한 변화	복막염 · 백교환시 카테터의 오염 카테터 출구부의 감염 피낭성복막경화증 · 장기간의 복막투석 시행 · 고농도의 포도당 투석액이나 초산을 포함한 투석액의 　장기사용 · 크롤헥시딘글루콘산염 (소독약)의 사용 등
빈혈, 신성골이영양증, 투석아밀로이드증, 동맥경화증, 고혈압 등	

말기의 투석요법

(1) 혈액투석 (그림 15-4, 표 15-6)
● 혈액을 체외로 순환시키기 위하여, 혈관통로를 조설한다. 일반적으로 혈관결합으로 동정맥을 연결한 내션트
를 요골동맥과 요측피정맥 사이에 조설하는데 그 결과 혈류가 증대되어 종창된 전완의 피하정맥을 천자한다.
체외순환시에는 천자침을 유치하고 혈액의 응고를 방지하기 위하여, 헤파린 등의 항응고제를 사용한다.
● 투석액은 만성신부전에서 제거해야 할 물질 (K 등)은 저농도로, 보충해야 할 물질 (Ca, 탄산수소 등)은 고농
도로 함유하게 조성되어 있으며, 이 물질들이 농도가 높은 쪽에서 낮은 쪽으로 이동하는 확산의 원리에 의
해서 이동하면서 체액성분이 개선된다.
● 체내에 저류된 수분은 혈액측과 투석액측의 압력의 차이를 이용한 한외여과(ultrafiltration)로 제거된다.
● 합병증으로 단시간에 체액이 변화되면서 두통이나 오심·구토 등을 일으키는 투석불균형증후군이 있으며,
투석도입시에 호발한다. 또 순환동태가 불량한 경우는 혈액투석 중에 혈압저하가 초래되기에 투석을 하지
않을 때도 있다. 이와 같은 환자는 복막투석을 선택하게 된다. 혈액투석은 통상적으로 주 3회, 1회 3~4시간
에 걸쳐서 하며, 환자는 정기적으로 의료시설에 통원한다.

(2) 복막투석 (그림 15-5, 표 15-6)
● 투석액의 주입·배액을 위해 복강카테터를 유치한다. 카테터는 복벽으로부터 더글라스와에 삽입된다.
● 1.5~2.5L의 투석액을 약 6시간 복강 내에 저류시킨 후 배액하고, 새로운 투석액을 주액한다. 일반적으로 이
조작을 1일 4회 반복한다. 환자에 따라서 이 조작을 야간에만 하거나 기계를 사용하여 자동적으로 하는 것
도 가능하다.
● 투석액은 혈액투석의 투석액과 마찬가지로, 만성신부전으로 제거해야 할 물질 (K 등)은 저농도로, 보급해야
할 물질 (Ca, 탄산수소 등)은 고농도로 함유하고 있으며, 복막의 모세혈관내 혈액과 투석액 사이의 농도 균
배에 따라 물질교환이 이루어진다. 투석액의 포도당 농도를 높게 하고 삼투압을 높게 함으로써, 체내에 저

류된 수분을 투석액 측으로 이동시켜서 제거한다.

- 합병증으로 유치카테터에 의한 복막염(peritonitis)이 있다. 또 복막투석을 장기에 걸쳐서 하면, 복막이 미만성으로 비후해져 광범위하게 유착되면서 일레우스증상을 일으키는 피낭성복막경화증(encapsulating peritoneal sclerosis)이 발생할 수 있다. 피낭성복막경화증은 중증 합병증으로, 생명예후도 좌우할 수 있다.
- 복막투석의 투석액 교환은 자택이나 직장 등 의료시설 외에서도 가능하며 (자택치료), 환자는 체중, 혈압, 배액의 상태 등을 기록해야 하지만 통원빈도는 일반적으로 월 1~2회에 그친다.

신장이식

- 신장이식에는 생체신이식과 사체신이식이 있으며, 일본에서는 대부분 생체신이식을 선택한다. 현재 일본에서 행해지는 신장이식건수는 연간 1,000례에 미치지 못한다.
- 타인의 신장을 이식하는 것이기 때문에 이식신장에 대한 거부반응이 일어난다. 거부반응을 적게 하기 위해서 림프구항원인 조직적합항원, 혈액형이 일치하는 제공자를 찾는 것이 바람직하다.
- 거부반응은 진행되면 이식신기능이 폐절하게 되는 중증 합병증이다. 거부반응을 억제하기 위하여 스테로이드나 면역억제제를 사용하는데, 이 약제들의 부작용도 신장이식의 합병증으로 인식하여 주의해야 한다.
- 이식한 신장이 정상적으로 기능하고 있는 비율 (생착률)은 생체신이식인 경우 1년 후에 약 90%, 10년 후에는 50% 정도이다.
- 이식은 장점으로 생활의 질 향상, 장기투석으로 인한 합병증의 예방 등이 있기 때문에 앞으로 추진해야 할 치료법이다.

만성신부전의 병기 · 병태 · 중증도별로 본 치료흐름도

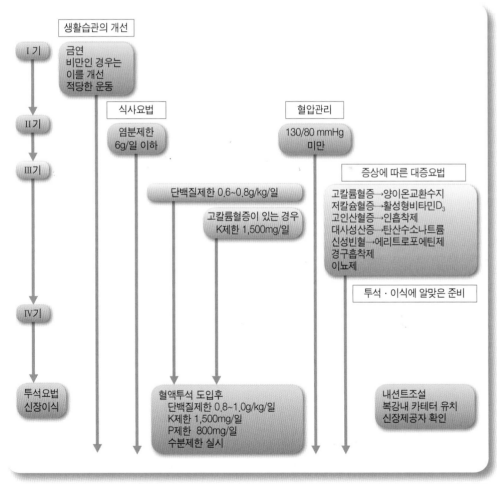

(黑木亞紀·秋澤忠男)

보존기에는 생활조정을 통해 신기능의 저하를 억제한다. 투석도입시에는 라이프스타일에 알맞는 방법을 선택할 수 있도록 지지하고, 사회에 복귀할 수 있도록 지지한다.

병기·병태·중증도에 따른 케어

【보존기】 잔존 신기능이 유지되는 단계에서는 신기능 저하를 조장하는 요인에 관하여 충분히 이해시키고, 신체상태를 파악하면서 생활을 조정할 수 있도록 지지한다.

【요독기】 투석요법이 필요한 단계에서는 신체증상에 따른 고통과 투석요법에 대한 불안, 앞으로의 생활에 대한 불안이 혼재하므로, 신체상태를 조정하면서 환자의 라이프스타일에 맞는 투석요법을 선택할 수 있도록 지지한다.

【투석도입후】 주체적으로 투석을 받으면서 생활할 수 있고 사회복귀도 할 수 있도록 돕는다. 사회자원의 활용에 관해서도 정보를 제공하고 유효하게 활용할 수 있도록 지지한다.

케어의 포인트

진찰·치료의 지지
● 복용관리를 할 수 있도록 지지한다.
● 신체상태에 변화가 있는 경우는 신속히 의사에게 보고하고, 필요시에는 투석요법을 도입한다.

셀프케어의 지지
● 신체상태에 관심을 가지고 이해하도록 촉구한다.
● 지금까지의 생활습관을 반추하여 신기능 저하를 조장하는 요인에 주의하도록 설명한다.
● 환자의 개별적인 생활상을 고려하여 가치관 등이 손상되지 않는 선에서 조정하도록 지지한다.

환자·가족의 심리·사회적 문제에 대한 지지
● 질환에 관하여 환자·가족에게 알기 쉽게 설명하고, 불안을 해소하도록 지지한다.
● 간호의 부담을 경감하도록, 가정내 환경이나 사회자원의 활용 등에 관하여 필요한 지지를 제공한다.
● 환자모임 등을 소개하는 등 고민을 서로 얘기하거나 자기관리방법에 관해 배울 수 있는 장소에 대한 정보를 제공한다.

퇴원지도·요양지도

● 환자·가족 모두 안정된 가정생활을 할 수 있도록, 환경의 정비를 지지한다.
● 규칙적인 복용을 하도록 지도한다.
● 신체상태가 변화되었을 때에는 바로 연락하도록 지도한다.
● 장기경과가 필요한 질환이라는 점을 이해하게 하고, 계속적으로 내원하도록 격려한다.
● 과도한 섭취제한은 저영양상태로 이어져서 신기능을 저하시키므로, 적절한 식사관리를 할 수 있도록 지도한다.
● 스스로 신체에 관심을 가지며, 자기관리를 할 수 있도록 지도한다.

■ 그림 15-6 불균형증후군의 관찰포인트

(齊藤しのぶ)

신종양 (신세포암; renal tumor)

齊藤一隆・木原和德/那須佳津美

전체 map

병인
- 신세포암의 대부분은 산발성이지만, 가족성으로 발생하는 경우 (von Hipple-Lindau병에 수반하는 증례)도 있다.
  [악화인자] 흡연, 비만, 장기투석

역학
- 신세포암은 암 전체의 약 2%를 차지한다.
- 남녀비는 2~3 : 1이고 이환율이 가장 높은 연령대는 남성 70~75세, 여성 75~80세이다.
  [예후] 진행도에 따라서 다르다. 전체에서 약 40%의 환자가 신세포암으로 사망한다.

병태생리
- 신장에서 발생하는 종양성 질환으로, 신실질로부터 발생하는 악성종양의 약 80%는 신세포암이다.
- 신세포암 중에서 가장 빈도가 높은 것이 투명세포형 신세포암으로 (약 80%), 근위세뇨관에서 유래한다.
- 진행되면 전신성으로 전이된다. 특히 혈행성 전이가 많고 폐, 골, 간, 뇌 등으로 전이된다.
- 혈관내 진전에 의해 신정맥에서 하대정맥으로 종양색전을 형성하기도 한다.

병태생리 map p.154

증상 합병증   진단 치료

- 식욕부진
- 체중감소 발열
- 간기능장애
- 복부종괴
- 측복부통
- 혈뇨
- 고칼슘혈증 고혈압 다혈증

- 영상검사 (초음파검사, CT검사, MRI검사)
- 골신티그래피
- 혈액검사
- 수술요법
- 방사선요법 면역요법

증상
- 무증상으로 지내다가 영상진단으로 우연히 발견하게 되는 환자가 절반에 가깝다.
- 고전적 3증상 (측복부통, 혈뇨, 복부종괴)을 나타내는 증례는 10% 이하이다.
- 진행례에서는 발열, 체중감소, 식욕부진이 나타난다.
  [합병증]
- 전이소에 기인하는 합병증 : 골전이에 의한 병적골절, 폐전이에 의한 호흡곤란, 뇌전이에 의한 마비증상
- 종양수반증후군(paraneoplastic syndrome) : 고칼슘혈증, 고혈압, 다혈증(polycythemia), 간기능장애

증상 map p.156

진단
- 진단은 영상진단을 통해 결정내려 진다.
- 초음파검사 : 스크리닝에 유용하다.
- 조영CT, MRI검사 : 질적 진단이나 병기진단에 유용하다.
- CT, 골신티그래피 : 전이 파악에 사용된다.
- 혈액검사 : CRP 상승, 페리틴 상승이 보여지고, 진행례에서는 빈혈, 알부민의 감소가 확인된다.
- 병기분류에는 TNM분류를 사용한다.

진단 map p.156

치료
- 근치요법은 수술이다. 전이가 발생하지 않고 신장에 국한되는 암에서는 신적출술을 적용한다. 전이가 발생한 진행례에서는 분자표적요법이나 면역요법을 적용하는데, 가능하다면 신장을 적출한다.
- 방사선요법 : 신세포암은 화학요법과 방사선요법에 치료저항성을 보이지만 뇌전이, 골전이에서는 방사선요법이 유용한 경우도 있다.
- 수술요법 : 제로타근막(Gerota's fascia)에 둘러싸인 상태에서 신장을 적출하는 근치적신적출술이 표준치료이다. 신장온존수술(신부분절제), 전이소절제도 행해진다.
- 분자표적요법 : 최근, 특정한 분자를 표적으로 하는 분자표적치료제의 유효성이 밝혀지면서 약물요법의 제1선택제가 되고 있다.
- 면역요법 : 인터페론 α 등의 사이토카인요법을 시행한다.

치료 map p.157

병태생리 map

신종양은 신장에서 발생하는 종양성 질환이라고 정의되며, 그 중 신실질에서 발생하는 악성종양의 약 80%는 신세포암이다.

- 신세포암 중에서도 가장 빈도가 높은 (약 80%) 것은 투명세포형신세포암으로, 근위세뇨관세 포에서 유래한다(그림 16-1).
- 진행되면 전신에 전이를 일으키는데 혈행성 전 이가 많은 것이 특징이며, 폐, 골, 간, 뇌 등으로 전이된다.
- 혈관내 진전도 확인되며, 신정맥에서 하대정맥 으로 종양색전을 형성하기도 한다.

병인·악화인자

- 흡연·비만은 신세포암 발생에 관련이 있다.
- 장기 투석환자는 신세포암의 발생빈도가 높다.
- 신세포암의 대부분은 산발성이지만, von Hipple -Lindau병에 수반하는 예 등, 일부는 가족성으 로 발생하는 경우도 있다.

역학·예후

- 신세포암의 비율은 암 전체의 약 2%이며, 이환 율은 증가하고 있는 추세이다.
- 남녀비는 2~3 : 1로, 남성에게 흔히 발생한다. 연령에 비례하여 이환율이 증가하고, 이환율이 가장 높은 연령대는 남성은 70~75세, 여성은 75~80세이다.
- 예후는 진행도에 따라서 다르지만, 전체적으로 약 40%의 환자가 신세포암으로 사망한다. 또 초 발시에 전이가 발생하지 않은 상태에서 근치적 신적출술을 받은 환자의 약 30%가 재발로 인하 여 사망하게 된다.

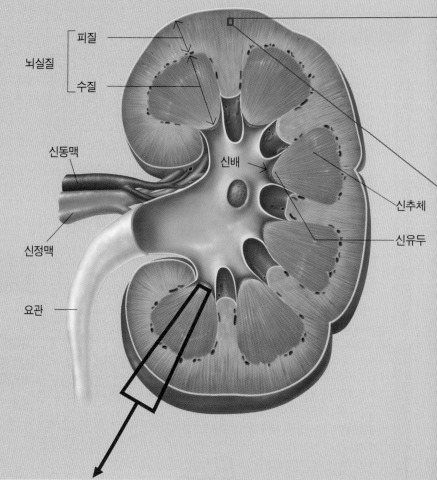

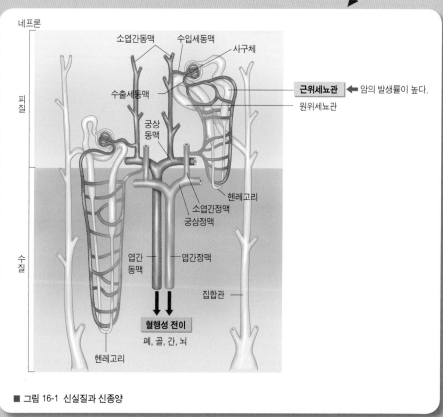

■ 그림 16-1 신실질과 신종양

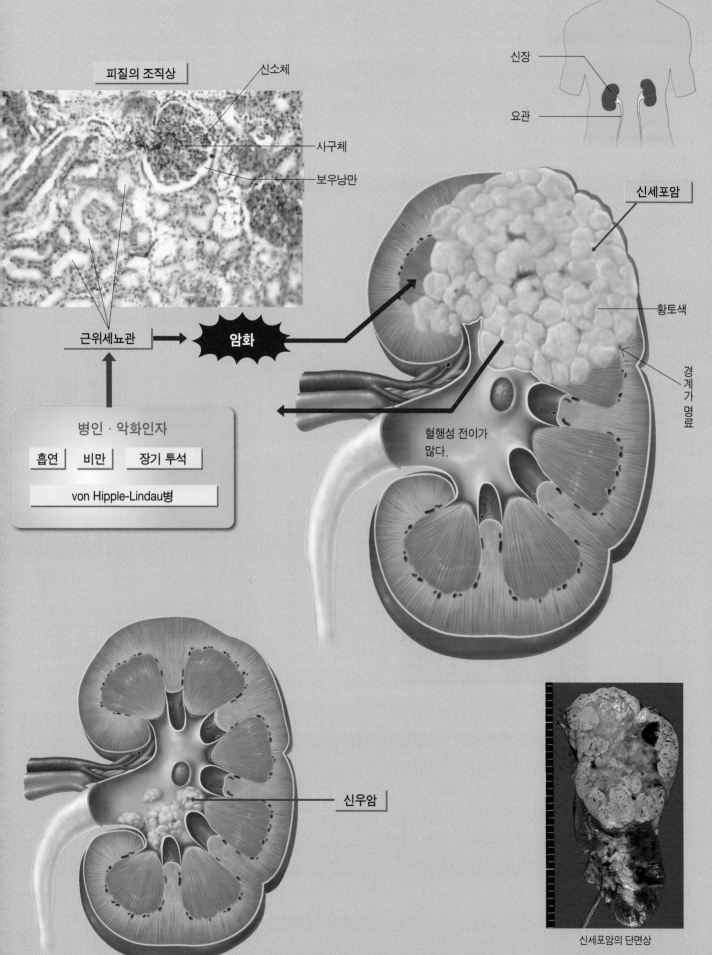

피질의 조직상

신소체

사구체

보우낭만

신장

요관

신세포암

황토색

경계가 명료

근위세뇨관 → 암화

혈행성 전이가
많다.

병인 · 악화인자

| 흡연 | 비만 | 장기 투석 |

von Hipple-Lindau병

신우암

신세포암의 단면상

신종양 (신세포암)
증상 map

대부분은 무증상이며, 진행되면 발열, 체중감소, 식욕부진이 나타난다.

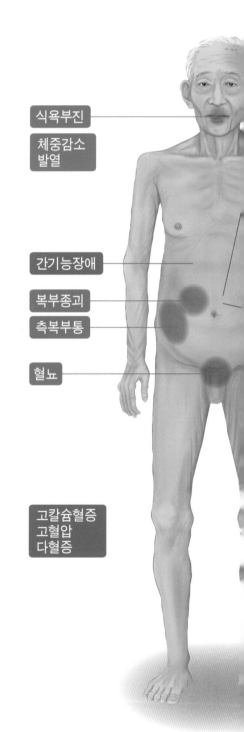

증상

- 현재는 환자의 50% 이상이 무증상으로 지내다가 영상진단에서 우연히 신암을 발견하는 경향이다.
- 고전적 3증상으로 알려진 측복부통, 혈뇨, 복부종괴를 나타내는 증례는 10% 이하로 감소하였다.
- 진행증례에서는 발열, 체중감소, 식욕부진이 나타나기도 한다.
- 골통, 기침 등, 전이소에 기인하는 증상이 약 25%의 증례에서 나타난다.
- 임상증상을 나타내는 증례의 약 30%에 종양수반증후군이 나타난다.

합병증

- 전이가 있는 신세포암에서는 전이소에 기인하는 합병증이 발생할 가능성이 있다. 골전이에 의한 병적골절, 폐전이에 의한 호흡곤란 또는 뇌전이에 의한 마비증상 등이 나타난다.
- 신세포암에서는 고칼슘혈증, 고혈압, 다혈증, 간기능장애 등의 종양수반증후군을 합병하는 비율이 높고, 합병례의 예후는 불량한 편이다.

신종양 (신세포암)
진단 map

진단은 영상진단 (초음파검사, CT, MRI)으로 결정내린다.

진단·검사치

- 초음파검사는 주로 스크리닝에 유용하다.
- 조영제를 사용한 CT (그림 16-2), MRI검사는 질적진단이나 병기진단에 유용하다.
- 전이를 파악하기 위해서 CT 외에 골신티그래피를 시행하는 경우도 있다.
- 병기분류를 위해서 주로 TNM분류 (표 16-1)를 이용한다.
- 검사치
- 특이적인 이상을 나타내는 검사치는 없지만, C-반응성단백 (CRP)의 상승, 페리틴의 상승 등, 염증반응이 나타나는 증례도 있다.
- 진행례에서는 빈혈, 알부민의 감소를 확인하기도 한다. 또 종양수반증후군을 합병하고 있는 경우에는 혈청칼슘치의 증가, 간기능장애가 확인된다.

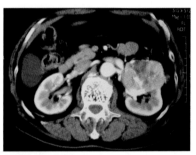

■ 그림 16-2 신세포암의 조영CT상

■ 표 16-1 신세포암의 TNM분류

T-원발종양
T0 원발종양이 확인되지 않는다.
T1 최대지름이 7.0cm 이하이며, 신장에 국한되는 종양이다.
T1a 최대지름이 4.0cm 이하이며, 신장에 국한되는 종양이다.
T1b 최대지름이 4.0cm를 넘지만 7.0cm 이하로, 신장에 국한되는 종양이다.
T2 최대지름이 7.0cm를 넘고, 신장에 국한되는 종양이다.
T3 종양이 주정맥내로 진전, 또는 부신으로 침윤, 또는 신주위 지방조직으로 침윤되지만 제로타근막을 넘지 않는다.
T3a 종양은 부신 또는 신장 주위 지방조직으로 침윤되지만, 제로타근막을 넘지 않는다.
T3b 종양은 육안적으로 신정맥 또는 횡격막하까지 하대정맥내로 진전된다.
T3c 종양은 육안적으로 횡격막을 넘어 하대정맥내로 진전된다.
T4 종양은 제로타근막을 넘어서 침윤된다.

N-소속림프절
N0   소속림프절 전이 없음
N1   1개의 소속림프절 전이
N2   2개 이상의 소속림프절 전이

M-원격전이
M0   원격전이 없음
M1   원격전이 있음

증상   합병증

식욕부진

체중감소
발열

간기능장애

복부종괴

측복부통

혈뇨

고칼슘혈증
고혈압
다혈증

신장에 국한되어 전이가 없는 경우, 근치적신적출술이 표준치료로 선택된다.

■ 표 16-2 신세포암의 주요 치료제

분류	일반명	주요 상품명	약효발현의 메커니즘	주요 부작용
분자표적치료제	소라페닙토실산염	넥사바	VEGF-R을 저해함으로써 항종양활성 및 혈관신생의 저해작용이 발생	수족증후군, 고혈압, 설사
	스니티닙말산염	Sutent		수족증후군, 고혈압, 설사, 백혈병·혈소판 감소, 갑상선기능 저하, 심기능 저하
	에베로리무스	아피니토	mTOR의 활성을 저해하고 세포주기의 진행과 혈관신생을 억제	간질성폐렴, 구내염, 감염증
	템시로리무스	토리셀		
인터페론제	인터페론 알파	Sumiferon, OIF	여러 가지 메커니즘으로 항바이러스작용, 항종양작용, 면역증강작용을 발현	간질성폐렴, 우울증
	인터페론 알파-2b	인트론에이		
인터루킨제	테셀루킨	Imunace	여러 가지 면역조절작용, 항종양작용을 발현	체액저류, 울혈성심부전

진단   치료

영상검사
(초음파검사,
CT검사, MRI검사)

골신티그래피

혈액검사

수술요법

방사선요법
면역요법

치료방침

● 근치요법은 수술이다. 전이 없이 신장에 국한된 암례에서는 근치요법으로서 신적출술을 시행한다.
● 전이가 발생한 진행례에서는 면역요법을 시행하지만, 가능하다면 원발소인 신장을 적출한다. 전이소의 절제가 행해지는 증례도 있다.
● 화학요법 (항암제), 방사선요법에는 치료저항성이다.

수술요법

● 근치적 신장적출술 : 제로타근막 (신장 주위의 근막, 신근막)에 둘러싸인 상태에서 (신장 주위의 지방조직째) 신장을 적출하는 방식으로, 신세포암에 대한 표준치료법이다. 최근에는 수술침습을 경감시키는 복강경수술, 최소침습내시경하수술이 확대되고 있다. 전이가 있는 진행례에서도 가능하면 신장적출이 행해지는 경우가 많다.
● 신장온존수술 (부분절제) : 무증상 상태에서 발견되는 작은 지름의 신장암례가 증가함에 따라 신장을 부분적으로 절제하는 신장온존수술이 행해지는 증례도 증가하고 있다. 단신이나 신장기능장애례에도 행해진다. 적절한 증례에 적응하면, 치료성적은 근치적 신장적출술과 동등한 수준이다.
● 전이소절제 : 신세포암의 경우, 가능하면 전이소에 대한 수술 (폐절제, 간절제 등)도 시행한다.

방사선요법

● 신세포암은 방사선요법으로 종양이 축소되지 않기에 치료저항성을 가진다고 보지만, 뇌전이에 대한 감마나이프나 통증완화 등을 목적으로한 골전이소에 대한 외조사요법 등은 유용할 때도 있다.

분자표적요법

● 체내의 특정한 분자를 표적으로 하는 약제로, 신세포암에도 종양축소효과를 나타내기 때문에 전신 약물요법의 제1선택제가 되고 있다. 앞으로 사용이 가능한 약제가 증가하리라 예상된다.
● 혈관내피증식인자수용체 (VEGF-R) 티로신키나아제저해제 : 경구투여제이며, 내복하여 치료를 도모한다. 현재 소라페닙토실산염과 수니티닙말산염, 이렇게 2제가 사용되고 있다. 부작용은 수족증후군 (Hand-foot syndrome ; HFS), 고혈압, 설사 등이 있으며, Sutent에서는 주로 백혈병·혈소판감소, 갑상선기능 저하, 심기능 저하 등에도 주의해야 한다.
● mTOR (포유류 라파마이신 표적 단백질) 저해제 : 현재 에베로리무스, 템시로리무스, 이렇게 2제가 사용되고 있다. 부작용인 간질성폐렴, 구내염, 감염증 등에 주의해야 한다.
 (Px 처방례) VEGF-F 티로신키나아제저해제
● 넥사바정(200mg) 1회 400mg를 1일 2회내복 (상태에 따라서 적당히 감량) ←분자표적치료제
● Sutent캅셀(12.5mg) 1일 1회 50mg을 내복 4주간 연속투여 2주휴약 (상태에 따라서 적당히 감량) ←분자표적치료제
 (Px 처방례) mTOR저해제
● 아피니토정(5mg) 1일 1회 10mg을 내복 (상태에 따라서 적당히 감량) ←분자표적치료제
● 토리셀주(25mg) 1주에 1회 25mg를 30~60분에 점적정주 (상태에 따라서 적당히 감량) ←분자표적치료제

면역요법

● 신세포암에서는 소수이긴 하지만 자연히 완화되는 증례가 존재함으로써 숙주면역능이 관여한다고 시사되고, 따라서 사이토카인에 의한 면역요법의 효과도 확실히 존재함이 밝혀졌다.

16 신종양 (신세포암)

- 인터페론α : 1회 300만~600만 단위를 주 2~3회 정도의 횟수로 근육내 또는 피하주사한다. 단독요법에서의 효율은 15%이며, 연명효과도 확인된다. 부작용은 발열, 두통, 상기도염증상 등의 이른바 인플루엔자에 흡사한 증상이나 우울반응 등이 있다.
- 인터루킨2 (IL-2) : 1일 70만 단위의 연일투여가 기본이지만, 효과나 부작용 증상에 따라서 적당히 증감 (1일 210만단위까지 증량하거나 투여간격의 연장함으로써 감량)한다. 단독요법에서의 효율은 약 15%이다. 부작용은 인터페론과 마찬가지로 인플루엔자에 흡사한 증상, 우울반응 외에 체액저류 (체중증가, 부종, 폐수종, 흉·복수)나 혈관내 탈수에 의한 저혈압 등 모세혈관누출증후군에 의한 것이 있다. 인터페론과의 병용요법도 행해진다.

Px 처방례 인터페론α
- Sumiferon DS주(300만IU, 600만IU) 1일 1회 피하 또는 근육내주사 ←인터페론제
- OIF주(500만IU) 1일 1회 500만IU 피하 또는 근육내주사 ←인터페론제
- 인트론에이주(300만, 600만, 1,000만IU) 1일 1회 300만~1000만IU 근육내주사 ←인테페론제

Px 처방례 인터루킨2
- Imunace주(35만IU) 1일 70만IU 생리식염수 또는 5%포도당주사액 등에 용해
  1일 1~2회에 나누어 연일 점적정주 ←인터루킨제

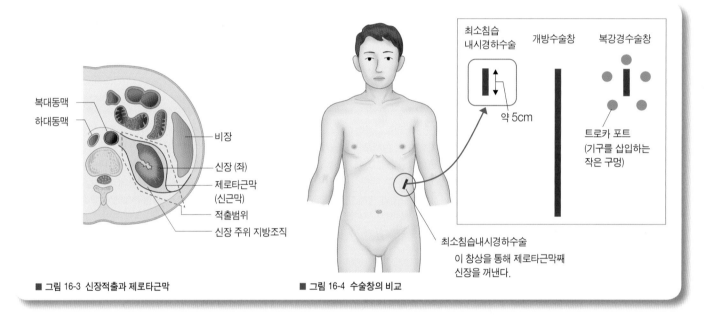

복대동맥
하대동맥
비장
신장 (좌)
제로타근막 (신근막)
적출범위
신장 주위 지방조직

■ 그림 16-3 신장적출과 제로타근막

최소침습 내시경하수술
개방수술창
복강경수술창
약 5cm
트로카 포트 (기구를 삽입하는 작은 구멍)
최소침습내시경하수술
이 창상을 통해 제로타근막째 신장을 꺼낸다.

■ 그림 16-4 수술창의 비교

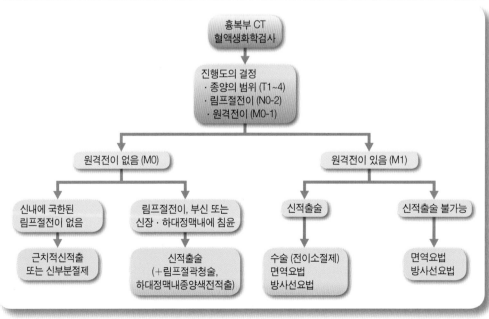

신종양 (신세포암)의 병기 · 병태 · 중증도별로 본 치료흐름도

흉복부 CT
혈액생화학검사

진행도의 결정
· 종양의 범위 (T1~4)
· 림프절전이 (N0-2)
· 원격전이 (M0-1)

원격전이 없음 (M0)

신내에 국한된 림프절전이 없음

근치적신적출 또는 신부분절제

림프절전이, 부신 또는 신장 · 하대정맥내에 침윤

신적출술 (+림프절곽청술, 하대정맥내종양색전적출)

원격전이 있음 (M1)

신적출술

수술 (전이소절제) 면역요법 방사선요법

신적출술 불가능

면역요법 방사선요법

(齊藤一隆·木原和德)

158

진단으로 인한 충격이 크기 때문에 환자 · 가족에게 충분한 심리적 사정이 필요하다. 신장을 적출해도 환자 · 가족이 재발이나 전이에 대한 불안과 함께 살아가는 점을 이해하고 격려한다.

병기 · 병태 · 중증도에 따른 케어

【진단기】 건강검진 등에서 작은 신세포암이 발견되는 경우가 많아지고, 무증상인 상태에서 병을 고지받는 환자가 늘어나고 있다. 또 폐나 골로의 전이가 먼저 발견되고, 원발소로서 신세포암이 발견되기도 한다. 어느 경우나 진단으로 인한 충격이 크므로 환자 · 가족에게 충분한 심리적 사정이 필요하다.

【치료기】 적출이 가능하면 신적출술 또는 신부분적출술이 행해지는데, 신장은 혈관이 풍부한 장기이기에 출혈로 인한 쇼크에 주의해야 한다. 전이소에는 면역요법이 행해지는 경우가 많지만, 계속적인 점적이나 주사의 고통에 추가하여 발열이나 관절통 등의 고통스러운 부작용 증상이 나타나기에 신체적이나 정신적으로 충분한 케어가 필요하다.

【종말기】 혈뇨, 복부종괴, 통증에 추가하여, 발열이나 체중감소, 빈혈 등의 전신증상, 또 전이부위에 따른 증상이 출현한다. 적극적으로 통증을 완화하고, 환자가 편안하게 마지막을 맞이할 수 있도록 지지한다. 가족의 슬픔이나 간호부담에 대한 케어도 중요하다.

케어의 포인트

진찰 · 치료의 간호

● 종양의 발견부터 전이의 파악까지 차례 차례 행해지는 검사에 관하여 환자의 이해수준에 맞추어 구체적으로 설명한다.

● 의사의 설명을 충분히 이해하고 있는가에 대한 사정이 중요하다.

● 검사나 처치시의 간호는 환자의 프라이버시를 충분히 배려하여 행해져야 한다.

환자 · 가족의 심리 · 사회적 측면에 대한 지지

● 수술로 종양을 제거한 경우라도, 환자 · 가족은 그 후에도 재발 · 전이의 불안과 함께 살아가는 것을 이해하고 격려한다.

● 전이소에 대한 면역요법 시행시에는 정기적인 점적이나 주사가 필요하기에 환자 · 가족이 무리하지 않는 방법으로 일상생활에 이를 수용할 수 있도록 함께 생각한다.

종말기의 환자 · 가족에 대한 지지

● 여러 가지 신체증상에 추가하여, 죽음에 대한 불안, 가족들의 간호에 대한 부담 등, 다양한 문제가 출현한다. 충분한 고통완화와 환자 · 가족을 전인적으로 이해하는 케어가 필요하다.

퇴원지도 · 요양지도

● 잔존하는 신기능을 유지하기 위하여, 계속적인 충분한 수분섭취가 중요하다는 점을 설명한다.

● 요로감염증상과 징후에 대하여 지도한다.

● 신독성의 가능성이 있는 약물 (예 : 비스테로이드성 항염증제)은 의사나 간호사에게 상담하고 사용하도록 지도한다.

● 수술 전과 똑같은 생활을 해도 되지만, 잔존하는 신장이 손상되지 않도록 신체가 서로 부딪히는 스포츠는 삼가는 편이 좋다는 것을 설명한다.

● 잔존하는 신기능의 모니터링과 전이 가능성을 확인하기 위한 검사가 정기적으로 필요함을 설명한다.

(那須佳津美)

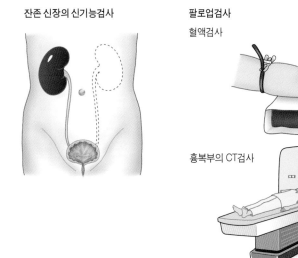

잔존 신장의 신기능검사

팔로업검사

혈액검사

흉복부의 CT검사

■ 그림 16-5 **퇴원 후의 정기검사**

Memo

17 신장 · 요로결석 (신결석, 요관결석, 방광결석; kidney · urinary stone)

北原聰史 / 高島尚美

전체 map

병인
- 원인은 불분명하지만, 일종의 원인질환 (원발성부갑상선기능항진증, 통풍, 고요산혈증 등)에 의해서 결석이 생기는 경우도 있다.
[악화인자] 식생활, 장기와상

역학
- 일본에서의 이환율은 전 인구의 약 5%이다.
- 칼슘결석의 가족내 발생은 형제간에 약 50%이다.
[예후] 재발률은 10년에 약 50% 정도이다.

병태생리
- 요중에서 과포화용해상태에 있는 결정이 석출 · 응집되어 결석이 형성된다.
- 결석이 생긴 장소에 따른 분류 : 신결석(kidney stone), 요관결석(ureter stone), 방광결석(bladder stone) 등
- 결석의 성분에 따른 분류 : 칼슘 (Ca) 결석, 감염결석, 요산결석, 시스틴결석 등
- 신장에서 발생한 결석 (신장결석) 은 요관, 방광, 요도로 내려가 자연배출되는 경우가 많다.

병태생리 map p.162

증상 | 합병증 | 진단 | 치료

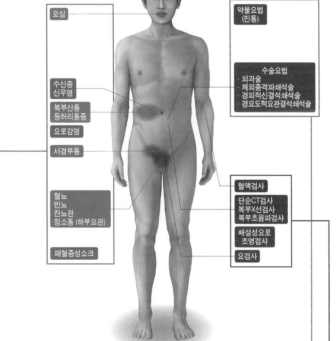

오심

수신증
신우염

복부산통
등허리통증

요로감염

서경부통

혈뇨
빈뇨
잔뇨관
정소통 (하부요관)

패혈증성쇼크

약물요법
(진통)

수술요법
· 외과술
· 체외충격파쇄석술
· 경피적신결석쇄석술
· 경요도적요관결석쇄석술

혈액검사

단순CT검사
복부X선검사
복부초음파검사

배설성요로
조영검사

요검사

증상
- 복부 산통(colic)발작과 동측 등허리통증이 전형적이다.
- 통증에 수반한 오심이나 구토 발생
- 빈뇨, 잔뇨감 (요관 하단의 결석)
- 육안 또는 현미경으로 확인되는 혈뇨
[합병증]
- 요로감염 (발열 · 패혈증)
- 요의 신우외일류 (등허리통증)

증상 map p.164

진단
- 검뇨, 복부초음파, 복부X선검사를 시행한다.
- 검뇨 (요검사) : 통증시에는 다수의 적혈구가, 요로감염 합병시에는 다수의 백혈구가 확인된다.
- 혈액검사 : 신우신염 합병시에는 백혈구의 현저한 상승과 고열이 확인된다.
- 복부초음파검사 : 산통발작시에 통증측의 수신 · 수뇨관 또는 결석을 확인할 수 있다.
- 복부X선검사 (KUB) : 결석음영의 위치나 크기를 알 수 있지만, 시스틴 · 요산결석은 X선투과성이기에 확인이 불가능하다.
- 배설성요로조영 (IVP), 단순CT 등도 유용하다.

진단 map p.164

치료
- 응급치료 : 요관결석에 의한 산통발작에는 진경 · 진통제나 비마약성진통제에 의한 통증완화를 꾀한다. 개선되지 않으면 요관스텐트 유치 또는 신루조설을 시행한다.
- 경과관찰 : 장경 5mm 이하의 결석은 자연배출될 가능성이 높으므로 경과를 관찰한다.
- 약물요법 : 요산결석이나 시스틴결석에는 요를 알칼리화하는 내복치료 (요산생성저해제, 산증치료제)를 적용한다.
- 외과요법 : 장경 10mm 이상의 결석에는 체외충격파쇄석술 (ESWL), 경피적신결석쇄석술 (PNL), 경요도적요관결석쇄석술 (TUL)을 적용한다.
- 재발예방 : 생활지도, 내복제 투여 (요산결석 등)로 재발을 예방한다.

치료 map p.165

병태생리 map

요로결석에는 칼슘결석 (수산 및 인산칼슘의 합계에서 약 80%), 감염결석 (인산마그네슘암모늄에서 약 10%), 요산결석 (약 5%), 시스틴결석 (약 1%) 등이 있다.

- 요에는 결정이 과포화용해상태 (물리화학적 용해도를 초과한 용질로서 요에 녹아 있는 상태)에 있고, 상황에 따라서 결정이 배출되어 핵을 형성한다. 또 결정의 성장이나 응집이 발생하면서 결석이 형성된다. 한편, 이 응집을 억제 또는 촉진시키는 인자도 존재한다고 여겨지는데 억제인자로는 구연산, 피롤린산, 마그네슘 (Mg), 아연(Zn) 등이 보고되어 있다. 환경인자로는 요관의 협착이나 전립선비대증 등에 의한 요류의 정체나 요로감염을 들 수 있다.

- 요관결석은 신장에서 발생하여 (신결석), 요로를 타고 하강하다 요관 (내경이 2~3mm)에 막혀서 통증 등의 증상을 나타낸다. 결석은 요관에서 방광으로 내려와 배뇨시에 쉽게 요도를 통과하여 자연배출되어 버리는 경우가 많다.

- 방광결석은 전립선비대나 신경인성 방광 (뇌경색이나 척수손상의 후유증 등) 등일 때에 나타나며, 잔뇨 외에도 장기와상이나 요로감염도 영향을 미치며 방광에 생성되어 커진다.

병인 · 악화인자

- 원인이 불분명한 경우가 많지만, 결석이 발생하는 질환으로는 원발성부갑상선(상피소체)기능항진증이 유명하다. 칼슘결석 환자의 약 5%에서 볼 수 있다. 부갑상선호르몬 (PTH)이 대량으로 분비되어 골흡수 (골의 파괴) 등이 진행되고, 혈중 Ca치가 상승하여, 결과적으로 요중에도 대량의 Ca가 존재하므로 결석이 쉽게 형성된다. 환자의 약 50%에서 요로결석이 나타난다. 다발신결석이나 요로결석을 되풀이하는 환자에게는 혈중 Ca 및 P치나 PTH치를 측정한다.

- 통풍을 일으키는 고요산혈증과 요로결석의 관련은 확정되어 있지 않지만, 요의 산성화나 통풍 치료제인 요중배설제도 영향을 미쳐서 결석의 발생이 높아진다고 여겨진다.

- 시스틴결석의 원인이 되는 시스틴뇨증 (아미노산 중의 하나인 시스틴의 신세뇨관에서의 재흡수에 이상이 생기는데, 이는 상염색체 열성유전이다)이나, 신세뇨관성산증(renal tubular acidosis), 해면신(sponge kidney), 쿠싱증후군 등에 의해 요로결석이 나타난다.

- 임신후기에는 태아에 의해서 요관이 압박을 받아 양측 수신 · 수뇨관이 되며, 신결석이 하강하여 요관결석이 되므로 통증이 발생하는 경우가 흔히 있다.

역학 · 예후

- 일본에서는 평생 전 인구의 약 5%에 발생한다고 하며, 서구에서는 더욱 높은 수치도 보고되어 있다. 시스틴뇨증이나 선천성옥살산뇨증 등은 유전적으로 결석이 발생하는 질환이지만, 확실한 원인이 불분명한 칼슘결석도 가족내 발생이 형제간에는 약 50%로 유의하게 높아서

유전적 요인을 시사한다.

- 식염, 동물성 단백질, 지방 등의 섭취량과 결석 발생 간의 관련을 나타내는 보고가 있어서, 식사습관도 중요한 요인으로 여겨진다. 결석의 재발률은 일본에서는 10년의 경과관찰에서 약 50%라는 보고가 있다.

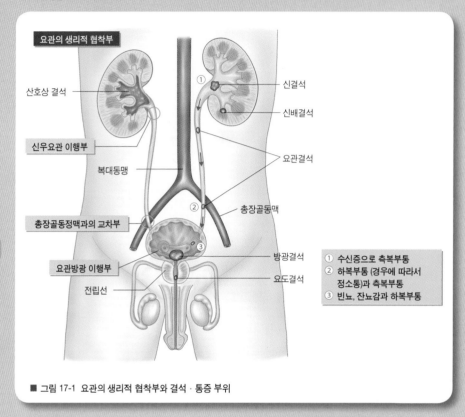

■ 그림 17-1 요관의 생리적 협착부와 결석 · 통증 부위

신결석

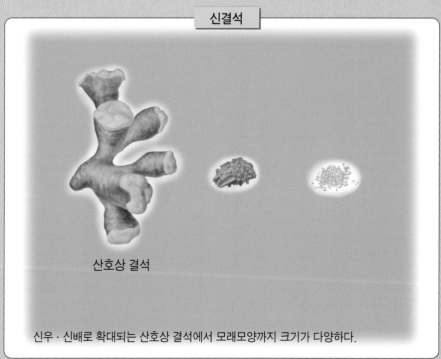

산호상 결석

신우 · 신배로 확대되는 산호상 결석에서 모래모양까지 크기가 다양하다.

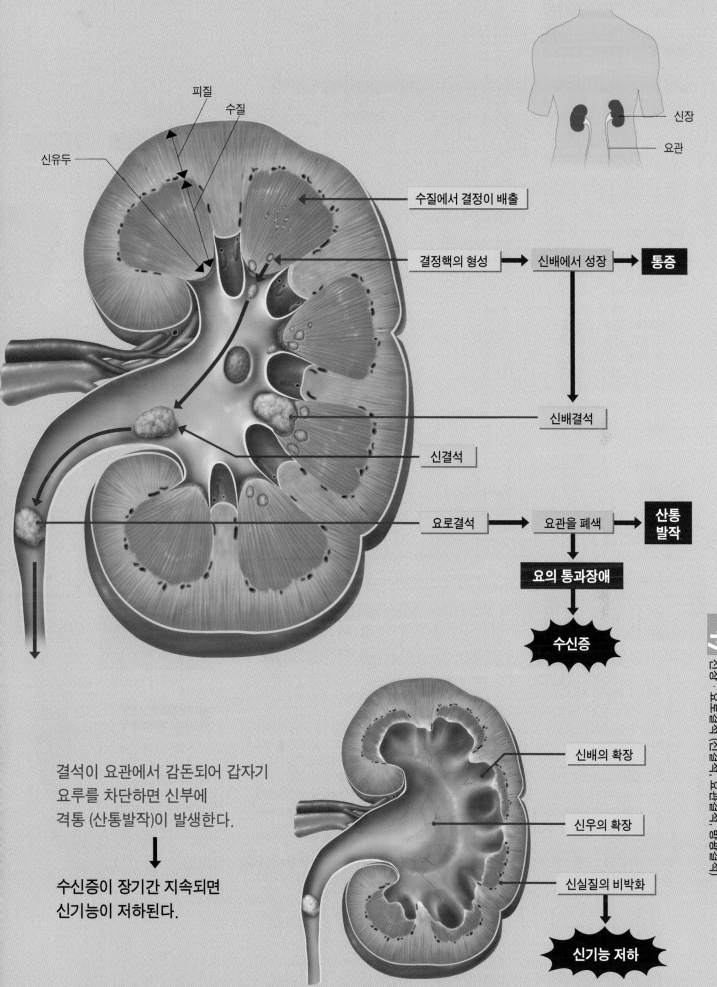

피질
수질
신유두
신장
요관

수질에서 결정이 배출

결정핵의 형성 → 신배에서 성장 → 통증

신배결석

신결석

요로결석 → 요관을 폐색 → 산통발작

요의 통과장애

수신증

결석이 요관에서 감돈되어 갑자기
요루를 차단하면 신부에
격통 (산통발작)이 발생한다.

↓

수신증이 장기간 지속되면
신기능이 저하된다.

신배의 확장

신우의 확장

신실질의 비박화

신기능 저하

증상 map

복부의 산통발작, 오심, 혈뇨가 전형적 증상이다.

증상

- 통증과 오심 : 결석의 증상으로는 복부 산통발작과 같은 측의 등허리통증이 전형적이다. 부위에 따라서 서경부통이나 정소통 (하부요관) 또는 빈뇨, 잔뇨감 (요관방광 이행부) 을 호소하기도 한다(그림 17-1). 통증에 수반하여, 복막자극증상에 의한 오심이나 구토가 일어나는 경우도 적지 않다. 신결석에서는 증상이 없는 경우가 많지만, 요관결석이라고 해서 지속적으로 아픈 것도 아니다(요로결석의 통증은 간헐적이다).
- 혈뇨 : 육안 또는 현미경으로 확인되는 혈뇨를 수반하는 경우가 많은데, 현미경으로 혈뇨를 확인할 수 없는 경우의 요로결석도 있다.
- 감별진단 : 복부 격통이 발생하면 소화기, 산부인과, 정형외과 등에서의 질환과 함께 복부 해리성대동맥류와 감별하는 것이 중요하다.

합병증

- 요로감염 ; 결석으로 요로의 흐름에 장애가 생긴 상태에서 신우염(pyelitis)이 일어날 수 있으며, 이 경우는 항생물질이 잘 듣지 않는다. 진행되면 신우신염에서 패혈증성쇼크로 악화되는 경우도 있다.
- 요의 신우외일류 : 수신증(hydronephrosis)으로 신우의 내압이 올라가고 신외로 요가 넘치는 수가 있다. 경도인 경우에는 자연 흡수를 기다리면 되지만, 양이 많으면 요의 복막자극에 의한 통증이나 감염으로 인한 농양이 발생하므로, 요관스텐트 유치, 신루조설, 후복막 배액 등이 필요하다.

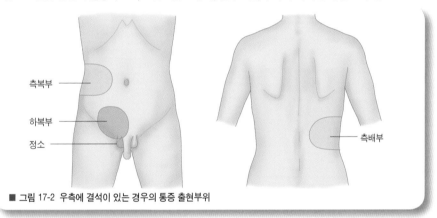

측복부

하복부

정소

측배부

■ 그림 17-2 우측에 결석이 있는 경우의 통증 출현부위

증상　　합병증

오심

수신증
신우염

복부산통
등허리통증

요로감염

서경부통

혈뇨
빈뇨
잔뇨관
정소통 (하부요관)

패혈증성쇼크

진단 map

요검사, 복부X선검사, 복부초음파검사의 소견에서 진단을 확정하고 치료를 시작한다.

진단 · 검사치

- 검뇨, X선, 복부초음파검사를 우선 시행한다. 증상발생이 급격하기 때문에 응급외래에서 대응하는 경우가 많다. 통증에 대한 대응이 필요하므로, 검뇨에서의 요잠혈과 초음파에서의 통증측 수신 · 수뇨관 소견만으로 치료를 시작하는 경우가 많다.
- 검뇨와 혈액검사 : 통증발생시에는 요중에 다수의 적혈구가 나타나는 경우가 많다. 요중 백혈구가 다수 있는 경우는 요로감염의 합병을 고려해야 한다. 요중에 배출된 결정에서 결석이 예상되는 경우도 적지 않다. 혈액검사에서는 감염이 없는 상태에서도 백혈구 증가가 나타나기도 한다. 백혈구의 현저한 상승이나 고열이 나타나는 경우는 신우신염의 합병을 생각해야 한다. 단신 (수술 등으로 신장이 1개만 작용하는 상태)이나 양측 요관결석인 경우는 크레아티닌치에서 총신기능을 확인한다(신부전의 가능성).
- 복부초음파검사 : 산통발작시에는 일반적으로 통증측의 수신 · 수뇨관이, 상부 요관결석의 경우에는 결석도 확인될 수 있다. 또 요관 하단의 결석인 경우에는 배뇨 전에 방광을 관찰하면 결석과 확장요관을 볼 수 있다.
- 복부X선검사 (KUB : 신장 · 요관 · 방광의 영어 머리글자) : 결석음영의 위치나 크기를 확인할 수 있으므로 앞으로의 경과 예상이나 치료의 선택에 유용하다. 단, 시스틴이나 요로결석은 X선투과성이며, 또 하부 요관결석과 골반내의 정맥석 등은 감별을 요한다.
- 그 밖의 영상검사 : 배설성요로조영 (IVP)은 조영제를 정맥내 투여하여 X선사진을 촬영하는 방법으로, 요로를 조영하여 결석의 상부 수신 · 수뇨관을 확실히 확인할 수 있다. 따라서 요산결석이나 소결석인 경우 KUB는 불분명해도 IVP로 판명하는 수가 있다. 단, 결석이 완전히 요로폐색되어 있는 경우나 통증발생시에는 환측 요로가 전혀 조영되지 않는다. 단순CT는 결석이면 요산결석에서도 고휘도로 묘출되며, 수신 및 수뇨관도 확인할 수 있으므로 유용하다.

진경제에 의한 통증완화를 제일 우선시하며, 결석의 종류, 위치, 크기에 따라서 경과관찰, 약물요법, 수술요법을 선택한다.

■ 표 17-1 신 · 요로 · 요관결석의 주요 치료제

분류	일반명	주요 상품명	약효발현의 메커니즘	주요 부작용
부교감신경 억제 · 차단제	부틸스코폴라민취화물	부스코판	항콜린작용	구갈, 변비
	플로프로피온	Cospanon	COMT저해	위장장애
	티메피듐취화물수화물	Sesden	항콜린작용	변비, 식욕부진
소염진통좌약 (비스테로이드성 항염증제)	디크로페낙나트륨	Voltaren (좌약)	PG (프로스타글란딘)합성억제	위장장애, 신장애
비마약성 진통제	펜타조신	Pentagin, Sosegon	마약유사물질	의존성, 오심
신 · 요로결석치료제	참가시나무 추출물	우로카룬, Rowatin캅셀	-	위장장애
한방제	-	저령탕(猪苓湯)	-	
요산생성저해제	아로프리놀	Zyloric, Alositol	요산생성억제	위장장애, 발진
산증치료제	요알칼리제	Uralyt	구연산제	고칼륨혈증, 간장애
간질환치료제	티오프로닌	Thiola	시스틴화학반응	황달, 오심, 발진
항류머티스제	D-페니실라민	메탈카프타제	킬레이트제	백혈구 감소

진단 **치료**

약물요법 (진통)

수술요법
· 외과술
· 체외충격파쇄석술
· 경피적신결석쇄석술
· 경요도적요관결석쇄석술

혈액검사

단순CT검사 복부X선검사 복부초음파검사

배설성요로 조영검사

요검사

구급적 치료

● 진통 (제통) : 요관결석에 의한 산통발작에는 진경 · 진통제 (부틸스코폴라민취화물)나 비마약성 진통제 (펜타조신)가 정맥내 투여된다. 비마약성 진통제인 좌약 (디크로페낙나트륨 등)도 유효하며, 정맥내 투여와 병용하는 경우도 많다. 자택에서 통증이 발생할 시에는 내복을 할 수 없는 경우도 많고, 내복에 비해서 즉효성 (15분 정도)이 뛰어나므로 좌약이 유용하다.

● 비뇨기과적 치료 : 통증이 개선되지 않을 때 외에도 합병증에서 기술하였듯이 신우염이 항생물질에 반응이 좋지 않은 경우, 패혈증으로 진행된 경우, 신우 밖으로 대량의 요가 넘쳐흐를 시에는 요관스텐트나 신루를 적용한다. 또 임신시 결석으로 인한 통증제거에는 펜타조신을 사용하지만, 통증이 계속되는 경우는 요관스텐트를 유치하기도 한다. X선이 아니라 초음파로 위치를 확인하고, 출산 후에 스텐트를 제거한다. 또 단신이나 양측 요관결석의 경우도 급성신후성신부전이 되는 경우가 많아서, 비뇨기과 처치가 긴급히 필요하다.

(Px 처방례) 통증시, 익상침 또는 정맥유치침으로 정맥을 확보하고 1)를 시행한다. 수액보충을 급속히 하면 수신이 증강하여 통증이 악화되므로, 일반적으로 수액보충은 하지 않는다. 여기에 2)를 추가하는 경우도 많은데, 체중에 따라서 양을 결정하며 신부전 및 천식 환자에게는 사용이 불가능하다.

1) 부스코판주 (20mg/1mL/A) 1A+5%포도당주20mL 정주 ←부교감신경억제 · 차단제
2) Voltaren좌약 (25 · 50mg) 25~50mg 1일2~3회 직장 내에 삽입 ←소염진통좌약

(Px 처방례) 상기 1) 2)로 무효시 혈압의 저하가 발생할 수 있으므로, 투여 전후에 혈압을 측정한다. 투여후, 오심이 나거나 비틀거리는 수가 있으므로, 미리 고지한다.

● 펜타조신 (15 · 30mg/1mL/A)+5%포도당주 20mL 정주 ←진통제

내복치료 및 경과관찰

● 신결석은 약제를 이용하여 발본적 치료를 할 수 있는 경우가 드물고, 결석을 용해제거할 가능성이 있는 것은 요산결석이나 시스틴결석에 대한 요의 알칼리화 정도이다(6개월 정도).

● 요관결석에서는 요관협착 등 분명한 통과장애가 없는 경우라면 결석의 장경 5mm가 치료의 기준이 된다. 5mm 이하이면 자연배출의 가능성이 높다(3개월 이내). 10mm 이상이면 자연배출의 가능성이 거의 없고, 외과적인 치료의 대상이다. 경과관찰이 좋은 적응인 경우의 결석은 ①증상이 경도이고 지속되지 않으며, ②수신증이 경도 (신기능장애가 적다)에, ③요로감염이 없으며, ④결석이 장경 5mm 이하이고, ⑤요관하부에 위치하는 것이다.

(Px 처방례) 자연배출이 기대되는 요관의 칼슘결석
● Cospanon정 (80mg) 3정 分3 식후 14일 ←부교감신경억제 · 차단제 (진경제)
● 우로카룬정 (225mg) 6정 分3 식후 14일 ←신 · 요로결석치료제
● Voltaren좌약 (25 · 50mg) 통증시 둔용 (5~7회) ←소염진통좌약

(Px 처방례) 요산결석 (진통은 제외한다)
● Zyloric정 (50 · 100mg) 100~200mg [아침(및 저녁)] ←요산생성저해제
● Uralyt정 (산1g=2정) 6정 分3 (식후) 이상을 28일 (요산배설촉진제인 Urinorm은 금기) ←산증치료제

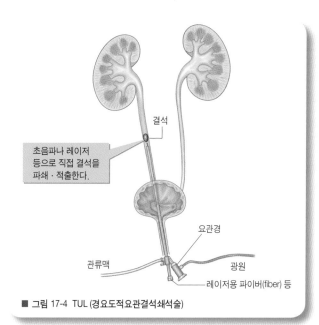

초음파나 레이저 등으로 직접 결석을 파쇄·적출한다.

결석

요관경

관류액
광원
레이저용 파이버(fiber) 등

■ 그림 17-4 TUL (경요도적요관결석쇄석술)

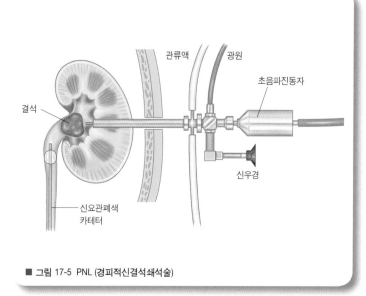

관류액
광원
초음파진동자

결석

신우경

신요관폐색 카테터

■ 그림 17-5 PNL (경피적신결석쇄석술)

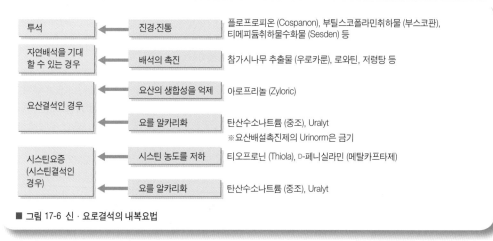

투석	←	진경·진통	플로프로피온 (Cospanon), 부틸스코폴라민취하물 (부스코판), 티메피듐취하물수화물 (Sesden) 등
자연배석을 기대할 수 있는 경우	←	배석의 촉진	참가시나무 추출물 (우로카룬), 로와틴, 저령탕 등
요산결석인 경우	←	요산의 생합성을 억제	아로프리놀 (Zyloric)
	←	요를 알카리화	탄산수소나트륨 (중조), Uralyt ※요산배설촉진제의 Urinorm은 금기
시스틴요증 (시스틴결석인 경우)	←	시스틴 농도를 저하	티오프로닌 (Thiola), D-페니실라민 (메탈카프타제)
	←	요를 알카리화	탄산수소나트륨 (중조), Uralyt

■ 그림 17-6 신·요로결석의 내복요법

요관스텐트 유치   신루조설

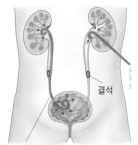

결석

양측 J자형 카테터 (요관스텐트)

요관스텐트 유치 : 다공식(多孔式)의 양측 J자형 카테터를 경요도적으로 결석을 통과하는 형태로 유치한다. 신우신염, 신부전(단신, 양측 요관결석 등), 신우 이외로 노가 넘칠 경우 등이 적응대상이다.

신루조설 : 카테터가 결석 옆을 통과할 수 없는 경우나 카테터를 삽입하는 체위를 취할 수 없을 때에 시행한다.

J자형 카테터 끝

■ 그림 17-3 요로결석에 시행되는 비뇨기과 긴급처치

외과수술 (그림 17-4, 5)

● 요관결석의 경우, 경과관찰의 적응대상이 아닌 경우 (상기에 조건기재) 이외에는 외과적 수술의 대상이 된다.
● ESWL (체외충격파쇄석술) : 충격파로 결석을 2~3mm 이하로 만들어서 결석배출를 촉구하는 방법이다. 요관협착 등의 요로폐색이 없는 경우가 대상이 된다. 따라서, 신결석이 3mm 이하인 경우는 경과를 지켜보는 경우가 있다. 또 하신배의 결석은 쇄석해도 위치적으로 배출하기 어렵다. 장경 20mm 이상인 경우는 쇄석된 가는 결석에 의해서 요관이 막혀 버리는 (stone street라고 한다) 경우가 흔히 있다. 따라서 가능한 요관스텐트를 술전에 유치한다. 요산결석이나 시스틴결석은 단단하여 파쇄하기 어렵다. 일반적으로 마취는 하지 않고, 진통제만 투여한다.
● PNL (경피적신결석쇄석술) : 요부에 신루를 만들고, 그 곳에서 경피적으로 내시경을 삽입하여 초음파나 압축공기 등을 이용하여 쇄석함으로써 돌을 제거한다. 신결석의 대부분은 경우는 ESWL로 대응할 수 있으므로, 신우내에 충만한 산호상 결석 등이 대상이 된다. 경막외마취 또는 전신마취하에 시행한다.
● TUL (경요도적요관결석쇄석술) : 세경경성 또는 연성요관경을 요도, 방광을 거쳐서 요관에 삽입하고, 경성인 경우에는 초음파, 압축공기 또는 레이저를, 연성인 경우에는 레이저를 사용하여 쇄석한다. 요추마취하에 시행한다.

재발예방

● 결석배출이나 쇄석으로 얻어지는 결석은 성분을 분석하고 확인하여 재발을 예방한다.
● 칼슘결석환자에 대한 생활지도는 다음과 같다.
　① 수분의 섭취 (1일 2L의 요량을 목표)　　　　② 지방, 사탕, 식염의 섭취 억제
　③ Ca의 섭취 (장에서 옥살산의 재흡수억제)　　④ 규칙적인 식사 (취침 직전의 식사는 엄격히 금지)

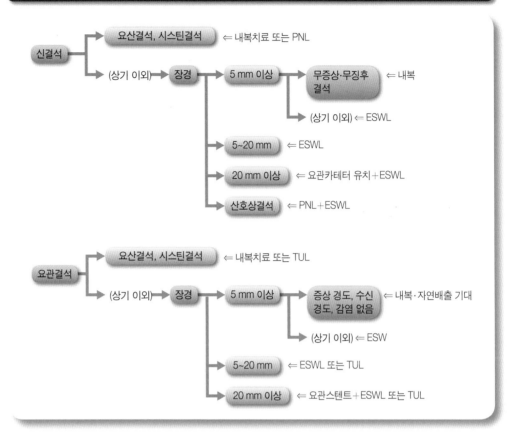

신결석 ──→ 요산결석, 시스틴결석 ⇐ 내복치료 또는 PNL

(상기 이외) ──→ 장경
- 5 mm 이상 ──→ 무증상·무징후 결석 ⇐ 내복
  - (상기 이외) ⇐ ESWL
- 5~20 mm ⇐ ESWL
- 20 mm 이상 ⇐ 요관카테터 유치＋ESWL
- 산호상결석 ⇐ PNL＋ESWL

요관결석 ──→ 요산결석, 시스틴결석 ⇐ 내복치료 또는 TUL

(상기 이외) ──→ 장경
- 5 mm 이상 ──→ 증상 경도, 수신 경도, 감염 없음 ⇐ 내복·자연배출 기대
  - (상기 이외) ⇐ ESW
- 5~20 mm ⇐ ESWL 또는 TUL
- 20 mm 이상 ⇐ 요관스텐트＋ESWL 또는 TUL

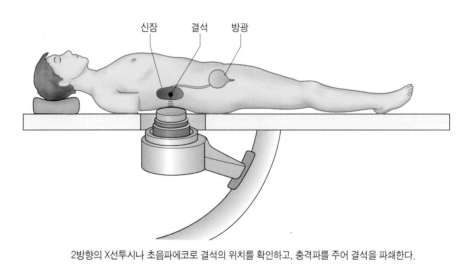

신장   결석   방광

2방향의 X선투시나 초음파에코로 결석의 위치를 확인하고, 충격파를 주어 결석을 파쇄한다.

■ 그림 17-7 체외충격파쇄술

(北原聰史)

17 신장 · 요로결석 (신결석, 요관결석, 방광결석)

산통발작에 신속히 대처한다. 증상이 일시적으로 안정되어도 재발이 반복되는 수가 있어서, 환자는 통증에 대한 공포나 불안을 느끼기 쉽다. 산통발작에의 대처, 감염징후의 관찰, 재발을 방지하기 위한 생활습관의 개선 등에 관한 교육이 중요하다.

병기·병태·중증도에 따른 케어

【급성기】결석에 의한 산통발작이나 그에 수반하는 불안 등의 고통을 경감시키면서 신속히 대처한다. 치료법에 관한 판단이 필요하므로, 환자가 그 치료법과 수술요법 등을 이해하도록 지지한다. 수술을 받는 환자인 경우, 그 준비와 수술에 수반하는 합병증을 관찰하고 예방하여, 조기 회복할 수 있도록 지지한다.
【만성기】통증 등의 증상이 일시적으로 안정되어도, 결석을 배출할 수 없는 경우는 재발이 반복될 수 있어서, 환자는 언제 엄습해 올지 모르는 통증에 대한 공포나 불안을 느끼기 쉽다. 산통발작에 대한 대처나 요로폐색에 수반하는 신기능 저하, 감염징후의 관찰에 대해 셀프케어를 실시할 수 있도록 교육해야 한다. 또 결석생성의 원인을 가능한 삼가는 계속적인 치료나 생활습관의 개선을 도모하기 위한 교육을 실시해야 한다.
【회복기】결석의 생성을 예방하기 위한 치료나 식사·운동 등의 셀프케어행동을 지지한다.

케어의 포인트

진료·치료의 간호
- 검사 후에 결석 부위와 크기에 따라서 치료법이 선택되므로, 환자가 정보를 이해·납득하여 치료를 선택하므로써 적극적으로 참가할 수 있도록 지지한다.
- 보존적 치료 (자연배출)를 선택하는 경우는 수분섭취나 운동을 촉구하고, 내복 (결석의 종류에 따른 약물, 항콜린제, NSAIDs, 비마약성진통제)에 관하여 지도한다.
- 자연배출할 수 없는 경우는 체외충격파결석파쇄술 (ESWL) 등의 적극적 처치가 필요하므로, 술후 합병증 (요로폐색, 신부전, 출혈 등)을 관찰하면서, 환자에게 합병증의 가능성과 자각증상의 보고의 필요성을 설명한다.

통증에 대한 대처
- 산통발작은 심각한 정도의 격통인 경우도 있어서, 때로는 다른 급성복증과 감별이 중요해진다. 검사에 따라서 판단하지만, 우선 지시받은 진통제를 사용하여 환자를 고통에서 해방시켜야 한다. 원인을 설명함으로써 경감되기도 한다.
- 수반되는 자율신경자극증상 (오심·구토, 식은땀, 안면창백, 빈맥 등)을 관찰하면서 편안한 체위를 유지하게 하고, 정신적 지지를 제공한다.

재발예방을 위한 교육
- 대부분의 환자는 결석생성에 환경요인인 생활습관의 영향을 받고 있다. 병태와 생활습관을 조정함으로써 재발을 예방할 수 있으므로, 결석 성분을 파악하고 식사요법 및 수분섭취에 관한 교육을 실시한다.

불안의 경감
- 언제 엄습해 올지 모르는 산통발작과 그에 수반되는 일상생활이나 사회생활에의 영향에 대한 공포나 불안을 갖는 경우가 많으므로, 질환에 관하여 알기 쉽게 설명하다.
- 산통발작으로 괴로워 하는 환자를 지켜보는 가족이나 주위사람도 불안해지므로, 질환이나 고통완화 방법에 대하여 설명한다.

퇴원지도·요양지도

- 산통발작시 진통제의 사용방법, 예방적 복용방법을 이해할 수 있는가 확인한다.
- 결석 성분에 따른 식사요법이나 수분섭취의 필요성, 운동요법의 필요성과 방법을 이해하고 있는가 확인하고, 생활습관으로 적응시킬 수 있도록 지지한다.
- 진찰이 필요한 증상에 대해 설명하고, 필요시에 진찰을 받을 수 있도록 촉구한다.

(高島尙美)

1일 2L 이상의 물섭취

일 이상

적당한 운동

균형있는 식생활

삼가할 음식

시금치　고등어　맥주

저녁식사와 취침시간

저녁식사　　　　　취침

4시간 정도 여유를 둔다.

정기진찰

■ 그림 17-8 재발예방을 위한 지도

전체 map

병인
- 가장 위험한 요인은 흡연이다.
- 직업성 화학발암인자 (방향족 아민), 약제성 발암인자 (페나세틴, 시클로포스파미드)도 원인이다.
- [악화인자] 주혈흡충(schistosome) 감염에 의한 만성염증

역학
- 방광암은 암 중에서 7번째로 많다.
- 중년 이후에서의 발생이 많고, 남녀비는 3~4 : 1이다.
- [예후] T1 이하의 5년생존율은 90%, T2 이상은 약 50%이다.

병태생리
- 방광 점막인 요로상피에서 발생하는 종양으로서, 방광암의 90% 이상이 요로상피암이다.
- 요로상피는 요로 (신우·요관·방광·요도)를 덮는 점막으로, 신우암, 요관암, 방광암, 요도암은 병리조직학적으로 동일한 요로상피암이다.
- 요로상피암은 요로계의 각 부위에 다발·재발하기 쉬우므로, 요로 전체의 체크가 중요하다.
- 암조직이 점막 내에 머물러 있는 상피내암은 몇 년에 걸쳐 침윤암으로 진행되기 쉽다.

병태생리
map
p.170

증상 합병증 진단 치료

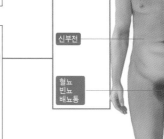

빈혈
백혈구증가증
고칼슘혈증

신부전

혈뇨
빈뇨
배뇨통

방광경검사
복부초음파검사
배설성요로조영검사
요세포진
경요도적생검

CT
MRI

비근층침윤성방광암
경요도적방광종양
절제술
방광내주입요법

근층침윤성방광암
방광전적출술
요로재건술
화학요법
방사선요법

전이성방광암
전신화학요법

증상
- 혈뇨가 주증상이다.
- 방광자극증상 : 빈뇨, 배뇨통
- [합병증]
- 혈뇨에 의한 빈혈
- 수신증에 의한 신부전
- 종양수반증후군 : 백혈구증가증(leukocytosis), 고칼슘혈증

증상
map
p.172

진단
- 방광경검사 : 방광암의 진단에 필수적이다. 종양의 발생부위, 수, 크기, 성상을 알 수 있다.
- 복부초음파 : 5mm 이상의 방광암이면 진단이 가능하다. 스크리닝에 유용하다.
- 배설성요로조영 : 신우·요관암의 합병이 의심스러운 경우에는 필수 검사로 실시한다.
- CT : 병기진단 (특히 림프절·타장기전이의 유무 진단)에 유용하다.
- MRI : 심달도의 진단에 유용하다.
- 요세포진 : 침윤암과 상피내암의 검출능력이 뛰어나다.
- 경요도적생검 : 진단확정에 필수적이며, T1 이상에서는 치료도 겸한다(경요도적방광종양절제 : TURBT).

진단
map
p.172

치료
- 치료법은 병기, 조직학적 분화도에 따라서 다르게 선택된다.
- 비근층침윤성 (Ta, T1, Tis) 방광암 : TURBT에 의한 완전절제. 다발·재발을 반복하는 경우에는 재발저지치료 (BCG, 항암제의 방광내 주입)를, 치료저항성을 띨 경우에는 방광전적출술을 행한다.
- 근층침윤성 (T2 이상) 방광암 : 방광전적출술+요로변경 (표준적 치료)+술전후의 보조화학요법, QOL의 개선에는 TURBT+화학요법+방사선요법을 시행한다.
- 전이성방광암 : 전신화학요법 (GC 또는 M-VAC요법)을 선택한다.

치료
map
p.173

병태생리 map

방광암은 방광의 점막인 요로상피에서 발생하는 종양으로, 병리조직학적으로는 90% 이상이 요로상피암이다.

- 신장에서 생성된 암은 요로 (신우 · 요관 · 방광 · 요로)를 거쳐서 체외로 배설된다. 이 요로를 덮고 있는 점막이 요로상피이다. 방광암을 비롯해서, 신우암, 요관암, 요도암은 병리조직학적으로는 동일한 요로상피암으로 파악한다(그림 18-1).

- 요로상피암은 요로계의 각 부위에 다발하기 쉽고, 또 재발하기도 쉽다. 따라서 요로 전체의 체크와 치료 후의 재발 체크가 중요하다.

- 방광암의 병기분류를 표 18-1에 나타냈다.

- 요로상피암에서 상피내암은 몇년에 걸쳐 침윤암으로 진행될 가능성이 높다.

병인 · 악화인자

- 가장 위험한 발암인자는 흡연이다.

- 직업성 화학발암인자로서 방향족 아민(aromatic amine) 에의 노출이 지적되고 있다.

- 약제성 발암인자로서, 소염진통제인 페나세틴 (2001년 후생노동성의 지도로 공급정지되었다)의 대량사용이나 시클로포스파미드를 들 수 있다.

- 염증이나 감염증에 관련하여서는 아프리카 등의 일부 지역에서는 주혈흡충 감염에 수반되는 만성염증을 기반으로 방광편평상피암이 호발한다.

역학 · 예후

- 일본에서 방광암은 모든 암 중에서 7번째로 많은 암이다.

- 방광은 요로 (신우 · 요관 · 방광 · 요도) 중에서 요로상피암의 발생빈도가 가장 높은 장기이다.

- 중년 이후에서 호발하고, 성별로는 여성에 비해서 남성에게 3~4배 정도 많다.

- 생명예후는 방광암의 조직학적 분화도와 심달도에 따라서 크게 달라진다. 분화형근층비침윤성 (Ta, T1) 방광암 (방광암의 약 70~80%)은 5년생존율이 90% 이상으로 양호한 생명예후를 나타낸다. 한편, T2 이상의 침윤암 (방광암의 약 20~30%, 대부분이 저분화형)이 되면, 5년생존율은 약 50%로 저하된다.

- T1 이하의 방광암에서는 내시경적 절제로 치료한 후 약 50%의 증례에서 방광강내 재발이 확인된다.

■ 표 18-1 방광암의 병기분류

T : 원발종양	
Tis	상피내암
Ta	침윤 없음
T1	점막하결합조직까지의 침윤
T2	근층침윤
T3	방광벽을 뚫고 방광주위 지방조직으로 침윤
T4	인접장기로 침윤

N : 소속림프절	
N1	2cm 이하의 1개의 소속림프절 전이
N2	2~5cm의 1개 또는 5cm 이하의 복수의 소속림프절 전이
N3	5cm 이상의 소속림프절 전이

M : 원격전이	
M1	원격전이가 있음

(일본비뇨기학회, 일본병리학회 : 방광암취급규약 제3판, 금원출판, 2001)

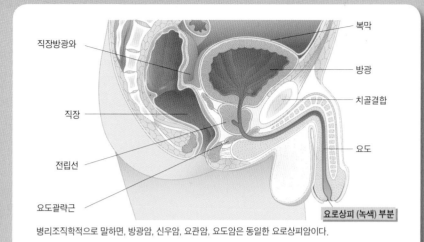

병리조직학적으로 말하면, 방광암, 신우암, 요관암, 요도암은 동일한 요로상피암이다.

■ 그림 18-1 요로상피와 방광암

병 인

흡연	방향족 아민에의 노출
페나세틴의 대량사용	시클로포스파미드

등

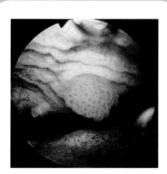

■ 그림 18-2 후벽에 발생한 5mm 크기의 유두상 비근층침윤성방광암 (분화형 Ta방광암)

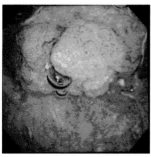

■ 그림 18-3 정부(頂部)에 발생한 3cm 크기의 근층침윤성방광암 (T3)

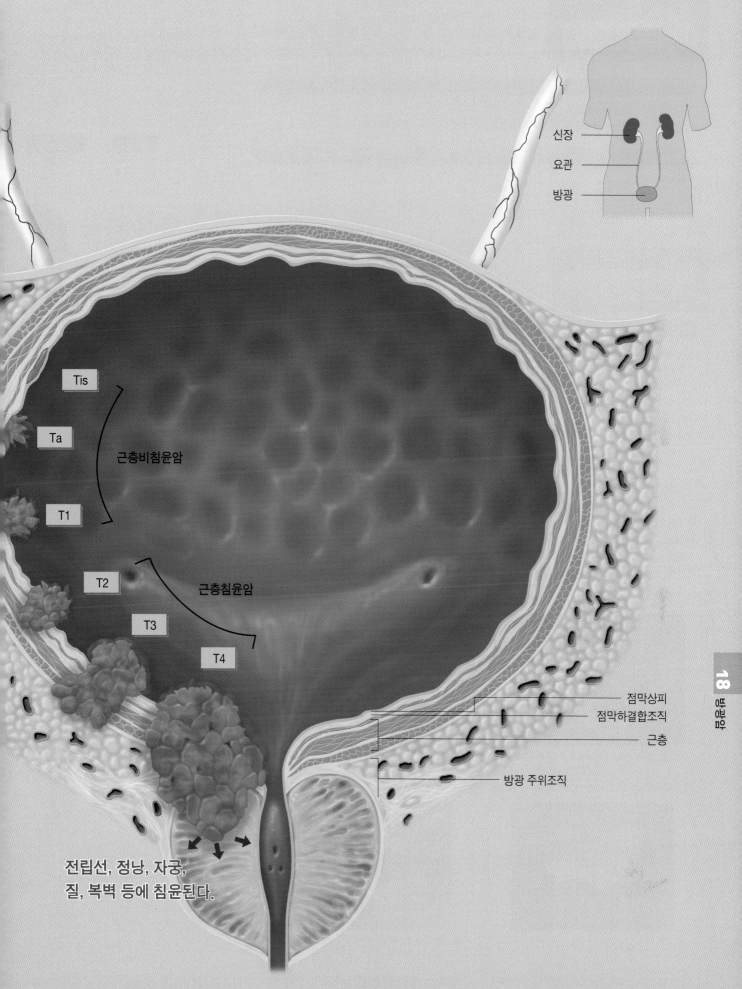

신장

요관

방광

Tis

Ta

근층비침윤암

T1

T2

근층침윤암

T3

T4

점막상피
점막하결합조직
근층

방광 주위조직

전립선, 정낭, 자궁,
질, 복벽 등에 침윤된다.

증상 map

혈뇨가 대부분 나타나고, 빈뇨, 배뇨통 등도 출현한다.

증상

- 85~90%가 혈뇨를 주로 호소하면서 진찰을 받는다.
- 약 20%에서 빈뇨 · 배뇨통 등의 방광자극증상을 확인한다.

합병증

- 혈뇨에 의한 빈혈
- 수신증에 의한 신부전
- 진행증례에서는 종양수반증후군인 백혈구증가증이나 고칼슘혈증 등

증상   합병증

방광암
진단 map

방광경검사로 종양의 발생부위, 크기, 성상을 진단할 수 있다.

진단 · 검사치

- 방광경 (그림 18-2, 3) : 방광암 진단에 필수적이다. 종양의 발생부위, 수, 크기, 성상 (유두상인지 비유두상인지) 등, 치료법 선택에 유용한 정보를 얻을 수 있다.
- 복부초음파검사 : 5mm 이상의 방광암이면 복부초음파검사로 진단이 가능하지만, 방광경만큼 상세한 정보는 얻을 수 없다. 간편하게 실시할 수 있어서 신우 · 요관암의 합병의 유무, 수신증의 유무의 스크리닝에 유용하다.
- 배설성요로조영 : 신우 · 요관암의 합병이 의심스러운 경우에는 필수검사로서 시행한다. 예전에는 방광암 진단시에 루틴으로 행해졌지만, 근래에 들어서는 복부초음파검사로 전환되는 추세이다.
- CT (그림 18-4) : 병기진단, 특히 림프절이나 타장기전이의 유무 진단에 유용하다. 심달도 진단에서는 방광 주위의 지방조직 침윤이나 인접장기로의 벽외침윤의 진단에 유용하다.
- MRI (그림 18-5, 6) : 심달도 진단에 유용하며, T1 이하와 T2 이상의 감별이 어느 정도 가능하다.
- 요세포진 : 종양에서 유래한 요중 박리세포를 파파니콜로염색하에 진단한다. Class 1, 2를 음성, Class 3을 의양성, Class 4, 5를 양성이라고 한다. 요로상피암의 조직학적 배경을 반영할 뿐 아니라 특히 침윤암과 상피내암의 검출능력이 뛰어나다.
- 경요도적 생검 : 진단확정에 필수적이다. T1 이하의 방광암인 경우, 경요도적방광종양절제 (TURBT)로 치료도 겸한다.

빈혈
백혈구증가증
고칼슘혈증

신부전

혈뇨
빈뇨
배뇨통

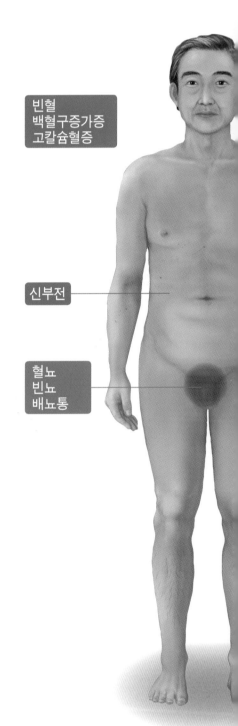

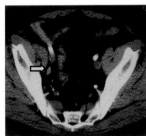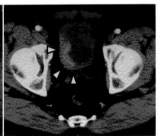

■ 그림 18-4 근층침윤성방광암 (T3N1M0) 증례의 CT영상
화살표는 림프절전이를, 화살머리는 원발종양을 나타낸다.

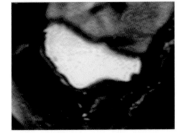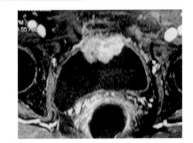

■ 그림 18-5 근층침윤성방광암 (T2N0M0) 증례의 MR영상
영상상, 침윤은 근층내에 머물러 있다.

■ 그림 18-6 방광경영상에서 나타난 근층침윤성 방광암 (T3N0M0) 증례의 조영MR영상

치료법은 병기 및 조직학적 분화도에 따라서 달라진다.

■ 표 18-2 방광암의 주요 치료제

분류	일반명	주요 상품명	약효발현의 메커니즘	주요 부작용
대사길항제	메토트렉세이트	메토르렉세이트	세포내효소에 길항하여 작용	골수억제
	젬시타빈염산염	젬자		
알칼로이드계	빈플라스틴유산염	Exal	세포의 유사분열을 중기에서 정지	골수억제, 신경장애
항생물질항암제	독소루비신염산염	Adriacin	DNA, RNA의 생합성을 억제	심근장애, 심부전
백금제제	시스플라틴	Randa, Briplatin	DNA합성, 암세포의 분열을 저해	급성신부전

비근층침윤성 (Ta, T1, Tis) 방광암의 치료

- 경요도적방광종양절제술 (TURBT)로 종양을 완전히 절제한다. 조직학적 분화도에 따라서 진행 위험이 다르므로, TURBT 후의 대응도 달라진다.
- 다발하거나 자주 재발을 반복하는 비근층침윤성방광암에는 재발저지치료로서 BCG (방광내용)나 항암제(마이토마이신C, 아드리아마이신 등)의 방광내주입요법을 실시한다.
- 저분화형Ta~T1방광암에서는 근층침윤이 없는 것을 확인하기 위하여 TURBT를 재실시하고, 심달도를 재평가한다.
- 상피내암에서는 BCG 또는 항암제의 방광내주입요법을 실시한다. 치료저항성을 나타내는 경우는 방광전적출술의 적응대상이다.

진단   치료

방광경검사
복부초음파검사
배설성요로조영검사
요세포진
경요도적생검

CT
MRI

비근층침윤성방광암
경요도적방광종양
절제술
방광내주입요법

근층침윤성방광암
방광전적출술
요로재건술
화학요법
방사선요법

전이성방광암
전신화학요법

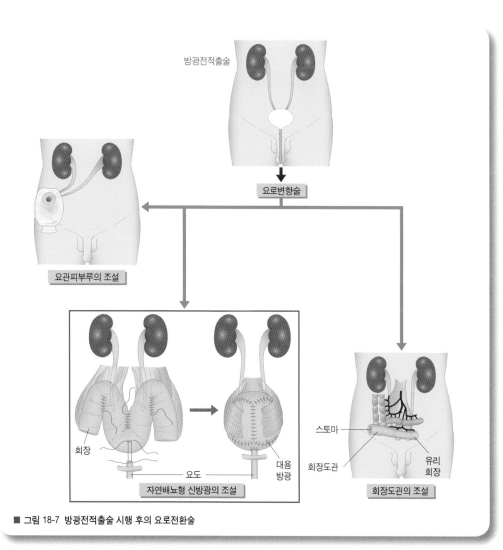

방광전적출술

요로변향술

요관피부루의 조설

회장

요도

자연배뇨형 신방광의 조설

대용
방광

스토마

회장도관

유리
회장

회장도관의 조설

■ 그림 18-7 방광전적출술 시행 후의 요로전환술

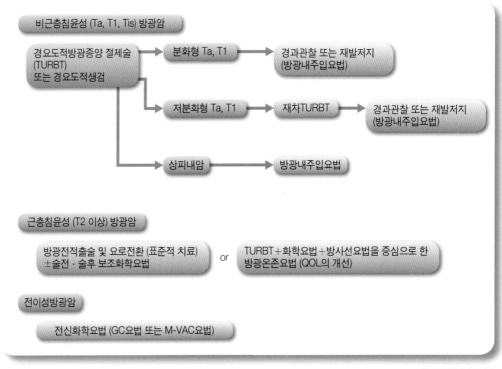

■ 표 18-3 BCG방광내주입요법의 부작용

· 방광자극증상 (빈뇨, 배뇨통, 혈뇨, 잔뇨감)
· 위축방광
· 하복부통
· 발열
· 권태감
· 패혈증
· 간기능장애
· 알레르기
· 쇼크

■ 표 18-4 M-VAC요법의 부작용과 그 출현시기

· 골수억제 : 10~14일째
· 소화기증상 (구내염, 오심 · 구토, 설사 등) : 당일~7일째
· 신기능 저하 : 2~5일째
· 탈모 : 3주째~

근층침윤성 (T2 이상) 방광암의 치료

● 방광전적출술이 표준치료이다. 남성은 방광 · 전립선 · 정낭 · 요도를, 여성은 방광 · 요도 · 자궁 · 질전벽을 한 덩어리로 적출한다.

● 방광전적출술에서는 요로의 재건 (요로전환)이 필요하다. 요로전환술식 중 회장도관은 역사가 오래되고 안정적인 장기성과가 확인되며, 그 외에도 자연배뇨형 · 비실금형 방광조설이나 요관피부루도 행해진다(그림 18-7).

● 술전 · 술후의 보조화학요법이 치료성적의 개선을 목적으로 시행되고 있다.

● QOL의 개선을 목적으로, TURBT · 화학요법 · 방사선요법의 병용에 의한 방광온존요법도 행해지고 있다.

전이성방광암의 치료

● 전신화학요법으로 GC요법 (젬시타빈염산염＋시스플라틴)이나 M-VAC요법 (메토트렉세이트＋빈블라스틴유산염＋독소루비신염산염＋시스플라틴)이 행해진다. M-VAC요법은 GC요법과 동등한 효과를 나타내지만, 부작용이 가볍다는 장점이 있다.

Px처방례 GC요법 : 다음의 2제를 병용한다.

● 젬자주 1회 1,000mg/m² 제1, 8, 15일 정주 ←대사길항제

● Randa주 1회 70mg/m² 제2일 정주 ←백금제제

※상기를 4주간 1단위로 반복한다.

Px처방례 M-VAC요법 : 다음의 4제를 병용한다.

● 메토트렉세이트주 1회 30mg/m² 제1, 15, 22일 정주 ←대사길항제

● Exal주 1회 3mg/m² 제2일 정주 ←항생물질항암제

● Randa주 1회70mg/m² 제2일 정주 ←백금제제

※상기를 4주 1단위로 반복한다.

방광암의 병기 · 병태 · 중증도별로 본 치료흐름도

(古賀文隆·木原和德)

환자케어

T2 이상에서는 방광전적출술이 표준이며, 요로전환술의 선택이 요구된다. 환자·가족이 납득하여 치료에 전념할 수 있도록 지지한다. 치료 후에는 스토마케어의 지도 뿐 아니라, 신체상와 sexuality의 변화에 대한 지지도 중요하다.

병기·병태·중증도에 따른 케어

【진단기】 방광암 진단으로 발생하는 충격을 받아들이면서 단기간에 치료법 선택 및 요로전환술의 선택이 요구되는 경우와 경요도적절제술과 BCG요법을 반복하면서 서서히 침윤성방광암으로 변화하는 와중에 요로전환술이 요구되는 경우가 있다. 어느 경우라도 치료법, 수술방식에 따라서 어떤 이점과 결점이 있는지 적절히 정보를 제공한 후에 환자·가족이 납득하여 치료에 전념하도록 지지한다.

【치료기】 간호사의 적절한 케어와 조언으로 스토마관리에 대한 느낌도 달라진다. 환자의 셀프케어에 대한 심신의 준비가 되어 있는지, 충분한 사정 후에 지도하는 것이 중요하다. 또 화학요법이나 방사선요법을 시행했을 때는 각 치료법과 그 부작용을 숙지하여 케어한다.

【종말기】 혈뇨, 배뇨통 등의 증상에 추가하여, 전이부위에 따라서 여러 고통증상이 출현한다. 적극적으로 통증을 완화하여, 환자가 편안하게 마지막을 맞이할 수 있도록 지지한다. 가족의 슬픔이나 간호부담에 대한 케어도 중요하다.

케어의 포인트

진찰·치료의 간호
- 종양 발견에서 전이 확인까지 차례로 행해지는 검사에 관하여, 환자의 이해수준에 맞추어 구체적으로 설명한다.
- 의사의 설명을 충분히 이해하고 알고자 하는 내용을 질문할 수 있는지를 사정하는 것이 중요하다.
- 검사나 처치 시의 간호는 환자의 프라이버시를 충분히 배려하며 행한다.

요로전환술의 술식선택에 있어서의 지지
- 암의 침윤부위에 따라서 선택할 수 있는 수술방법이 달라지는 점을 이해한다.
- 환자의 라이프스타일이나 가치관을 소중히 여기고, 각각의 이점과 결점에 관해 정보를 제공한다.
- 방황할 때 곁에서 생각을 경청함으로써, 환자·가족의 마음가짐 정리를 도와준다. 최종적으로 환자·가족이 선택할 수 있도록 가능한 시간을 할애한다.

신체상와 sexuality의 변화에 대한 지지
- 스토마와 장비를 사용하기 때문에 의복을 갖추었을 때의 모습 등도 포함하여 신체상과 sexuality가 변화하는 것을 이해한다.
- 파우치교환을 실제로 해 보거나 장비를 착용하고 외출해 봄으로써, 조금씩 자신감을 가지고 변화를 받아들일 수 있도록 돕는다.
- 환자와 파트너가 조금씩 변화를 받아들이는 것을 초조해 하지 말고 기다린다.

종말기의 환자·가족에 대한 지지
- 여러 신체증상에 추가하여, 죽음에 대한 불안, 간호하는 가족이 갖는 부담 등 다양한 문제가 출현한다. 충분한 고통의 완화와, 환자·가족을 전인적으로 포용하는 케어가 필요하다.
- 스토마케어는 가족에게 맡기게 되지만, 가족이 케어하기 쉬운 장비로의 변경도 고려한다.

퇴원지도·요양지도

- 환자와 가족에게 스토마케어를 지도하고, 환자가 자택에서 파우치를 교환할 수 있도록 반복해서 지도한다.
- 파우치교환의 기준이나 교환일의 간격에 대하여 지도한다.
- 스토마에 트러블이 있을 때의 대처방법에 관하여 구체적으로 설명한다.
- 암모니아 냄새를 예방하기 위해서, 요를 산성으로 만드는 음식과 수분 (크랜베리주스 등)의 섭취를 권한다.
- 요로감염과 변비예방을 위해서, 1일 2L 정도의 수분섭취를 권한다.
- 요로감염을 예방하기 위해서, 취침시에는 배액백을 파우치보다 낮게 하여 사용하도록 지도한다.
- 재사용형 파우치와 레그백은 정기적으로 비누와 물로 세척하도록 지도한다.
- 환자모임 등 스토마를 가지고 생활하는 사람들의 모임을 소개한다.
- 신체장애자수첩 등 이용 가능한 사회자원을 소개한다.
- 정기적인 팔로업을 위해 진찰받도록 하고, 응급시의 연락방법에 대해서도 확인한다.

(那須佳津美)

파우치의 종류

상황에 맞추어 적절히 사용하도록

원피스형　　　　투피스형

요의 상태를 체크

· 요의 색은?
· 혼탁하지 않은가?

파우치 교환시기

요가 1/3정도 고이면 요를 비운다.

파우치의 교환시기는 며칠~1주 정도이지만, 면판의 용해정도 등에 따라서 개인차가 있으므로, 개개인에 대한 지도가 필요합니다. 요가 고였을 때는 파우치의 아래쪽 후크를 열고 요를 버립니다(1일 여러 차례).

■ 그림 18-8 스토마(stoma)케어의 포인트

Memo

전체 map

병인
- 다수의 인자가 관련되지만, 확실한 관련인자는 연령과 호르몬환경이다.
- [악화인자] 생활습관

역학
- 65세 이상 남성의 약 30%에서 발생한다.
- 이환율은 연령의 증가에 비례하여 증가한다.
- [예후] 생명이 위태롭지는 않지만, QOL이 저하된다.

병태생리
- 전립선이 종대되고 하부요로가 폐색되어, 하부요로 증상이 출현한 상태이다.
- 남성의 경우 요가 전립선부 요도를 통과하여 체외로 배설되므로, 요도가 압박을 받으면 배뇨장애가 발생한다.
- 하부요로를 폐색의 메커니즘 : 기계적 폐색 (내선영역의 비대에 의한 요도의 압박 · 변형)과 기능적 폐색 (전립선평활근의 수축긴장에 의한 요도의 협착)이 있다.

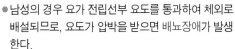 병태생리 map p.178

증상
- 배뇨곤란, 빈뇨 (특히 야간빈뇨), 잔뇨감, 요의절박 (urinary urgency) 등의 하부요로증상
- [합병증]
- 하부요로폐색에 의한 신기능장애
- 요폐 (urinary retention)
- 요로감염
- 혈뇨
- 방광결석

증상 map p.180

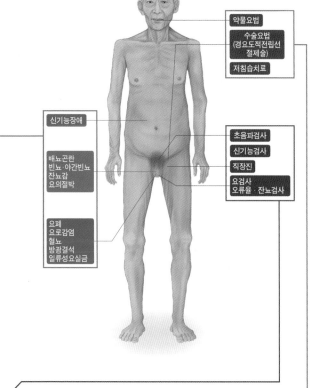

증상　합병증　　　진단　　치료

약물요법
수술요법 (경요도적전립선절제술)
저침습치료

신기능장애

배뇨곤란
빈뇨·야간빈뇨
잔뇨감
요의절박

초음파검사
신기능검사
직장진
요검사
오류율·잔뇨검사

요폐
요로감염
혈뇨
방광결석
일류성요실금

진단
- 진단의 확정은 전립선암을 제외하고 하부요로폐색 상태를 파악하여 내린다.
- 환자배경의 파악 : 합병증, 기왕력, 사용약제
- 기본적 평가 : 직장진, 검뇨, 크레아티닌측정에 의한 신기능평가, 전립선특이항원 (PSA)
- 자각증상의 평가 : 국제전립선증상스코어 (I-PSS), QOL 스코어, 배뇨일지
- 배뇨기능의 평가 : 요류율 측정과 잔뇨 측정
- 전립선형태의 평가 : 초음파검사에 의한 전립선의 용적측정, 방광 · 전립선의 형태관찰

진단 map p.180

치료
- 치료의 목표는 하부 요로증상의 개선, QOL의 개선, 합병증의 예방이다.
- 무치료관찰 : 경증례 또는 QOL 저하가 없는 증례에서는 경과관찰만으로도 충분하다.
- 약물요법 : α 차단제가 제1선택제이다. 항안드로겐제를 사용하면 전립선암 발견이 어려워진다.
- 수술요법 : 약물요법에 저항성을 띠거나 요폐 · 요로감염 · 혈뇨 · 방광결석 · 신후성신부전이 있는 증례에 적용한다. 경요도적전립선절제술 (TUR-P)이 표준술식이다.
- 저침습치료 : 레이저, 스텐트유치, 고온도치료 등이 있다.

치료 map p.182

병태생리 map

전립선비대증이란 전립선이 종대되어 하부요로를 폐색하면서 하부요로증상이 출현한 상태를 말한다.

- 남성의 경우, 방광에 고인 요는 전립선의 내부를 관통하는 전립선부 요도를 통과하여 체외로 배설된다.
- 전립선은 요도 주위를 둘러싸는 형태로 존재하는 외분비선이다. 전립선비대증에서는 전립선의 내선영역 (이행영역)이 종대된다.
- 전립선은 남성생식기로, 그 기관형성, 분화, 기능이 남성호르몬의 영향을 강하게 받고 있다.
- 전립선이 종대되어 하부요로를 폐색하는 메커니즘에는 기계적 폐색과 기능적 폐색의 2가지가 있다.
- 기계적 폐색 : 내부영역의 비대에 의해 요도가 압박되어 변형된다.
- 기능적 폐색 : 전립선평활근의 수축긴장 때문에 발생한다. 여기에는 교감신경계 아드레날린 수용체가 관여한다.

병인·악화인자

- 전립선비대증의 발생에는 다수의 인자가 관련되지만, 지금까지는 연령과 호르몬환경만이 확실한 관련인자라고 할 수 있다.

역학·예후

- 전립선비대증은 65세 이상 남성의 약 30%에서 발생한다고 하며, 매우 발병빈도가 높은 질환이다.
- 전립선비대증의 이환율은 연령과 더불어 증가하고, 30세 이전에는 0%이지만 60세에서는 약 60%로 증가한다는 보고도 있다.
- 게다가 1990년대 이후, 전립선비대증에 대한 인식이 보편화됨에 따라서 환자수가 증가하고 있다.
- 예후 : 전립선비대증 그 자체는 생명을 위협하는 질환이 아니지만, 하부요로증상에 의해서 환자의 QOL이 저하된다.

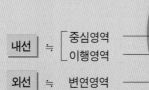

병인 · 악화인자

연령 | 호르몬환경

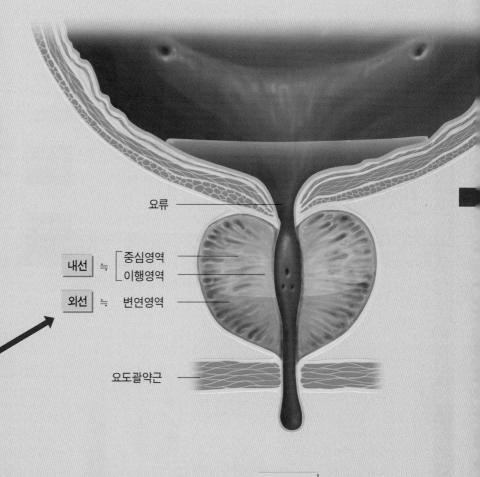

요류

내선 ≒ [중심영역 / 이행영역]

외선 ≒ 변연영역

요도괄약근

단 면

내선 ≒ [중심영역 / 이행영역]

외선 ≒ 변연영역

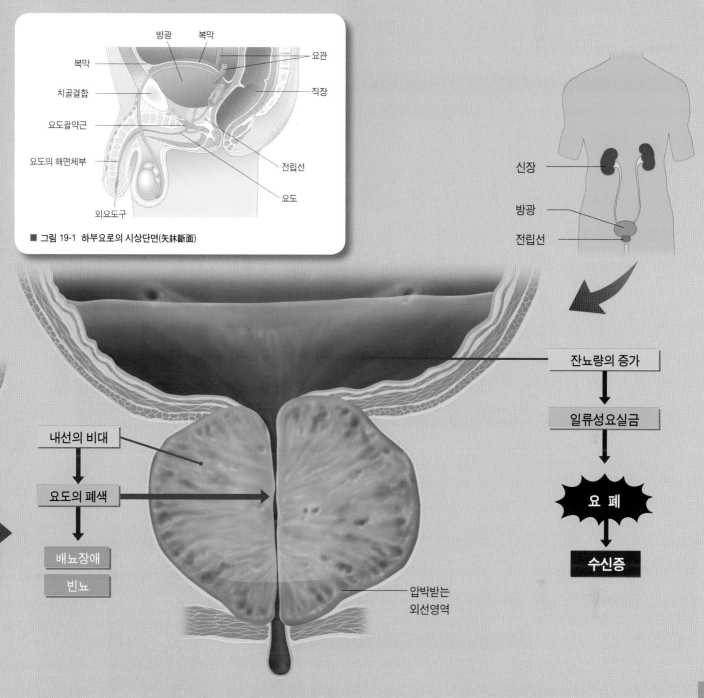

■ 그림 19-1 하부요로의 시상단면(矢狀斷面)

방광　복막
복막
요관
치골결합
직장
요도괄약근
요도의 해면체부
전립선
외요도구
요도

신장
방광
전립선

잔뇨량의 증가

일류성요실금

요 폐

수신증

내선의 비대

요도의 폐색

배뇨장애

빈뇨

압박받는
외선영역

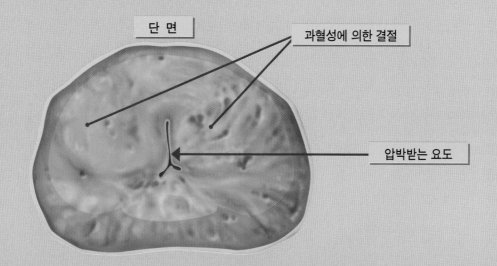

단 면

과혈성에 의한 결절

압박받는 요도

전립선비대증
증상 map

야간의 빈뇨, 잔뇨감, 배뇨곤란 등의 하부요로증상을 나타낸다.

증상

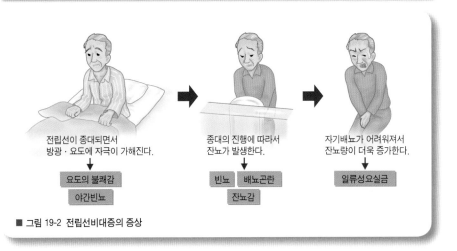

전립선이 종대되면서
방광 · 요도에 자극이 가해진다.
↓
요도의 불쾌감
야간빈뇨

종대의 진행에 따라서
잔뇨가 발생한다.
↓
빈뇨 ｜ 배뇨곤란
잔뇨감

자기배뇨가 어려워져서
잔뇨량이 더욱 증가한다.
↓
일류성요실금

■ 그림 19-2 전립선비대증의 증상

● 주증상으로는 하부요로증상인 배뇨곤란, 빈뇨, 야간빈뇨, 잔뇨감, 요의절박 등을 들 수 있다. 전립선의 사이즈와 하부요로증상은 그다지 상관이 없는 점에 주의한다.

합병증

● 전립선비대증에 의한 하부요로폐색은 때로 신기능장애를 일으킬 위험이 있다. 전립선비대증 증상을 나타내는 환자의 11%에서 신기능장애가 확인된다는 보고가 있다.
● 여기에 추가하여 요폐 · 요로감염 · 혈뇨 · 방광결석 등이 합병될 수 있다. 이러한 합병증이 있는 전립선비대증은 수술치료의 적응대상이다.

신기능장애

배뇨곤란
빈뇨 · 야간빈뇨
잔뇨감
요의절박

요폐
요로감염
혈뇨
방광결석
일류성요실금

전립선비대증
진단 map

전립선암을 제외하고 하부요로폐색의 상태를 파악하여 진단을 확정한다.

진단 · 검사치

● 하부요로증상을 일으키는 질환 전부가 감별의 대상이 된다.
· 전립선암, 방광경부경화증, 요도협착, 신경인성 방광, 요로감염증, 하부요로결석, 하부요로종양 등.
● 환자배경의 파악 : 합병증, 기왕력, 사용 중인 약제.
● 기본적 평가 : 직장암, 검뇨, 신기능의 평가 (크레아티닌 측정), 전립선특이항원 (PSA).
● 자각증상의 평가
· 국제전립선증상스코어 (I-PSS) (표 19-1) : 7점 이하를 경증, 8~19점을 중등증, 20점 이상을 중증이라고 한다.
· QOL 스코어 (표 19-2) : 0~1점을 경증, 2~4점을 중등증, 5~6점을 중증이라고 한다.
· 배뇨일지
● 배뇨기능과 전립선형태의 평가
· 요류율측정 · 잔뇨측정 (표 19-3, 4) : 최대요류율 15mL/초 이상이고 잔뇨량 50mL 미만을 경증이라고 하고, 최대요류율 5mL/초 미만 또는 잔뇨량 100mL 이상을 중증이라고 한다.
· 초음파검사 : 전립선의 용적을 측정하고 방광, 전립선의 형태를 관찰할 수 있다.

	전혀 없음	5회에 1회 미만	2회에 1회 미만	2회에 1회	2회에 1회 이상	거의 항상
1. 최근 1개월간, 배뇨 후에 요가 아직 남아 있는 느낌이 있었습니까?	0	1	2	3	4	5
2. 최근 1개월간, 배뇨후 2시간 이내에 또 한번 가야 한 적이 있었습니까?	0	1	2	3	4	5
3. 최근 1개월간, 배뇨 도중에 요가 끊긴 적이 있었습니까?	0	1	2	3	4	5
4. 최근 1개월간, 배뇨를 참는 것이 괴로운 적이 있었습니까?	0	1	2	3	4	5
5. 최근 1개월간, 요의 배출이 약했던 적이 있었습니까?	0	1	2	3	4	5
6. 최근 1개월간, 배뇨가 시작될 때 배에 힘을 주어야 한 적이 있었습니까?	0	1	2	3	4	5
7. 최근 1개월간, 자리에 누운 후 아침에 기상할 때까지 보통 몇 번 배뇨 때문에 일어났습니까?	0회	1회	2회	3회	4회	5회 이상
	0	1	2	3	4	5

1에서 7의 합계점

I-PSS는 배뇨장애의 증상에 관한 7항목 질문으로 이루어져 있다.
각각 0~5점으로 평가하고, 각 항목점수를 합계 (통계 35점)하여, 경증 (0-7점), 중등증 (8-19점), 중증 (20-35점)으로 분류한다.

■ 표 19-2 QOL 스코어

	매우 만족	만족	대체로 만족	만족 · 불만족 어느 쪽도 아니다.	대체로 불만족	불만족	매우 불만족
현재의 배뇨상태가 앞으로 평생 계속된다면, 어떻겠습니까?	0	1	2	3	4	5	6

QOL 스코어는 현재의 배뇨상태에 대한 환자 자신의 만족도를 나타내는 지표이다.
0점 (매우 만족) 에서 6점 (매우 불만족) 까지 7단계로 평가하고, 경증 (0-1점), 중등증 (2-4점), 중증 (5-6점) 으로 분류한다.

■ 표 19-3 전립선비대증의 진단가이드라인을 이용한 중증도 판정기준

중증도	1. 증상	2. QOL	3. 배뇨기능	4. 형태
	국제전립선증상스코어	QOL스코어	최대요류율과 잔뇨량	전립선용적
경증	0~7	0, 1	15mL/초 이상이고 50mL 미만	20mL 미만
중등증	8~19	2~4	5mL/초 이상이고 100mL 미만	50mL 미만
중증	20~35	5, 6	5mL/초 미만 또는 100mL 이상	50mL 이상

■ 표 19-4 전립선비대증의 진단가이드라인을 이용한 전반적인 중증도의 판정기준

중증도	표 18-3의 4항목에서의 중증도
경증	4항목 모두 경증 3항목 경증과 1항목 중등증
중등증	중증 항목 없이 중등증 2항목 이상 중증 항목 1항목만
중증	중증 항목 2항목 이상

진단   치료

약물요법

수술요법
(경요도적전립선
절제술)

저침습치료

초음파검사

신기능검사

직장진

요검사
요류율·잔뇨검사

환자의 QOL, 하부요로증상의 개선과 합병증의 예방을 목적으로 중증도, 환자의 연령, 병존질환의 유무 등을 감안하여 치료방침을 결정한다.

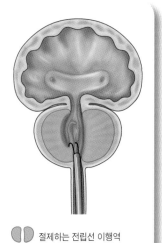

절제하는 전립선 이행역

■ 그림 19-3 TUR-P

■ 표 19-5 전립선비대증의 주요 치료제

분류	일반명	주요 상품명	약효발현의 메커니즘	주요 부작용
α 차단제	탐스로신염산염	Harnal	α_1수용체의 차단으로 하부요로평활근을 이완	간기능장애, 기립성저혈압, 술중홍채긴장저하증후군
	나프토피딜	플리바스, Avishot		
	실로도신	Urief	α_{1A}수용체의 선택적인 차단	간기능장애, 구갈, 사정장애, 술중홍채긴장저하증후군
안티안드로겐제	알릴에스트레놀	퍼세린	안드로겐과 경합적인 길항작용으로 전립선의 비대를 억제	간장애
	클로르마디논초산에스텔	Prostal	황체호르몬작용	
식물제	써니틴화분추출물	Eviprostat, 쎄닐톤	항염증작용과 요로소독작용	드물게 과민증

치료법

● 치료의 목표는 하부요로증상의 개선, QOL의 개선 및 합병증의 예방이다. 약물요법에서는 α 차단제가 중심이다. 수술요법으로는 경요도적전립선절제술 (TUR-P)이 표준이지만, 최근 저침습수술인 홀뮴레이저에 의한 내시경수술이 주목받고 있다.

● 무치료 경과관찰 : 증상이 경증 또는 QOL의 저하가 없는 증례에 적용한다.

● 약물요법 : 전립선비대증에 대한 약물요법으로 일본에서는 α 차단제가 제1선택제가 되고 있다. 항안드로겐제를 투여하는 경우에는 PSA치가 저하되고, 전립선암을 은폐해 버릴 위험성 (발견하기 어려워진다)이 있음을 고려한다.

● 수술요법 : 약물요법에 저항성인 경우, 또는 전립선비대증에 의해 반복되는 요폐, 요로감염, 혈뇨 또는 방광게실, 방광결석, 신후성신부전이 있는 경우에는 외과적 치료가 권장된다. 경요도적전립선절제술 (TUR-P)이 표준술식이다.

● 저침습치료 : 레이저, 스텐트 유치, 고온도치료 등이 있지만, 장기성과는 아직 확립되어 있지 않다.

전립선비대증의 병기 · 병태 · 중증도별로 본 치료흐름도

표 19-3 및 표 19-4에 나타낸 중증도 판정에 입각하여, 연령, 병존질환, 환자의 희망 등을 고려하여 종합적으로 치료방침을 세운다.

```
  경증              중등증              중증

무치료 경과관찰      약물요법       약물요법에 저항성인 경우,
                                  또는 전립선비대증에 따른
                                  합병증이 있는 경우

중증도의 재평가와   중증도의 재평가와
치료방침의 재평가   치료방침의 재평가

                약물요법에 저항성인            수술치료
                경우는 수술치료를 고려
```

(川上　理)

불쾌증상에 대한 대응책 및 일상생활상의 주의점을 지도하는데, 환자의 수치심이나 성적 정체성을 충분히 배려한다. 수술 등 치료의 선택에 관해서도 지지한다.

병기·병태·중증도에 따른 케어

【초기】 배뇨곤란감이나 야간빈뇨 등의 불쾌증상이 있지만, 나이 탓이라고 포기하고 의료자에게 상담하지 않는 경우도 많다. 어떤 증상으로 곤란해 하고 있는지, 어떤 해결책이 있는지, 또 일상생활상에서 고려해야 할 것은 무엇인지 서로 의논한다.

【진행기】 잔뇨나 요의절박, 요폐 등, 불쾌증상이 한층 심해진다. 신체적·정신적 고통에 대한 충분한 이해를 표현함과 동시에, 방치하면 신기능 저하를 초래하는 점이나 요로감염의 위험성에 관하여 교육하고 적절한 처치와 일상생활상의 주의점을 지도한다. 환자·가족 (간호인)이 무리하지 않는 방법을 서로 얘기하는 것이 중요하다.

【주수술기】 고령자에게 입원·수술은 심신 모두에 큰 스트레스로서 작용한다. 수술에 대한 기대나 불안을 파악하고, 입원생활에 적응할 수 있도록 지지한다. 수술후에는 전신상태를 충분히 관찰하면서, 불쾌증상의 완화에 힘쓴다.

케어의 포인트

진찰·치료의 간호
- 검사나 처치 시에는 환자의 수치심을 충분히 배려하여 간호한다.
- 신체적·정신적 고통을 수반하는 검사도 있으므로, 충분한 설명이 필요하다.

일상생활상의 지도
- 환자가 고령이어서 수기의 어려움을 느끼거나 생활의 변화에 망설이는 경우도 있다. 환자에게 가능한 것부터 시작한다.
- 환자의 QOL에 무엇이 중요한가에 관하여 서로 충분히 얘기한다.
- 필요에 따라서 가족의 협력을 구한다.

치료선택에 대한 지지
- 현재는 여러 가지 치료법이 개발되어 있어서, 환자·가족 모두 어떤 치료가 좋은지 망설이는 경우도 많다. 환자나 가족이 납득할만한 선택을 할 수 있도록 돕는다.

성적 정체성의 변화에 대한 지지
- 고령이라고 해서 성적인 사항을 경시하지 않고, 간호사로서 전문적인 태도로 얘기한다.
- 성적 기능장애는 남성으로서의 정체성이나 가치관에 관련된 문제이기도 하다. 성욕이나 성행위의 회복을 그다지 원하지 않는 경우도 있으므로, 환자의 호소에 충분히 귀를 기울인다.

퇴원지도·요양지도

- 술후 재출혈 (2~3주 후에 보이는 경우가 많다)을 예방하기 위해서, 다음 진찰까지 음주나 심한 운동, 성교는 삼가도록 설명한다.
- 수술부위를 자극하지 않도록 자전거나 오토바이는 2개월 정도 금지하고, 딱딱한 의자 위에서의 사무도 삼가도록 지도한다.
- 갈색 덩어리가 떠 있는 것을 확인해도 조직의 일부가 탈락한 것으로 이상이 있는 것이 아니므로 경과를 지켜봐도 된다. 요중에 선혈이 심할 때는 병원에서 진찰받도록 설명한다.
- 혈뇨나 감염예방을 위해서 수분을 많이 (1,500~2,000mL 정도) 섭취하도록 지도한다.

(那須佳津美)

재출혈예방

성교

음주

심한 운동

수술부위의 안정

딱딱한 의자에 장시간 앉는 것

자전거, 오토바이의 운전

■ 그림 19-4 술후 일상생활에서 삼갈 활동

Memo

전체 map

<table>
<tr><td>병
인</td><td>
●다수의 인자가 관련되지만 환경인자, 특히 동물성 지방의 섭취가 병인으로 작용한다.
●유전적 인자도 관여한다(약 10%가 가족성 발생).
[악화인자] 비만, 남성호르몬 투여 (금기)
</td></tr>
</table>

<table>
<tr><td>역
학</td><td>
●일본에서 가장 급증하고 있는 암의 한 종류이다.
●PSA검사의 보급에 따라서 무증상으로 발견되는 조기암 (국한형)이 증가하고 있다.
[예후] 병기D의 5년생존율은 50%이다.
</td></tr>
</table>

<table>
<tr><td>병
태
생
리</td><td>
●남성생식기의 전립선에서 발생하는 선암이다.
●전립선은 요도를 둘러싸는 외분비선으로, 중심영역, 이행영역, 변연영역으로 이루어지며, 전립선암의 약 75%는 변연영역에서 발생한다.
●전립선의 기능은 남성호르몬 (주로 정소에서 생산되는 테스토스테론)의 영향을 받는다.
●전립선액에 포함되어 있는 단백질 (전립선특이항원 : PSA)은 종양표지자로서 이용되고 있다.

병태생리 map p.186
</td></tr>
</table>

증상　합병증　　　진단　치료

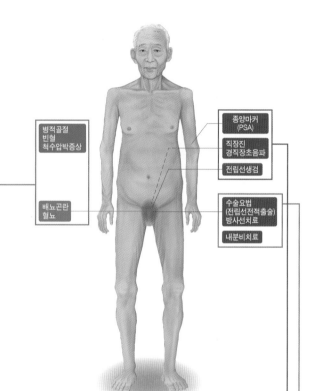

병적골절
빈혈
척수압박증상

배뇨곤란
혈뇨

종양마커
(PSA)
직장진
경직장초음파
전립선생검

수술요법
(전립선전적출술)
방사선치료
내분비치료

<table>
<tr><td>증
상</td><td>
●증상은 병기에 따라서 다르게 나타난다.
●병기 A~B (우발암 · 국한형) : 무증상
●병기 C (국소침윤암) : 원발소에 따른 증상
　(배뇨곤란, 혈뇨)
●병기 D (전이되는 암) : 원발소에 따른 증상＋전이소에 따른 증상 (골통, 병적골절, 척수압박증상) ＋ 전신증상 (빈혈)
[합병증]
●진행병기에는 병적골절, 척수압박증상, 빈혈

증상 map p.188
</td></tr>
</table>

<table>
<tr><td>진
단</td><td>
●진단의 확정은 PSA검사와 생검을 통해 내려진다.
●PSA의 상승과 직장진에서의 이상이 전립선암을 의심하는 계기가 된다.
●확정진단 : 경직장초음파에 의한 전립선침생검으로 병리학적 진단을 내리면서 악성도도 파악할 수 있다(글리슨스코어로 평가).
●병기진단 : 원발소는 직장진, 경직장초음파, MRI로 평가한다. 병기의 진행이 의심스러우면 CT, 골신티 등으로 림프절과 골을 중심으로 평가한다.

진단 map p.188
</td></tr>
</table>

<table>
<tr><td>치
료</td><td>
●무증상으로 발견된 조기암은 무치료 경과관찰만으로 충분하다. 나머지는 다음의 치료법을 단독적용 또는 병용한다.
●수술요법 (전립선전적출술) : 국한암에 근치성이 뛰어난 치료법으로 복강경수술, 최소침습내시경하수술이 있다.
●방사선요법 : 외조사, 밀봉소선원(small shielded source)영구삽입을 단독적용 또는 병용한다. 국한암에 대한 치료성적은 전립선전적출술과 동등하다.
●내분비치료 : 남성호르몬의 혈중농도를 낮추는 완화적 치료법으로 외과적 정소제거, 약물적 정소적출 (LH-RH 아날로그, 항안드로겐제)가 있다.

치료 map p.189
</td></tr>
</table>

병태생리 map

전립선암이란 남성생식기인 전립선에서 발생하는 선암이다.

- 전립선은 요도 주위를 둘러싸는 외분비선으로서, 중심영역, 이행영역, 변연영역의 3영역으로 구별된다. 전립선암의 약 75%는 변연영역에서 발생한다.

- 전립선은 남성생식기로, 그 기관형성, 분화, 기능이 남성호르몬의 영향을 강하게 받고 있다. 90% 이상의 전립선암으로, 이 호르몬 감수성이 유지되고 있으면 내분비치료, 즉 남성호르몬의 제거가 유효하다.

- 남성호르몬의 주체는 테스토스테론으로, 주로 정소에서 분비된다. 이 테스토스테론의 분비는 뇌하수체에서 분비되는 황체형성호르몬 (LH)이 조절하고 있다. 또 LH의 분비는 간뇌에서 분비되는 황체형성호르몬 방출호르몬 (LH-RH)이 조절하고 있다.

- 전립선 요도로 분비되는 전립선액 (정액의 성분)에는 전립선특이항원 (PSA)라 불리는 단백질이 대량으로 함유되어 있다. PSA는 극미량이 혈액 속에도 검출되므로, 종양표지자로서 전립선암의 검출, 병세의 모니터링에 널리 이용되고 있다.

병인·악화인자

- 전립선암의 발생 메커니즘에는 다수의 인자가 관련된다. 잠재암의 빈도는 인종에 관계없이 거의 일정한데 반해서, 임상적으로 현재화되는 암의 빈도는 인종 또는 지역에 따라서 크게 다른 점에서, 환경인자 특히 동물성 지방의 섭취가 관여한다고 시사되고 있다.

- 유전적 인자도 관여하기에 약 10%에서 가족성 발생이 확인된다. 전립선암의 가족력은 전립선암의 위험인자 중 하나이다.

- 전립선암 환자에게 남성호르몬을 투여하는 것은 금기시된다.

역학·예후

- 발생률은 인종, 지역에 따라 큰 차이가 있어서, 서양에서 높고, 아시아, 오세아니아에서 낮다.

- 이전에는 일본의 전립선암의 발생이 적었지만, 현재는 가장 급속히 증가하고 있는 암의 한 종류이다.

- PSA검사로 조기진단이 가능하다. 무증상으로 발견되는 조기암증례가 급증하고 있으며, 현재 새로 전립선암이라고 진단되는 증례의 과반수가 국한암이다.

- 예후를 강하게 규정하는 인자는 병기이다. 임상병기별 예후의 개요를 표 20-1에 나타냈다.

■ 표 20-1 전립선암의 병기분류와 예후

병기	정의	5년생존율
A	전립선수술로 우연히 발견된 전립선에 국한되는 암	100%
B	전립선에 국한되어 있는 암	99%
C	전립선피막을 지나서 정낭에 침윤되는 국소진행암	95%
D	전이가 있는 암	50%

(일본비뇨기과학회, 일본병리학회 : 전립선암 취급규약 제3판, 금원출판, 2001 개편)

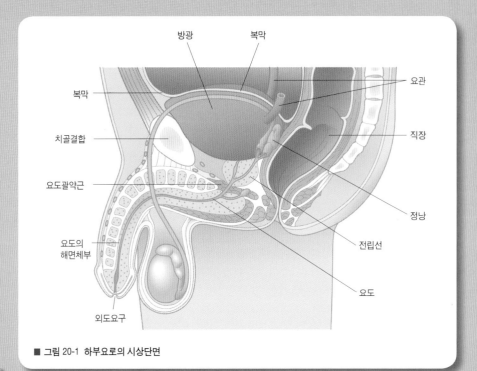

■ 그림 20-1 하부요로의 시상단면

방광 / 복막 / 요관 / 직장 / 정낭 / 전립선 / 요도 / 외도요구 / 요도의 해면체부 / 요도괄약근 / 치골결합 / 복막

병인 · 악화인자

| 환경인자 | 동물성 지방의 섭취 |
| 유전적 인자 |

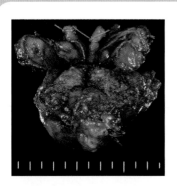

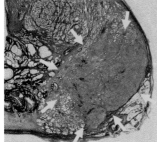

화살표는 암을 나타낸다.

■ 그림 20-2 전립선전적출술 표본과 그 조직상

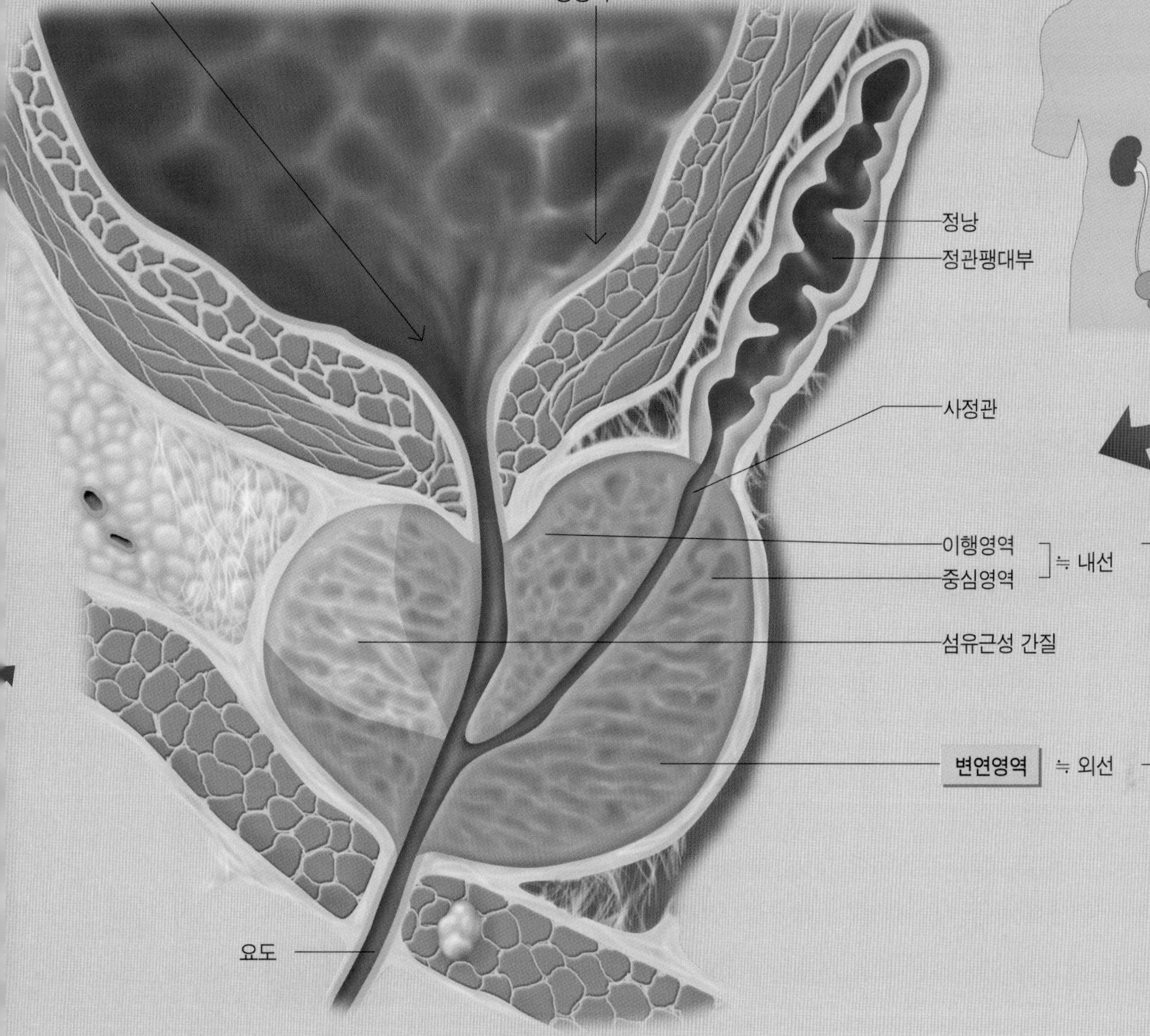

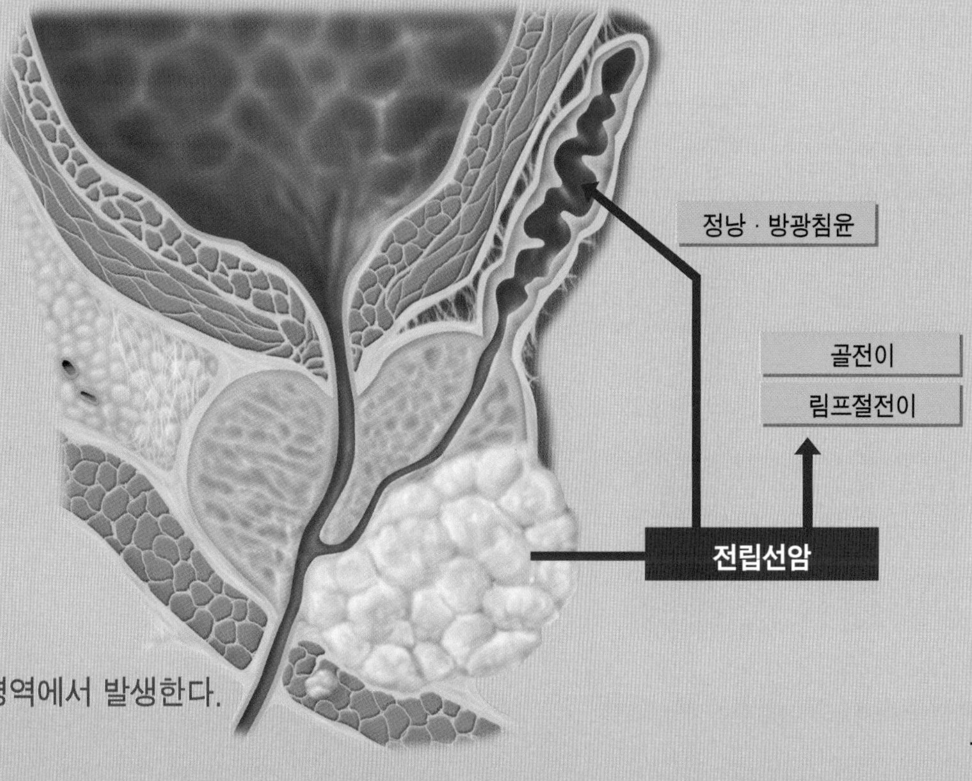

방광삼각

방광저

신장

요관

방광

전립선

정낭

정관팽대부

사정관

이행영역 ┐

중심영역 ┘ ≒ 내선

섬유근성 간질

전립선

변연영역 ≒ 외선

요도

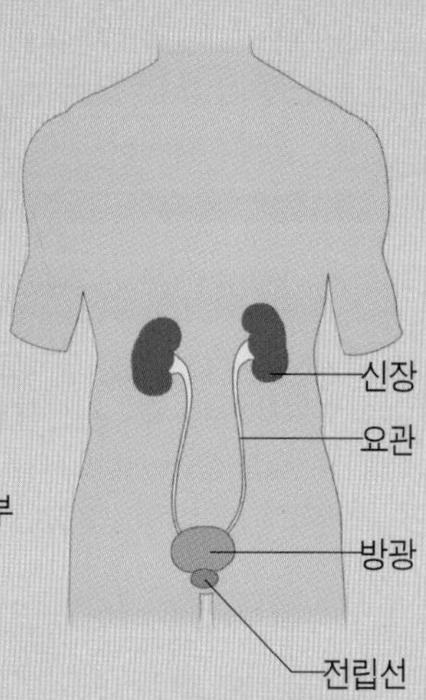

정낭·방광침윤

골전이

림프절전이

전립선암

방광삼각

전립선암의 약 75%는 변연영역에서 발생한다.

증상   합병증

전립선암
증상 map
병기에 따라서 증상이 크게 달라진다.

증상
● 병기A~B에서는 무증상이기 때문에 직장진 이상 또는 혈청 PSA의 상승을 통해 의심하게 된다.
● 병기C에 이르면 배뇨곤란, 혈뇨 등 원발소에 의한 증상이 출현할 수 있다.
● 전립선암의 전이는 림프절과 골에서 높은 빈도로 나타난다. 병기D에서는 상기 원발소에 의한 증상에 추가하여, 전이소에 의한 증상 (골통증, 병적골적, 척수압박증상), 빈혈 등의 전신증상을 나타내게 된다.

합병증
● 진행병기에서는 병적골절(pathologic fracture), 척수압박증상, 빈혈 등이 일어날 수 있다.

전립선암
진단 map
진단은 PSA와 생검으로 확정한다.

진단·검사치
● 전립선암을 의심하는 계기
● 종양표지자인 전립선특이항원 (PSA)의 상승 또는 직장진에서의 이상이 계기가 되는 경우가 많다.
● PSA는 가장 유용한 종양표지자 중의 하나이다. 그러나 전립선에서는 특이적이지만 전립선암에 대한 특이성은 그다지 높지 않기 때문에, 전립선비대증, 전립선염 등 비암질환에서도 높은 수치를 나타낸다는 점에 주의해야 한다.
● PSA의 기준치는 종래 4ng/mL 미만이었지만, 그 범위에서도 전립선암이 상당한 빈도로 발견되므로, 보다 낮은 역치도 고려되고 있다.
● 전립선암의 진단확정
● 전립선침생검으로 채취한 조직을 병리학적으로 검사하여 진단한다.
● 경직장초음파에서 전립선을 관찰하면서, 스프링식의 자동생검기를 전립선에 삽입하여 조직편을 채취한다.
● 이 침생검으로 암을 진단확정함과 동시에 암의 악성도 (전립선암에서는 글리슨스코어라 불리는 지표로 표시한다)가 파악된다.
● 병기진단
● 원발소는 직장진, 경직장초음파, MRI 등에 의해서 평가한다. 진행병기가 의심스러운 경우에는 CT, 골신티 등으로 림프절과 골을 중심으로 전이를 평가하고, 표 20-1에 나타낸 병기를 결정한다. 그림 20-3에 골신티그래피로 명백해진 골전이를 나타내었다.

병적골절
빈혈
척수압박증상

배뇨곤란
혈뇨

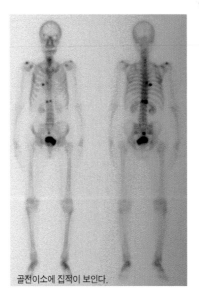

골전이소에 집적이 보인다.

■ 그림 20-3 병기D의 골신티그래피

> **Key word**
> ● 글리슨스코어 (Gleason Score)
> 전립선암의 병리조직학적 분류 (글리슨분류)를 근거로 만들어진 악성도 평가법. 2~10으로 평가한다.

병기 및 환자의 연령이나 합병증의 유무에 따라서 치료법을 선택한다.

진단　　　치료

■ 표 20-2 전립선암의 주요 치료제

분류	일반명	주요 상품명	약효발현의 메커니즘	주요 부작용
호르몬제	류프로렐린초산염	Leuplin	LH-RH수용체의 하향조절로 고나도트로핀분비를 저하	간기능장애, 간질성폐렴, 얼굴의 화끈거림, 발한
	고세렐린초산염	졸라덱스		
비스테로이드성 안티안드로겐제	비칼타미드	카소덱스	안드로겐작용을 수용체레벨에서 경합적으로 저해	간기능장애, 간질성폐렴
	플루타미드	Odyne		
스테로이드성 안티안드로겐제	클로르마디논초산에스텔	Prostal	합성황체호르몬제로, 항안드로겐작용을 발현	간기능장애
여성호르몬과 항암제의 화합물	에스트라무스틴인산에스테르나트륨	에스트라시트	에스트라디올에 의한 중추성호르몬작용과 나이트로젠 머스터드에 의한 세포독작용	혈전색전증, 심부전, 심근경색, 협심증, 간기능장애

치료방침

● 전립선암의 치료법은 무치료 경과관찰, 전립선전적출술, 외조사, 밀봉소선원영구삽입, 내분비치료 또는 이 치료법들의 병용 등 다양하다.
● 환자측 인자 (기대여명, 합병증 등)와 종양측 인자 (병기, PSA치, 악성도 등)를 종합하여 최적의 치료를 선택한다.

수술요법

● 전립선전적출술 : 국한암에 근치성 면에서 가장 뛰어난 치료 중 하나로, 술후의 실금방지와 발기기능에 장애를 남기지 않도록 수술법에 대한 연구가 추가되었다. 또 복강경수술, 최소침습내시경하수술로 저침습화가 도모되고 있다. 그림 20-2에 전립선 전적출표본과 그 단면을 나타냈다.

방사선요법

● 외조사 : 국한암에 대한 치료성적은 전립선전적출술과 동등하다고 생각된다. 안전하게 70Gy 이상의 고선량을 조사하기 위하여 3차원원체조사법 또는 강도변조방사선치료가 행해진다.
● 밀봉소선원영구삽입 : 방사선동위원소가 밀봉된 밀봉선원(sealed source)을 경직장초음파단층법 가이드하에 전립선 내에 영구삽입하고 고선량을 조사한다. 일본에서는 2003년 9월부터 시행되고 있으며, 치료는 며칠 간의 입원만으로도 충분하다. 리스크가 높은 증례에서는 외조사와 병용하여 행해지기도 한다.

내분비요법

● 남성호르몬의 혈중농도를 낮추는 치료이다. 진행병기라도 약 9할에서 강력한 효과를 나타내지만, 완화적 치료로 받아들여야 한다.
● 유효기간이 유한하고, 완전완화를 기대하기 어렵다. 내분비치료를 했지만 효과가 없고 암이 지속적으로 진행되는 상태를 내분비치료 저항성으로, 일단 효과가 있어서 암의 진행이 정지되거나 증상이 개선된 후 다시 악화된 경우를 재발로 구별한다.
● 남성호르몬을 제거하는 방법으로, 외과적 정소적출과 약물적 정소적출 (LH-RH 아날로그 서방제의 피하주사, 항안드로겐제의 내복) 등이 있다.

Px 처방례 1)~4) 중에서 선택한다.

※전립선암에 대한 약물치료는 내분비치료에 한한다. 내분비치료의 주체는 LH-RH 아날로그 데포주의 피하주사이다.
1) Leuplin주사용 키트 (3.75mg/V) 4주마다 1회 피하투여 ←LH-RH 아날로그 데포주
2) 졸라덱스데포 (3.6mg/통) 4주마다 1회 피하투여 ←LH-RH 아날로그 데포주
3) Leuplin SR주사용 키트 (11.25mg) 12~13주에 1회 피하투여 ←LH-RH 아날로그 데포주
4) 졸라덱스 LA데포 (10.8mg/통) 12~13주에 1회 피하투여 ←LH-RH 아날로그 데포주

Px 처방례 상기주사에 추가하여 또는 단독으로 1)~4)를 적용한다.
1) 카소덱스3정 (80mg) 1정 分1 ←비스테로이드성항안드로겐제
2) Odyne정 (125mg) 3정 分3 ←비스테로이드성항안드로겐제
3) Prostal정 (25mg) 4정 分2 ←스테로이드성항안드로겐제
4) 에스트라시트캅셀 (140mg) 4캅셀 分2 ←여성호르몬과 항암제의 화합물

무치료 경과관찰

● 무증상으로 발견된 저악성도 조기암에 근치적 치료를 즉시 시행하지 않고 치료하지 않은 상태에서 PSA의 측정 등으로 병세를 관찰하는 방침이다. 병세가 진행되는 경우에는 근치적 치료를 시행한다. 저악성도 (글리슨스코어 6 이하) 전립선암의 진행이 비교적 느리기 때문에 이런 식으로 치료한다.

종양마커 (PSA)
직장진 경직장초음파
전립선생검
수술요법 (전립선전적출술) 방사선치료
내분비치료

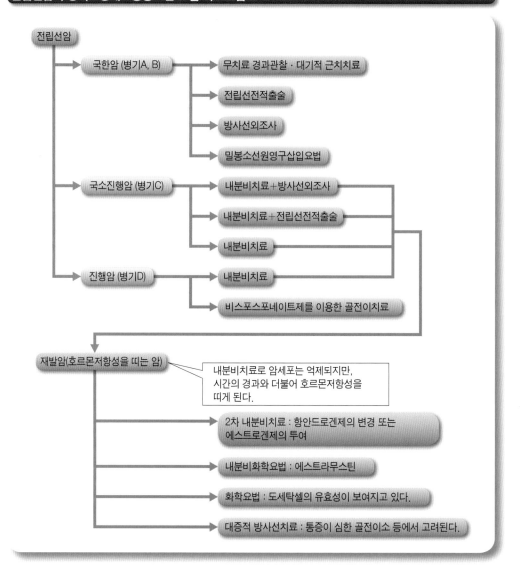

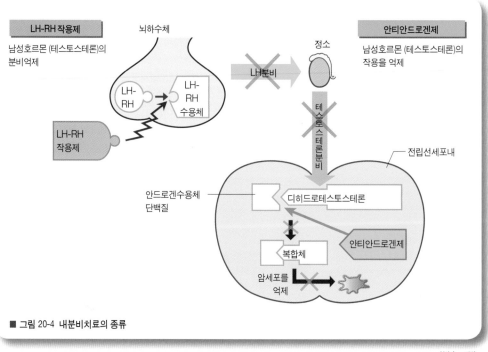

■ 그림 20-4 내분비치료의 종류

(川上　理)

환자케어

다양한 치료법이 개발되어 있으므로 치료선택에 지지가 필요하다. 요실금, 성기능장애라는 치료의 부작용에도 적절한 조언과 정보를 제공한다.

병기·병태·중증도에 따른 케어

【진단기】 건강검진 등으로 발견되는 경우가 많고, 자각증상이 없는 점, 치료의 선택사항에는 수술, 방사선요법이나 호르몬요법이 있고, 또 매우 조기인 경우는 경과관찰이라는 방법도 있다는 점에서 의사결정이 어려운 경우가 많다. 환자·가족의 병이나 치료에 대한 생각을 이해하고, 납득할 만한 선택을 할 수 있도록 지지한다.

【치료기】 각 치료의 부작용에 따라서 적절한 조언과 지지가 필요하다. 요실금이나 성기능장애라는 합병증에도 환자 각각의 느낌·견해를 이해하고, 간호사로서 언제라도 상담에 응할 수 있다는 점을 전달하며, 적절한 조언과 정보를 제공한다.

【종말기】 하지부종이나 골전이 등으로 인한 통증, 또 전이부위에 따라서 여러 고통증상이 출현한다. 적극적인 통증완화를 통해 환자가 편안한 마지막을 맞이할 수 있도록 지지한다. 경과가 길어져서 가족의 간호가 장기화되는 경우도 있으므로, 가족에 대한 케어도 중요하다.

케어의 포인트

진찰·치료의 간호
- 검사나 처치시에 환자의 수치심을 충분히 배려하여 간호한다.
- 신체적·정신적 고통을 수반하는 검사도 있으므로, 충분한 설명이 필요하다.
- 의사의 설명을 충분히 이해하고, 또 원하는 정보를 물어 볼 수 있었는지 등, 진찰 후에 확인하는 것도 필요하다.

치료선택의 지지
- 현재 여러 치료법이 개발되어 있어서, 환자·가족 모두 어떤 치료가 좋은지 결정하기가 어려운 경우도 많다. 선택시에 충분한 시간을 주고, 정확한 정보를 제공하는 것이 중요하다. 적극적으로 다른 의사의 견해를 권하는 지지도 필요하다.
- 방황할 때에 곁에서 생각을 경청하여 환자·가족이 감정을 추스릴 수 있도록 돕는 것도 중요하다.

치료의 부작용에 대한 지지
- 치료로 여러 부작용이 출현하므로, 정확한 지식을 갖고 증상의 조기발견과 일상생활상에 대하여 적절한 조언을 하는 것이 중요하다.

성적 정체성의 변화에 대한 지지
- 간호사로서 전문적인 태도로 지지한다.
- 치료의 선택과도 관련되므로, 의사결정을 위해서 가족을 포함하여 정확한 정보제공이 필요하다.
- 성적기능장애는 남성으로서의 정체성이나 가치관과 관련된 문제이기도 하다. 성욕이나 성행위의 회복을 그다지 원치 않는 경우도 있으므로, 환자의 호소에 충분히 귀를 기울인다.

종말기 환자·가족에 대한 지지
- 여러 가지 신체증상에 추가하여, 죽음에 대한 불안, 간호하는 가족이 갖는 부담 등 많은 문제가 출현한다. 충분한 고통의 완화와 환자·가족을 전인적으로 수용하는 케어가 필요하다.

퇴원지도·요양지도

- 전립선전적출술을 받은 후, 요실금이 계속되는 경우에는 골반저근운동 (그림 20-6)의 계속과 음부의 청결을 유지하도록 지도한다. 요실금은 몇 개월 정도 계속되기도 하지만, 점차 개선되는 점, 개선이 보이지 않을 때는 치료도 고려된다는 점을 설명한다.
- 요로감염을 예방하기 위해서 수분을 많이 섭취하도록 설명한다.
- 수술부위를 자극하지 않도록 자전거나 오토바이는 2개월 정도 금지하고, 다음 진찰까지 성교도 삼가도록 지도한다. 성기능장애에 관하여 불안이나 걱정이 생기면 언제든지 상담받도록 설명한다.

(那須佳津美)

여러가지 자세를 위하여 항문을 꽉 조이자!

위로 향하여 눕는다.
발을 어깨넓이로 벌리고 양 무릎을 조금 세워서 항문을 꽉 조인다.

엎드린다.
양 무릎, 양 팔꿈치를 바닥에 붙인다. 항문을 꽉 조인다.

의자에 앉는다.
양 발을 어깨넓이로 벌리고 등을 펴서 얼굴을 위로하여, 항문만 꽉 조인다.

테이블에 기댄다.
테이블에 손을 붙이고 체중을 팔에 실으며, 항문만 꽉 조인다.

■ 그림 20-5 골반저근운동

Memo

21 요로감염증
(신우신염, 방광염; urinary tract infection)

影山幸雄/高島尚美

전체 map

<table>
<tr><td>병인</td><td>● 대장균 등의 장관내 상재균이 원인의 대부분을 차지한다.
[악화인자] 요로결석, 요로통과장애, 당뇨병</td></tr>
</table>

<table>
<tr><td>역학</td><td>● 남녀비는 1 : 5~6이다.
● 방광염은 남성에게는 거의 보이지 않는다.
● 단순성요로감염증은 항균제로 신속하게 개선된다.
[예후] 복잡성요로감염증은 중증화되기 쉽다.</td></tr>
</table>

<table>
<tr><td>병태생리</td><td>● 세균의 상행성 감염에 의해 요로에 발생한 염증을
요로감염증이라고 한다.
● 방광염(cystitis) : 점막 주체의 염증으로서, 배뇨통
등의 국소증상이 주로 나타난다.
● 신우신염(pyelonephritis) : 신장실질의 염증으로서, 발열 등의 전
신증상이 주로 나타난다.
● 기초질환 (요로결석, 요로통과장애 등)의 유무에 따라서, 단순성
요로감염증(uncomplicated)과 복잡성요로감염증(complicated)
으로 분류된다.</td></tr>
</table>

병태생리
map
p.194

<table>
<tr><td>증상</td><td>● 단순성방광염 : 빈뇨, 배뇨통, 요혼탁(urinary
cloudiness)이 3가지 주증상이다. 잔뇨감, 혈뇨도 보
이지만, 발열은 없다.
● 단순성신우신염 : 발열, 측복부통, 방광염증상이 나
타난다.
[합병증]
● 단순성방광염 : 항균제 사용으로 합병증이 거의 없다.
● 신우신염 : 균혈증(bacteremia), 패혈증(sepsis)</td></tr>
</table>

증상
map
p.196

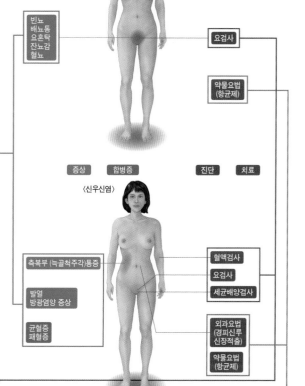

<table>
<tr><td>진단</td><td>● 증상, 요소견, 혈액검사 소견을 종합적으로 판단하
여 진단한다.
● 요침사(urinary sediment) : 백혈구수 증가 (1시야 10
개 이상)가 확인된다. 정확한 진단에는 중간뇨를 사
용한다(여성은 도뇨로 채취).
● 혈액검사 : 신우신염에서는 말초혈 백혈구수 증가, 적혈구침강속
도 항진, CRP 증가가 확인된다.
● 세균배양 : 신우신염에서는 항균제를 투여하기 전에 요세균 (필
요하면 혈액)을 배양한다.</td></tr>
</table>

진단
map
p.196

<table>
<tr><td>치료</td><td>● 단순성요로감염증 : 항균제 투여, 수분섭취, 안정으
로 치유를 도모하며 자극물·음주는 삼간다.
● 복잡성요로감염증 : 상기에 추가하여, 요로통과장
애가 있으면 그를 경감시켜야 한다.
● 신우신염에서 고열, 고도의 백혈구 증가, 탈수, 패혈증일 가능성
이 있으면 입원해야 한다.
● 약물요법 : 경증례에서는 항균제의 경구투여를, 중증 신우신염
및 복잡성신우신염은 점적정주를 시행한다.
● 외과요법 : 경피적신루조설, 신장적출이 필요한 경우도 있다.</td></tr>
</table>

치료
map
p.197

21
요로감염증 (신우신염, 방광염)

요로감염증 (신우신염 , 방광염)

병태생리 map

세균의 상행성 감염에 의한 요로의 염증이다.

- 방광염 : 점막 주체의 염증→배뇨통 등의 국소
  증상이 주체.
- 신우신염 : 신장실질의 염증→발열 등의 전신
  증상이 주체.
- 기초질환 (요로결석, 요로의 통과장애 등)의 유
  무 여부에 따라 단순성요로감염증과 복잡성요
  로감염증으로 분류된다.

병인·악화인자

- 대장균 등의 장관내 상재균이 원인의 대부분을
  차지한다.
- · 단순성요로감염증 : 대장균이 80%를 차지하
  고, 그 밖에 프로테우스속(Proteus), 폐렴간균
  등이 있다.
- 요로의 통과장애나 요로결석은 요로감염증을
  중증화하기 쉽다.
- 당뇨병이 있는 환자에게는 중증례, 난치례가
  많아서 집중적인 치료가 필요하다.

역학·예후

- 통상적으로 남성에게 방광염이 나타나는 경우
  는 거의 없다.
- 여성에게서 발생빈도가 높다(남성의 5~6배).
- · 단순성방광염 : 20~40세의 성적 활동기에 가
  장 호발하고, 그 다음으로는 폐경 전후의 여성
  에게 많다.
- 단순성요로감염증은 항균제의 투여로 보다 신
  속하게 개선되는 경우가 많다.
- 복잡성요로감염증은 중증화되기 쉬우며, 특히
  신우신염의 경우, 패혈증 등으로
  사망할 위험성도 있다.

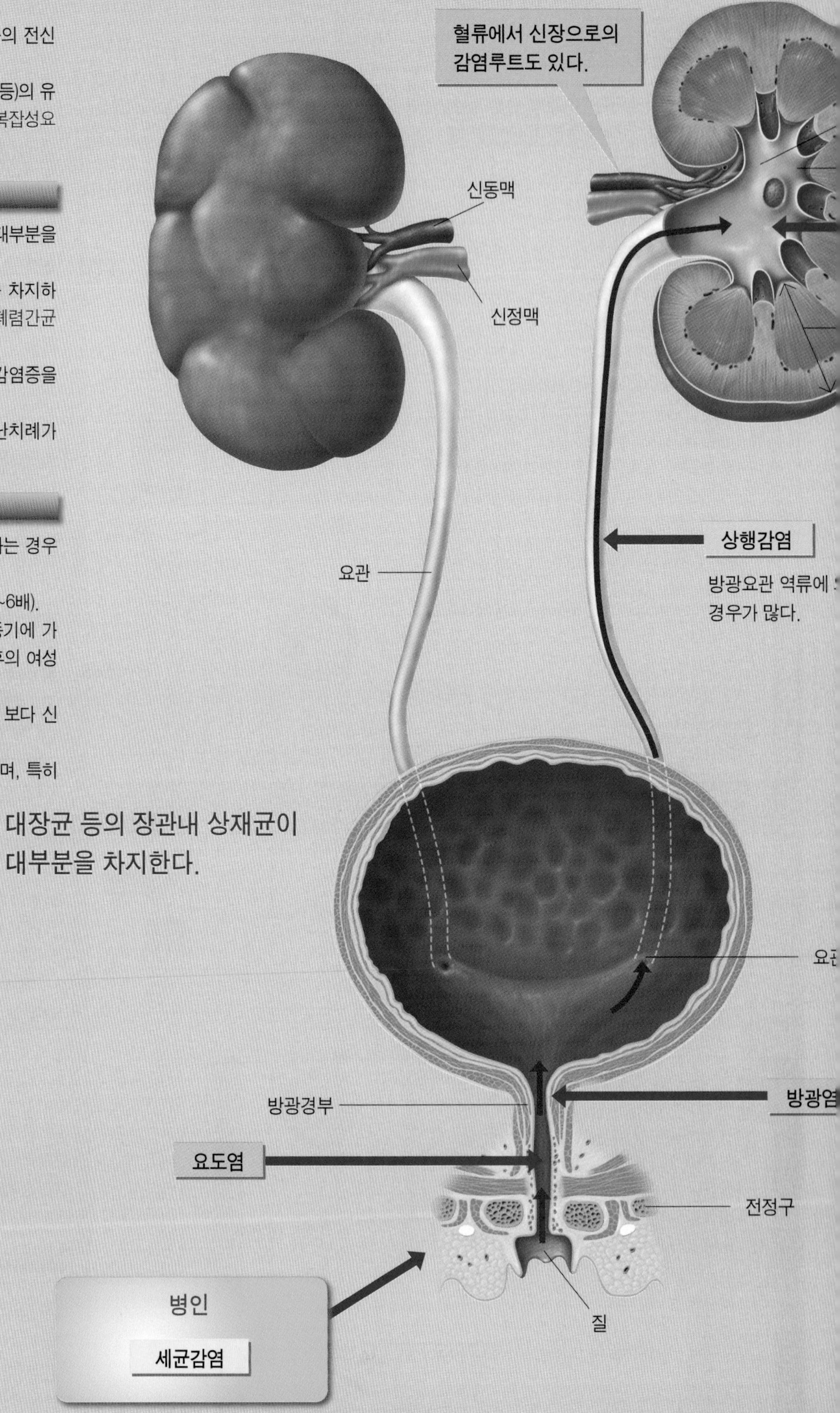

혈류에서 신장으로의
감염루트도 있다.

신동맥

신정맥

상행감염

방광요관 역류에 의
경우가 많다.

요관

대장균 등의 장관내 상재균이
대부분을 차지한다.

요관

방광경부

방광염

요도염

전정구

병인

질

세균감염

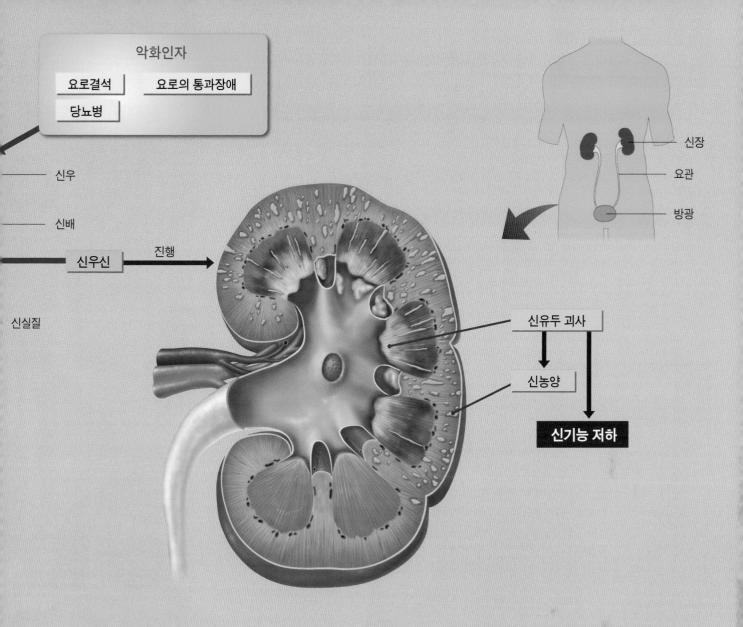

악화인자

요로결석　　요로의 통과장애

당뇨병

신우

신배

신우신 ──진행──▶

신실질

신장

요관

방광

신유두 괴사

신농양

신기능 저하

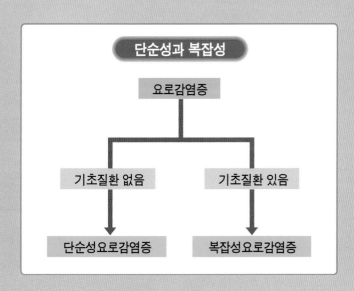

단순성과 복잡성

요로감염증

기초질환 없음　　　　기초질환 있음

단순성요로감염증　　　복잡성요로감염증

요로감염증 (신우신염 , 방광염)

증상 map

빈뇨, 배뇨통, 요혼탁의 3가지 주증상이 방광염의 증상이다. 단순성신우신염에서는 발열과 측복부통을 호소한다.

증상

● 단순성방광염 : 빈뇨, 배뇨통, 요혼탁 (3가지 주증상), 잔뇨감 등이 나타나는데 혈뇨가 보이는 경우도 많다. 통상적으로 발열은 수반하지 않는다.
● 단순성신우신염 : 발열, 측복부 (늑골척주각)통증, 방광염 같은 증상도 보인다.

합병증

● 단순성방광염 : 항균제의 사용으로 신속히 치유되고, 합병증이 남는 경우는 거의 없다.
● 신우신염 : 균혈증이 되기 쉽다. 패혈증으로 사망하는 증례도 있다.
· 고령자, 당뇨병 환자, 부신피질호르몬제를 사용 중인 환자는 특히 주의가 필요하다.

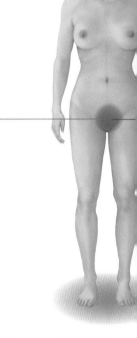

증상　　합병증

〈방광염〉

빈뇨
배뇨통
요혼탁
잔뇨감
혈뇨

요로감염증 (신우신염 , 방광염)

진단 map

증상과 요검사 및 혈액검사 소견을 검토하여 종합적으로 진단한다. 요침사에서는 또는 백혈구 증가가 확인된다.

진단·검사치

● 증상, 요소견, 혈액검사 소견을 종합적으로 판단하여 진단한다.
● 요침사 : 백혈구수의 증가 (1시야 10개 이상)를 확인한다.
· 중간뇨를 이용한다 (여성은 도뇨로 채취하는 것이 바람직하다).
● 신우신염에서는 말초혈 백혈구수 증가, 적혈구침강속도 항진, CRP 증가 등이 확인된다.
● 신우신염에서는 항균제를 투여하기 전에 요 (필요하면 혈액) 세균배양을 제출한다.

증상　　합병증

〈신우신염〉

측복부 (늑골척주각)통증

발열
방광염양 증상

균혈증
패혈증

Key word

● 방광요관역류 (vesicoureteral reflux ; VUR)

요가 상부요로로 역류하는 병태로, 선천성 형성부전에 의한 원발성 (1차성)과, 신경인성 방광이나 하부요로 통과장애에 의한 2차성으로 크게 나뉜다. 신우신염, 또 신기능장애를 일으켜서, 역류성신증으로 진전된다.

● 신경인성 방광 (neurogenic bladder)

하부요로기능 (축뇨기능과 배뇨기능)은 대뇌를 정점으로 하는 신경배뇨 반사회로에 의해서 제어되고 있는데, 신경계에 이상을 일으켜서 하부요로기능에 장애를 일으키는 것을 신경인성 방광이라고 총칭한다. 요도 (괄약근)의 기능장애를 나타내기도 한다. 신경인성 방광에서는 요로감염이나 상부요로의 변화가 초래되는 경우가 많다.

요로감염증 (신우신염, 방광염)
치료 map

진단　　치료

요검사

약물요법
(항균제)

진단　　치료

혈액검사

요검사

세균배양검사

외과요법
(경피신루
신장적출)

약물요법
(항균제)

단순성요로감염증에서는 항균제를 이용하는 약물요법을 기본으로 치료한다.

■ 표 21-1 요로감염증의 주요 치료제

	분류	일반명	주요 상품명	약효발현의 메커니즘	주요 부작용
경구제	신(新)퀴놀론계 항균제	레보플록사신수화물	Cravit	요중 이행에 의한 살균	알레르기증상, 연변·설사, 경련 (신퀴놀론계 항균제)
	제2세대세펨계	세포티암헥세틸염산염	Pansporin T		
	제3세대세펨계	세프디니르	Cefzon		
	페니실린계	아목시실린수화물	Pasetocin, Amolin, Sawacillin, Widecillin		
	β락타마제저해제 배합페니실린	암피실린나트륨·설박탐나트륨	Unasyn-S		
주사약	제2세대세펨계	세포티암산염	Pansporin	요중 이행에 의한 살균	쇼크·아나필락시스양 증상, 신기능장애 (아미노배당체계), 경련 (카르바페넴계), 내이신경장애 (아미노배당체계)
	제3세대세펨계	세프트리악손나트륨수화물	로세핀		
	β락타마제저해제 배합페니실린	설타미실린토실산염수화물	Unasyn		
	아미노배당체계	아미카신황산염	황산아미카신, Biklin		
	카르바페넴계	파니페넴·베타미프론	Carbenin		

치료방침

● 단순성요로감염증 : 항균제의 투여, 수분섭취, 안정을 통해 치유를 도모하며 자극물이나 음주는 삼간다.
● 복잡성요로감염증 : 상기 외에 요로통과장애가 있으면 그를 경감시켜야 한다.
● 신우신염일 경우의 입원치료 : 고열, 고도의 백혈구 증가, 탈수, 패혈증의 가능성 등.

약물요법

● 경증례에서는 항균제의 경구투여가, 중증 신우신염, 복잡성신우신염에서는 점적정주가 기본이다.
● 무증상의 복잡성요로감염증에는 원칙적으로 항균제는 투여하지 않는다.
● 임부에게는 세펨계, 고령자에게는 신퀴놀론계 항균제를 사용한다.

Px 처방례 급성단순성방광염
※다음의 항균제를 (경구투여) 3일간 (고령자는 3~7일간).
● Cravit정 (500mg) 1정 分1 (식후) ←신퀴놀론계
● Cefzon캅셀 (100mg) 3캅셀 分3 (식후) ←제3세대세펨계
● Pasetocin캅셀 (250mg) 3캅셀 分3 (식후) ←페니실린계

Px 처방례 급성단순성신우신염 (중증례 : 고열, 고도의 백혈구 증가, 탈수, 패혈증 등)
※다음의 주사약 (3~5일간)→다음의 경구약 (전체적으로 14일간).
〈주사약〉
● Pansporin주(0.5g/V)+생리식염수 100mL 점적정주 6시간마다 ←제2세대세펨계
● 로세핀주(1g/V)+생리식염수 100mL 점적정주 12시간마다 ←제3세대세펨계
● Unasyn-S키트(3g)+생리식염수 100mL 점적정주 12시간마다 ←β락타마제저해제배합페니실린
　[+황산아미카신주(100mg)+생리식염수 100mL 1일1회 ←아미노배당체계
〈경구약〉
● Cravit정(500mg) 1정 分1 (식후) ←신퀴놀론계
● Pansporin T정(200mg) 3캅셀 分3 (식후) ←제2세대세펨계

Px 처방례 급성단순성신우신염 (경증례 : 경도의 발열, 백혈구수 증가, 오심, 구토 없음)
※다음의 항균제 (경구투여) 14일간
● Cravit정(500mg) 1정 分1 (식후) 신퀴놀론계
● Pansporin T정(200mg) 3캅셀 分3 (식후) 제2세대세펨계

Px 처방례 복잡성방광염
※다음의 항균제 (경구투여) 7일간 (~14일간)
● Cravit정(500mg) 1정 分1 (식후) ←신퀴놀론계
● Pansporin T정(200mg) 3캅셀 分3 (식후) ←제2세대세펨계
● Unasyn정 (375mg) 3정 分3 (식후) ←β락타마제저해제배합페니실린

Px 처방례 복잡성신우신염
※다음의 주사약 (3~5일간) ←다음의 경구제 중에서 선택한다(14일간).

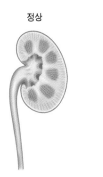

정상

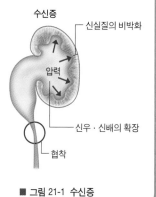

수신증

- 신실질의 비박화
- 압력
- 신우 · 신배의 확장
- 협착

■ 그림 21-1 수신증

〈주사약〉
- Pansporin주(0.5g/V)+생리식염수 100mL 점적정주 6시간마다 ←제2세대세펨계
- 로세핀주(1g/V)+생리식염수 100mL 점적정주 12시간마다 ←제3세대세펨계
- Unasyn-S키트 (3g)+생리식염수 100mL 점적정주 12시간마다 ←β 락타마제저해제배합페니실린
- Carbenin주(500mg)+생리식염수 100mL 점적정주 12시간마다 ←카르페넴계

〈경구제〉
- Cravit정(500mg) 1정 分1 (식후) ←신퀴놀론계 항균제
- Pansporin T정(200mg) 3캅셀 分3 (식후) ←제2세대세펨계

외과요법

- 경피신루
- 수신증을 수반하는 중증 신우신염에서는 신루조설을 통한 배농이 필요한 경우가 있다.
- 초음파가이드하에 등에서 신장을 천자하여 카테터를 유치한다(그림 21-2).
- 신장적출 : 항균제의 투여, 경피신루 등의 치료로 개선되지 않는 중증 신우신염에서 고려한다.

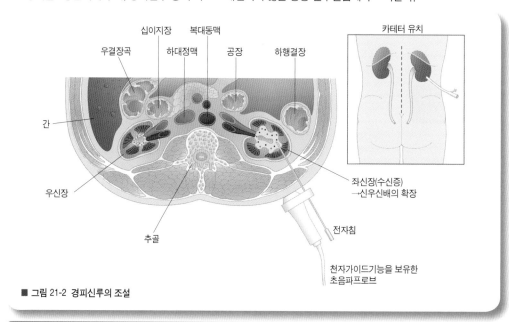

■ 그림 21-2 경피신루의 조설

요로감염증의 병기 · 병태 · 중증도별로 본 치료흐름도

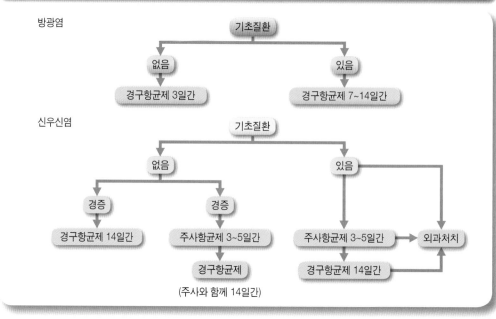

(影山幸雄)

환자케어

확실한 약물투여 관리, 방광자극증상이나 발열 등의 증상에 대해 지지한다.
만성복잡성요로감염증인 경우에는 기초질환의 치료를 우선시한다.

병기·병태·중증도에 따른 케어

【급성기】항균제의 사용으로 감염기인균을 제거할 수 있으므로, 확실하게 약물투여를 관리하면서 방광자극
증상이나 발열, 불안 등에 대해 지지한다. 중증인 경우에는 신부전이나 패혈증에 빠지는 수도 있으므로, 안
정 및 체온조정, 일상생활에 대하여 지지한다.

【만성기】만성복잡성요로감염증인 경우는 기초질환의 치료을 우선시한다. 치료법이 병태에 따라서 다르므
로, 환자가 끈기있게 셀프케어를 할 수 있도록 정신적인 면을 포함하여 케어나 지도를 실시한다.

【회복기】급성단순성요로감염증은 항균제를 사용하면 회복이 양호하다. 질환에 관한 지식을 제공하면서,
재발되지 않도록 생체방어기능을 높이는 방법이나 배설행동·청결행동에 대한 지도가 필요하다.

케어의 포인트

진찰·치료의 간호
●항균제를 확실히 연속해서 내복하도록 지도한다.
●첫 회 검사시에 중간뇨를 채취할 수 있는가 확인한다.

증상에 대한 지지
●신우신염 급성기 환자에게는 감염에 수반하는 발열이나 통증 등의 불쾌한 증상이 있으므로 안정을 유지
하고 체온을 조절하며, ADL을 지지하여 체력의 소모를 최소한으로 한다.
●방광염 환자는 배뇨통, 빈뇨, 잔뇨감 등의 방광자극증상이 소실되도록, 항균제 약물관리, 수분섭취를 촉구
하고, 재발하지 않도록 하는 배설행동이나 청결행동을 지도한다.

환자·가족을 위한 심리면에서의 지지
●배뇨는 인간의 가장 기본적인 욕구이므로, 배뇨장애나 배뇨통은 불안을 유발하기 쉽다. 지식이 부족한 경
우도 있으므로, 불안의 내용이나 요인을 확실히 밝히면서 관여하는 것이 중요하다.

퇴원지도·요양지도

●의료기관에서 진찰받도록 하며, 보고가 필요한 감염징후나 증상에 대하여도 지도한다.
●규칙적으로 계속해서 항균제를 복용하도록 지도한다.
●요량을 2,000mL/일로 유지하게 하는 수분섭취와 그 이유를 설명한다.
●요로감염을 예방하기 위한 청결행동을 지도한다. 배설 후의 청결방법, 청결한 하의의 착용, 성교 후의 배뇨[1]
등을 지도한다.
●생체방어기능을 저하시키지 않는 방법 : 과로나 스트레스, 한냉을 피하고, 감기나 월경시에는 특히 주의한다.

●인용문헌
1) Lewis S, et al : Medical Surgical Nursing 6th, Renal and Urologic Problems, p.1175~1177, Mosby, 2004

(那須佳津美)

■ 그림 21-3 생체방어기능을 저하시키는 요인

Memo

색인